P9-EED-645

Les énergies du Soleil

Pierre Audibert
avec la collaboration de
Danielle Rouard

Les énergies
du Soleil

Éditions du Seuil

En couverture : « les Tarots », édité à Marseille par
Nicolas Conver, 1760-1803, détail. (Paris BN, photo
Lauros/Giraudon.)

ISBN 2-02-004826-4

© *Editions du Seuil, 1978*

La loi du 11 mars 1957 interdit les copies ou reproductions
destinées à une utilisation collective. Toute représentation ou
reproduction intégrale ou partielle faite par quelque procédé
que ce soit, sans le consentement de l'auteur ou de ses ayants
cause, est illicite et constitue une contrefaçon sanctionnée par
les articles 425 et suivants du Code pénal.

« Jetés dans l'ignoble Europe où meurt, privée de beauté et d'amitié, la plus orgueilleuse des races, nous autres Méditerranéens vivons toujours de la même lumière. Au cœur de la nuit européenne, la pensée solaire, la civilisation au double visage, attend son aurore. Mais elle éclaire déjà les chemins de la vraie maîtrise. » Albert Camus, *l'Homme révolté*.

Remerciements

Nous voudrions exprimer notre reconnaissance à Georges et Marie Alexandroff, Frédéric Nicolas, Marc Vaye, architectes ; à M. Zoghbi, chercheur au CIRED ; à M. Chartier, ingénieur agronome à l'INRA ; à M. Bloch, ingénieur de la société Heurtey ; à M. Romani, spécialiste de l'énergie éolienne ; à Mlle Moustacchi, chercheur à l'Institut du radium à Orsay ; à M. Perrin de Brichambaut, ingénieur en chef de la Météorologie.

Nous remercions aussi pour leurs conseils MM. J. Michel et A. Liébart, architectes ; M. Isman ; M. Bailly du Bois, de la Délégation aux énergies nouvelles ; MM. Meunier, Robert, Tricot, chercheurs au CNRS ; M. Vignet, chercheur au CEA ; M. Biélikoff, de la société Elf ; M. Fiatte, de la société CFP-Total ; M. Sterut, de la société CGE ; MM. Aureille, Godin, Simon, Michel, Bonnefille, d'EDF ; MM. Bouchet, de Parcevaux, Dénarié, de l'INRA ; M. Salmon-Legagneur, de la DGRST ; MM. Sachs et Théry, du CIRED ; M. Laurens, du Laboratoire d'orgonomie générale. Sans oublier les ingénieurs des sociétés Sofretes, Guinard, Bertin.

Enfin nous remercions les responsables de l'exposition « Energies libres », présentée par le Centre de création industrielle (1976), pour l'aide qu'ils nous ont apportée dans la recherche iconographique, ainsi que les membres de la Délégation aux énergies nouvelles.

1

*Soleil rouge.
De l'alchimie à la science
solaire, en passant par
l'astrologie et l'astronomie*

Lions de pierre accouplés dos à dos, dans l'antique Egypte. L'un tourné vers l'Occident, l'autre vers l'Orient, comme pour marquer les bornes de l'écoulement du jour. Hier, demain ; le levant, le couchant. Un rythme immuable ponctue la randonnée du Soleil. Le lion d'Orient et le lion d'Occident en sont les gardiens impénétrables et radieux, symboles du rajeunissement journalier de l'astre solaire, dans la civilisation égyptienne. Mais depuis...

Sa ronde aurait-elle fini par lasser ? On oubliait le soleil, peu à peu. Il revient aujourd'hui, par la petite porte. Il s'est introduit dans le contingent des énergies « nouvelles » comme pour masquer qu'il est connu depuis que le monde est monde. Re-source d'énergie, il resurgit après deux millénaires d'une éclipse énigmatique.

Qu'est-ce que le progrès, lorsqu'on observe les richesses prometteuses de l'Antiquité grecque ou égyptienne, et que de nos jours, la science solaire est dans ses balbutiements ? Avec le recul, on s'émerveille volontiers de la sagesse ancestrale, qui sut intégrer le soleil à ses expérimentations scientifiques autant qu'à ses préoccupations religieuses. De grandes civilisations sont nées sur des terres arides, embrasées par les feux du ciel. Les Egyptiens sont les premiers à domestiquer l'énergie solaire. Ils inventent l'art de la terre : l'agriculture — la photosynthèse, déjà... Quant à l'irrigation, elle suppose l'étude du cosmos. « Le solstice est le moment de l'année où commence la crue du Nil », constate Cuvier au XIXᵉ siècle. « Les Egyptiens devaient donc chercher dans le ciel un signe apparent de son retour. »

Les mystères cosmiques sont la toile de fond des illuminations religieuses. L'homme tente de s'harmoniser aux éléments. Tout un art de vivre... Des techniques rudimen-

taires et subtiles sont mises en œuvre. Les briques, les pote-
ries sont séchées au soleil, de même que les aliments,
qui sont ainsi conservés. L'habitat est climatisé, bien avant
que Le Corbusier ne redécouvre dans sa *Charte d'Athènes*
que « le Soleil commande ». Au cours d'un périple méditerranéen, un reporter nommé Xénophon observe des trou-
vailles architecturales qu'on envierait de nos jours. Il note :

> Les rayons du soleil pénètrent en hiver à travers le
> portique. Mais celui-ci les arrête quand le soleil est
> haut au-dessus de nos têtes, l'été. La façade sud des
> maisons est plus élevée, afin de profiter du soleil d'hi-
> ver ; la façade nord est plus basse, pour se prémunir
> du vent froid.

Et combien d'inventions, déjà... Les Egyptiens découvrent l'effet de serre, et leurs obélisques servent à mesurer
le temps, grâce à leur ombre projetée sur des cadrans
solaires. Héron d'Alexandrie fait fonctionner une petite
pompe solaire avant d'inventer l'ancêtre de la machine à
vapeur. Archimède braque des miroirs sur la flotte romaine
qui encercle Syracuse et incendie les navires ennemis en
concentrant sur eux le feu solaire. Dans les temples
gardés par les vestales, le feu sacré est allumé par « la
flamme pure du soleil », ainsi que le raconte Plutarque :

> Les pontifes disposent un vase creux. Puis ils l'inclinent
> vers le soleil rayonnant. Ainsi les rayons allumés s'en
> vont-ils de tous côtés s'unir et s'assembler au centre
> du vase. Là, l'air est si bien subtilisé qu'à la fin il
> s'enflamme ; et quand on en approche quelque matière
> aride et sèche, le feu y prend aussitôt.

On imagine déjà la Cité du Soleil, que tentent d'ailleurs
de construire 70 000 esclaves révoltés derrière Spartacus.
Ils finissent crucifiés : 6 000 croix jalonnent la route de
Capoue à Rome.
Ensuite vient, pour le soleil, le début d'une longue nuit.
Le généreux donateur est oublié, du moins dans la cons-
cience de l'homme, car on continue de piller ses richesses,

mais sans y prendre garde. Pendant des siècles, le courant des rivières et le vent animent les moulins, le bois
des forêts procure le chauffage : là encore, tout vient du
soleil. Plus tard, on puisera dans les mines de charbon
et dans les gisements de pétrole : qu'est-ce là d'autre que
du soleil en boîte, réserves emmagasinées dans les profondeurs de la Terre ?

Au Moyen Age, Galilée est condamné par l'Inquisition.
Il a osé dire, après Copernic, que la Terre n'est pas le
centre du monde, mais tourne autour du Soleil et sur
elle-même [1]. Onze théologiens du Saint-Office rédigent
l'acte d'accusation : « C'est là une proposition absurde et
fausse en philosophie, et pour le moins erronée au point
de vue théologique. » Soleil hérétique ! Qui osera dire,
désormais, que les fêtes chrétiennes coïncident avec le
calendrier solaire, et que derrière Noël se cache le solstice
d'hiver, avec Mithra et Osiris, les Dieux-Soleils de Perse
et d'Egypte ?

Quelques sectes tentent encore d'adorer l'astre de vie.
Elles sont décimées l'une après l'autre. Parmi elles, celle
des cathares nous a seulement légué quelques temples mystérieux perchés sur des pitons rocheux, traces éparses de
religion solaire, tout près de nous, dans le Sud de la
France, sans qu'il soit besoin d'aller jusqu'au Mexique
précolombien...

Fêtes manichéennes, pèlerinages au mont Tabor, dans
les hauts lieux pyrénéens, au moment des solstices et des
équinoxes. Visite de curiosités locales, comme les « fon-
taines solaires » où l'on allait voir « danser » le soleil
à son lever, vers le 21 janvier. La forteresse cathare de
Montségur reste telle que la décrit Napoléon Peyrat [2] :

---

1. Ce point de vue rompt radicalement avec la doctrine officielle. Celle-ci s'appuie sur les théories astronomiques de Ptolémée
et d'Aristote, pour qui la Terre est le centre du monde. Cependant,
dès l'Antiquité, Aristarque de Samos avait soutenu que la Terre
tournait autour du Soleil, ainsi que les planètes.

2. Auteur d'une vaste *Histoire des Albigeois*. On peut se référer,
sur ce sujet, au livre de Fernand Niel, *Les Cathares de Montségur*,
Paris, Seghers, 1974.

Nulle sculpture de violence, nul symbole de guerre, nulle idée de combat ni de mort. Point de tours ni de tourelles. C'est moins un château qu'une arche de refuge, moins un donjon qu'une arche de sacrifices.

Adoration du soleil ? Non, sans doute. Le soleil est plutôt symbole religieux, dont le lever évoque le réveil d'Adam, et le coucher la fin du monde. Pour le culte manichéen, il représente aussi la porte de sortie des âmes vers le royaume de la Lumière. A Montségur, même la géométrie des lieux évoque le Zodiaque. Divers points de repère correspondent aux levers du soleil dans sa course annuelle, au moment où il entre dans chacune des constellations du Zodiaque. Par des fentes étroites, ouvertes dans la muraille, les rayons du soleil levant pénètrent dans la grande salle, la traversent et ressortent par une fente sur le mur opposé, sans jamais effleurer les murs.

Curieuse Occitanie d'alors, où le soleil semble se concentrer au sommet de quelques pics abrupts et élancés, tandis qu'il rayonne et rebondit alentour en jeux multiples de lumière. La région connaît un extraordinaire brassage d'idées et de mœurs, où se mêlent traducteurs des philosophies de la Grèce antique, mathématiciens et astronomes arabes, médecins, grammairiens, ascètes venus d'Orient prêcher les doctrines de Zarathoustra et de Manès. Tous trouvent asile et encouragement dans cet embryon de civilisation méditerranéenne, où chevaliers et manants commencent à se respecter, tandis que troubadours et poètes sillonnent le pays. C'est dans ce creuset que le catharisme surgit. Aux soleils multiples de la tolérance s'ajoute — ou se superpose — un dogme unifié. Affirmation exacerbée du génie méditerranéen ? Ou au contraire, volonté de domination, à l'abri d'une doctrine redoutable, qui oppose la Lumière aux Ténèbres, le Bien au Mal ? Le catharisme a ses « Parfaits », menant une vie ascétique et soumis à la confession. Le soleil n'échappe pas aux pièges tendus ; lui, si puissant, si naturel, le voici prisonnier d'une morale rigide, dont Platon s'est déjà fait le défenseur par la voix de Socrate :

> Sache donc, dit Socrate à Glaucon, que je nomme le
> Soleil le Fils du Bien et que le Bien l'a engendré
> semblable à lui-même.

Mais l'Inquisition, au Moyen Age, ne laisse ni aux ascètes ni aux troubadours le temps de consolider leur présence. Soudain, c'est en bloc le soleil qui est de trop. Le 16 mars 1244, un grand bûcher s'allume au pied de Montségur, et 200 Parfaits s'y jettent volontairement, pour ne pas abjurer leur foi. Ils ne sont pas seuls à disparaître : c'est, avec eux, tout l'esprit méditerranéen qui périclite et se meurt en pays occitan. Le silence s'étend sur la province de l'hérésie.

Pour préserver la flamme solaire au cours des siècles, et transmettre le flambeau, il ne subsiste que l'alchimie, souterraine, et le rictus des sorcières...

Ou bien partir ! Ce qui s'est perdu ici dans les bûchers peut se retrouver dans quelque ailleurs lointain où tout, dira plus tard le poète, n'est que « luxe, calme et volupté ». « Vers le Sud ! Vers le Sud ! » s'exclame Pierre Marty, un contemporain de Christophe Colomb. « Celui qui veut trouver des trésors ne doit pas aller dans les froides régions du Nord. » Pendant la Renaissance, cette aspiration a force de superstition. Là où le soleil est le plus chaud sont cachés les plus grands trésors de la Terre.

Et qui, mieux que Christophe Colomb, aurait pu affirmer, quitte à croiser le fer avec Aristote :

> Lorsque Dieu créa le Soleil, il le plaça à l'extrême
> Est, prêt à se lever au point le plus élevé de la Terre.
> Et ce point singulier doit aussi être le meilleur, comme
> étant le plus proche du ciel. Aristote affirme que le
> pôle Sud est ce point le plus élevé. D'autres savants
> préfèrent le pôle Nord. Et moi je dis que c'est l'Equa-
> teur.

D'autres choisissent le voyage du rêve. En 1623, un moine calabrais, Campanella, bourré d'imagination utopique, esquisse la Cité du Soleil. De la science, déjà : les Solariens ont inventé des cornets acoustiques qui leur permettent d'entendre les harmonies des cieux. Le gouvernement de la Cité est constitué selon le modèle de la Trinité philosophique. Au sommet de l'Etat trône le Soleil ou le Métaphysicien, pontife suprême qui possède la science universelle et la souveraineté absolue. Les Solariens vivent dans un régime de communauté totale : abolition de la propriété et de la famille. Ils se suffisent à eux-mêmes en travaillant 4 heures par jour. Les unions sexuelles sont décidées par les magistrats d'après la conformation des individus. Hommes et femmes, ils pratiquent en commun l'agriculture et la guerre. Derrière tout cela se profile l'ombre des cathares de Montségur, de *la République* de Platon, et de certains couvents, avant que des sociétés d'aujourd'hui n'en offrent à leur tour une version ressemblante — avec le soleil en moins. Campanella met dans son projet un enthousiasme et une exaltation que n'ont pas, loin s'en faut, les philosophes des temps présents. Son modèle de société demeure cependant vaguement sinistre et redoutable. Alors, mieux vaut l'écouter s'en aller, exalté, criant : « Je suis la cloche des sept montagnes, la cloche qui annonce une nouvelle aurore. »

Avec le temps qui passe, le soleil disparaît peu à peu des préoccupations humaines. La science vient supplanter l'ordre naturel, tandis qu'apparaissent les premières fumées de la civilisation industrielle. A l'aube du XXᵉ siècle, l'atmosphère s'épaissit encore ; l'or étincelant des alchimistes devient l'or noir des pétroliers. Et la gloire du soleil s'éteint doucement, jusqu'à ce brusque retour qui ne date que de quelques années.

Le soleil revient aujourd'hui, singulièrement appauvri, réduit au statut d' « énergie », dépouillé de ses oriflammes et de ses mythes. Déjà, on croirait entendre les nouveaux Platon l'appeler « le Fils de la Science », après qu'il fut celui du Bien. Mais ce retour est spectaculaire. « Il suffisait d'y penser », disent les chercheurs et les écologistes : cette redécouverte suscite les espoirs, ranime les convictions, engendre les vocations, donne un souffle nouveau à une science qui s'empâtait dans les abstractions.

Un second souffle, après une traversée du désert qui a duré deux millénaires ? L'histoire ainsi racontée n'est qu'un raccourci rapide, vague faisceau de tendances qui se nouent et se dénouent au fil des siècles. Mais au-delà du temps, à travers le menu « bricolage » solaire d'hier et d'aujourd'hui, ce sont les mêmes problèmes que l'homme se pose...

Et toujours, le mythe flamboyant de l'Arche. Dans l'Antiquité grecque, le ciel est conçu comme une voûte concave, creusée d'alvéoles, où se rassemblent les émanations de lumière formant les étoiles et les planètes. Héraclite les compare à des barques géantes, pilotées par le Feu, naviguant dans le grand large du cosmos. Quand la barque se retourne, n'offrant plus que sa coque sombre à la vue des hommes, alors survient l'éclipse, de Soleil ou de Lune. Vision marine de l'espace cosmique, qui se conjugue à une multitude de mythes terrestres dont l'Arche de Noé est l'archétype.

L'Arche est l'image renversée du Soleil. Et depuis la nuit des temps, les hommes cherchent à reproduire le modèle, à bâtir des arches solaires, comme si celles-ci étaient indissolublement liées à la barque céleste par des liens mystérieux.

Alternance de la vie, de la mort et de la renaissance, symbolisée par le cycle solaire. Angoisse de la traversée de la nuit, de l'éclipse, que l'on combattait dans les anciennes religions par des rites et des sacrifices d'animaux solaires : cerf, lion, aigle... Celui-ci, le roi des oiseaux, n'est-il pas capable de s'élever au-dessus des nuages et de fixer le soleil dans les yeux ? Sacrifices destinés à nourrir le Soleil, à l'accompagner au cours de sa course nocturne dans le ventre de la Terre, où règne le Serpent par qui s'opérera la régénération matinale. Les hiéroglyphes du *Livre des morts* égyptien [1] en livrent une minutieuse description :

---

1. Cf. J. Chevalier et A. Gheerbrant, *Dictionnaire des symboles,* Paris, Seghers, 1976.

Le chemin à parcourir est divisé en douze chambres, correspondant aux douze heures de la nuit. La barque solaire traverse d'abord d'étranges étendues sablonneuses, habitées par des serpents. Bientôt, elle se change elle-même en serpent. A la septième heure, Apophis, le monstrueux serpent maître des enfers, remplit de ses anneaux une éminence longue de quatre cent cinquante coudées. Sa voix dirige les dieux vers lui, et ils le blessent.

C'est le sommet du drame. A la onzième heure, la corde tirant la barque devient elle aussi un serpent. Enfin, au cours de la douzième heure, dans la chambre du crépuscule, la barque solaire est tirée à l'intérieur d'un serpent long de treize cents coudées, avant d'être crachée par la gueule du monstre. Le Soleil levant apparaît alors, sur le sein de la Terre-Mère, sous forme d'un scarabée.

Dans son voyage, le Soleil immortel peut emmener avec lui des hommes, et en se couchant les mettre à mort. Mais il peut aussi guider les âmes à travers les régions infernales et les ramener le lendemain à la lumière du jour. Fonction meurtrière et initiatique, révélée par tant de religions passées. Ainsi le Soleil marque-t-il de son empreinte l'histoire pathétique de l'homme cherchant le secret de l'immortalité et de la transmutation.

Dans le vocabulaire des alchimistes, le « soleil des métaux » est l'or. Mais l'art de transmuter le plomb en or n'est pas une fin en soi. L'or, disent déjà les textes védiques de l'Inde, c'est l'immortalité. Selon le Chinois Li Chao-kiun, « la quête des Iles des Immortels » ne peut être réussie sans intervention céleste. Et les alchimistes taoïstes s'emploient à fabriquer l'élixir d'immortalité. Des siècles plus tard, en Occident, l'alchimiste Angelus Silesius révèle :

> Le plomb se change en or, le hasard se dissipe quand je suis changé en Dieu par Dieu.

Pour résoudre l'angoisse fondamentale de la vie, il faut percer le secret du Soleil, ce cœur de l'univers qui ne s'arrête jamais de battre.

Dans les traités d'alchimie comme dans ceux d'astrologie, le Soleil est emblème de vie, de chaleur, de lumière, d'autorité. Elément *yang* en Orient — principe actif — par opposition au *yin* — principe passif — représenté par exemple par la Lune, qui ne fait que refléter la lumière solaire.

Architecture « active », architecture « passive », disent aujourd'hui les pionniers du solaire construisant des maisons futuristes sur le sol américain. Ouroboros est le serpent qui se régénère sans fin, selon une légende indienne : un architecte s'en souviendra et baptisera ainsi son laboratoire solaire. Les mythes sont tenaces... comme le confirme l'engouement sans cesse renaissant pour l'étude du Zodiaque et des sciences occultes [1].

Ouvrons le livre ésotérique du Tarot. Après le monde de la Lune, voici le Soleil, foyer de lumière, dix-neuvième arcane majeur du Tarot, et l'un des plus mystérieux. La « lame » — qui deviendra une carte dans le jeu de tarot — est à dominante jaune d'or, couleur de la perfection intellectuelle, de la richesse de la moisson ou du métal, ainsi que du Grand Œuvre alchimique. Le disque solaire est personnifié par un visage de face, d'où partent soixante-quinze rayons. Si la plupart sont de simples traits noirs, huit ont une forme triangulaire aux bords ondulés (trois rouges, deux blancs, trois bleus). Signes de la double action lumineuse et calorifique du rayonnement solaire, dont les rayons rouges, couleur de l'Esprit tout-puissant, sont porteurs.

Treize gouttes, pointe en l'air, tombent du Soleil vers la Terre, répandant à profusion son énergie fécondatrice. Sur le sol sans végétation, se tiennent deux jumeaux couleur chair, tête nue, un collier autour du cou, se touchant d'une main. Ils rappellent les deux personnages rivés au piédestal du Diable, nus sous une coiffure démoniaque, dans l'arcane quinze. Mais les jumeaux solaires

1. Voir p. 21.

portent un pagne bleu diversement décoré, comme si dans la lumière ils avaient pris conscience de leur différence. Chargés d'une puissance qui distingue les êtres et les choses, et qui les dédouble en leur donnant une ombre, ils sont l'image même de l'analogie, de la fraternité. Image du Paradis perdu...

Debout, ils tournent le dos à un mur, fait de cinq rangées de pierre, jaunes comme le sol, mais dont le rebord supérieur, au niveau de leur ceinture, est rouge. Marque de l'Esprit qui s'arrête à mi-hauteur des corps, comme si l'homme avait enfin, sous la clarté solaire, pris l'exacte mesure de ses possibilités. Ce mur est la limite de leur domaine : les enfants du Soleil ne peuvent fraterniser qu'à l'abri d'une enceinte maçonnée.

Comme vivent aujourd'hui les *New Alchemists,* groupe d'étudiants américains, dans leur « Arche de Vie », réalisant de petites installations autonomes, combinant le traditionnel et le moderne, sur l'île du Prince-Edouard, dans le Massachusetts.

L'arche solaire est le symbole du refuge et de l'exil. Dans l'Antiquité existe déjà la Table du Soleil : sur une vaste prairie, les Ethiopiens avaient coutume d'étaler, le soir, des viandes rôties que le premier venu pouvait manger, dès le lever du soleil. Signe d'hospitalité...

Par-delà les siècles, le Soleil tend une main fraternelle à la Terre. Une « poignée » de Soleil, pour tous ceux qui veulent bien la saisir. C'est ce qu'ont compris de tout temps les sciences occultes.

Pour la science tout court, c'est une autre histoire. Après une longue période de froid, est-ce enfin le dégel ? Les savants commencent à se pencher sur l'énergie solaire, dont les calories inondent la Terre : en quantité impressionnante à l'échelle du globe, mais minuscule en chaque point. Une « poignée » de calories, disent déjà les sceptiques...

Le Zodiaque

L'astrologie attribue au Soleil et aux astres une influence sur le caractère et le destin des individus. Elle repose sur l'interprétation de la carte du ciel à la naissance de l'individu. Les astres dont on repère alors la position sont le Soleil et la Lune, mais aussi Mercure, Vénus, Mars, Jupiter, Saturne, Uranus, Neptune et Pluton.

La lecture se fait sur la *sphère céleste*. Pour un observateur terrestre, tout se passe en effet comme si les étoiles se trouvaient sur une grande sphère dans le ciel. Du fait de la rotation de la Terre, la sphère céleste, avec ses étoiles fixées sur elle, semble faire chaque jour un tour complet autour d'un axe. On obtient ainsi une carte sphérique du ciel, avec son axe des pôles et son équateur céleste. Le Soleil, lui aussi, semble se trouver sur la sphère céleste. Mais du fait de la rotation annuelle de la Terre autour de lui, un observateur le voit se déplacer lentement sur l'arrière-fond de la carte du ciel, parcourant un tour complet au cours d'une année. Dès l'Antiquité, on avait déjà noté les constellations voisines du Soleil un peu avant son lever et après son coucher. Au mois de mars par exemple, la constellation du Taureau se couche peu après lui, tandis que celle du Capricorne se lève avant lui. On en concluait que le Soleil était alors voisin de la constellation des Poissons.

Le cercle décrit par le Soleil sur la sphère céleste est appelé *écliptique*. Il coupe l'équateur céleste en deux points, dont l'un est le *point vernal*. A partir de là, on peut repérer la position de tous les corps célestes par leur longitude et leur latitude, le point vernal ayant la longitude 0°.

Le Zodiaque est une bande de la sphère céleste qui s'étend de 8° de part et d'autre de l'écliptique. Elle est divisée en douze parts égales qui correspondent aux signes zodiacaux. Au cours de ce cycle complet, chaque signe, traversé par le Soleil en un mois, exprime une phase de l'évolution.

2

Pour une poignée de soleil.
Introduction à l'énergie solaire

1. Le gisement solaire

Tout commence dans l'univers des galaxies. Des milliards de milliards d'étoiles disséminées dans le cosmos, où les « géantes » côtoient les « naines », au diamètre cent fois plus faible. Quelque part, dans un coin écarté d'une galaxie dite Voie lactée, une étoile naine : le Soleil. Masse flottante de gaz, vague mélange d'hydrogène et d'hélium, c'est elle qui donne vie au microcosme humain.

Au centre du Soleil, la température atteint des millions de degrés, et la pression des milliards d'atmosphères, ce qui vaut à la masse gazeuse d'être plus lourde que l'eau. En surface, la température est de 6 000° C. Ce flot continu de chaleur provient d'une fusion nucléaire qui transforme l'hydrogène en hélium et que les savants, perchés derrière leurs télescopes, aimeraient bien imiter sur terre, pour en faire la source d'énergie universelle [1]. Ainsi embrasé, le Soleil perd chaque seconde 5 millions

---

1. Il faut distinguer la fusion nucléaire de la fission nucléaire. C'est de cette dernière qu'il s'agit lorsqu'on parle aujourd'hui d'énergie nucléaire. Les deux procédés sont très différents. La fission consiste à faire éclater un noyau d'uranium. La fusion, au contraire, combine deux noyaux d'atomes légers en un seul noyau, et possède l'avantage de ne pas produire de déchets radioactifs. La fusion de deux noyaux d'hydrogène pour donner de l'hélium : c'est ce qui se passe dans le Soleil. Sur terre, on ne sait réaliser que la « bombe à hydrogène », fusionnant de façon explosive deux isotopes de l'hydrogène : le tritium et le deutérium. L'idéal serait d'arriver à réaliser des fusions non explosives, contrôlables. Le deutérium se trouve dans les océans. Si l'on savait réaliser la fusion de deux noyaux de deutérium, on disposerait d'une source inépuisable d'énergie. Avec les seules réserves des océans, on obtiendrait de l'énergie pour un milliard d'années (cf. Rocks et Runyon, *La Crise de l'énergie*, Lavauzelle, 1974).

de tonnes de sa matière, et va lentement vers son extinction — une fois qu'il aura brûlé tout son carburant, ce qui laisse tout de même quelques milliards d'années de répit à l'homme.

Ainsi naît l'énergie solaire. Libérée dans les profondeurs du Soleil, elle rayonne ensuite dans l'espace, sous forme de lumière et de chaleur principalement[1]. La Terre, parmi d'autres planètes, se trouve noyée dans ce rayonnement, dont elle n'intercepte qu'un dix-milliardième. Mais quel trésor déjà... L'énergie solaire reçue par la Terre en une seule année est dix fois plus grande que toutes les réserves connues d'énergies fossiles, y compris l'uranium.

Avec l'énergie lumineuse qui tombe, chaque année, sur la péninsule arabique, on obtient le double de l'équivalent énergétique des réserves mondiales de pétrole. Et en tenant compte des nécessités de la conversion en électricité, du stockage, des pertes diverses, il suffirait du quart du territoire égyptien pour nourrir en énergie toute la planète. Ou du tiers du Nouveau-Mexique pour couvrir les besoins américains — soit un tiers de la consommation mondiale. Ou du territoire irlandais pour couvrir les besoins de l'Europe.

Voici donc ce flot de lumière, tout chargé d'énergie, qui inonde la Terre. Ainsi le décrit le poète Lucrèce :

> Le soleil éthéré, cette riche source de fluide lumineux, baigne le ciel d'un éclat toujours frais, ne s'arrêtant point de remplacer la lumière par la lumière. Chacun de ses rayons ne périt-il pas, quelque objet qu'il ait été frapper ? Tu le peux bien voir, par les effets d'un nuage, quand

---

1. Tout corps chaud émet un rayonnement. A basse température, c'est une vulgaire émission de chaleur, invisible à l'œil nu. Au-delà de 500° C environ, le rayonnement devient visible, tel celui d'un filament porté au rouge. L'éclat du corps chauffé est d'autant plus grand que la température est plus élevée. A 6 000° C, le Soleil émet un rayonnement qui se décompose en une partie visible (42 % de l'énergie) et une partie située dans l'infrarouge, uniquement calorifique (55 %), le reste étant constitué de rayons ultra-violets (3 %).

il passe sous le soleil et semble briser ses rayons, aussitôt leur partie inférieure s'efface tout entière, et l'ombre court sur la terre partout où le nuage avance. A quoi l'on peut reconnaître que les objets ont besoin d'une lumière toujours nouvelle, que chaque jet lumineux s'évanouit aussitôt né et que rien ne pourrait s'apercevoir, à la clarté du soleil, si cette clarté cessait de se renouveler par sa source même.

Que d'obstacles... Le rayon lumineux doit traverser le fin voile d'ouate de l'atmosphère, puis l'écran troué des nuages, avant d'arriver sur terre, où soudain il semble disparaître. Plusieurs phénomènes se produisent alors.

D'abord, une partie du rayon lumineux est réfléchie et repart vers le ciel. Cela dépend de la nature du sol : la neige est un très bon réflecteur, les forêts en sont un très mauvais. Quant au reste de l'énergie lumineuse, elle se trouve retenue par le sol. Ainsi absorbée, la lumière devient chaleur. La Terre s'échauffe. A son tour, elle émet un rayonnement, non de lumière, mais de chaleur, dans l'espace [1].

Nous avions un rayonnement lumineux dirigé, venu en droite ligne du Soleil. Nous avons maintenant un rayonnement diffus de chaleur terrestre, qui repart en tous sens. Fort heureusement, la Terre disperse l'énergie solaire qu'elle reçoit, ce qui lui permet de ne pas trop s'échauffer et évite à l'homme de se retrouver grillé vif. Un équilibre s'établit : ce que la Terre reçoit du Soleil pendant le jour est entièrement dissipé dans l'espace, jour et nuit, par rayonnement de chaleur, par évaporation des eaux de surface, par transmission de chaleur depuis le sol jusqu'à l'air environnant (ce qu'on appelle des courants de convection).

Tout se complique encore si l'on tient compte des obstacles rencontrés. Les molécules de gaz, les poussières

---

1. Du fait de la faible température de la Terre, le rayonnement terrestre se trouve situé dans l'infrarouge lointain, sous forme de chaleur uniquement.

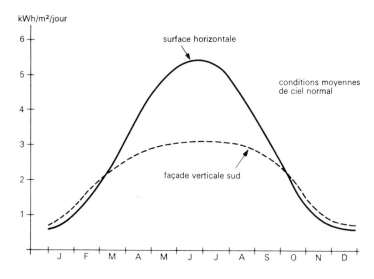

Variations annuelles de l'énergie solaire reçue chaque jour, en moyenne, par une surface horizontale ou une façade verticale sud, dans la région parisienne. (Document Météorologie nationale.)

de la haute atmosphère, puis plus bas les nuages, réfléchissent, diffractent, absorbent la lumière et émettent à leur tour de la chaleur en tous sens. Il faut y ajouter les interactions entre la Terre et les nuages, faites de réflexions et de diffusions multiples. L'homme vit ainsi dans un réseau inextricable de rayonnements, de flux dont il ne perçoit qu'une image floue. Sur chaque parcelle de terre, le rayonnement global est la somme du rayonnement direct et du rayonnement diffus. Ce dernier, le seul à intervenir par ciel couvert[1], provient des nuages ainsi que d'autres surfaces terrestres, au terme de diverses réflexions.

Il reste à chiffrer la quantité d'énergie reçue. Au-dessus

---

1. Ce rayonnement diffus est loin d'être négligeable. Il peut atteindre, par ciel couvert, le quart du rayonnement global par ciel clair.

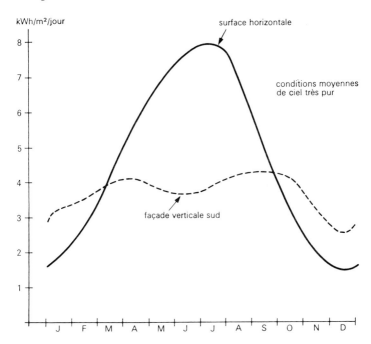

Variations annuelles de l'énergie solaire reçue chaque jour, en moyenne, par une surface horizontale ou une façade verticale sud, dans la région de la Côte d'Azur. (Document Météorologie nationale.)

de l'atmosphère, là où la lumière solaire arrive sans perturbations, une surface d'un mètre carré, face au Soleil, reçoit une puissance d'1,4 kW. Au niveau du sol, tout change : la puissance varie de zéro à plus d'un kilowatt, selon qu'il fait nuit ou que le ciel est bleu. La valeur de 1 kW/m² correspond en gros à l'ensoleillement maximal sur une surface perpendiculaire au rayonnement[1]. Cette

---

1. Plus précisément, le rayonnement direct atteint 1 kW/m² par ciel pur et 0,8 par ciel laiteux. Ajoutons-y respectivement 0,1 ou 0,2 kW/m² de rayonnement diffus. Le rayonnement global atteint environ 1,1 kW/m². Cependant, le rayonnement diffus peut attein-

valeur sert de référence constante. Enorme lorsqu'on l'étend à l'échelle du globe, elle est très faible si l'on se restreint à l'échelle humaine d'un village ou d'une communauté. Les difficultés d'utilisation de l'énergie solaire commencent.

Au cycle des jours et des saisons s'ajoutent le passage des nuages et le voile des impuretés atmosphériques de toute sorte. Ainsi la France connaît-elle seulement 1 750 à 3 000 heures de soleil par an, selon les régions. Une surface horizontale d'un mètre carré reçoit de 1 100 à 1 600 kWh par an. Cela correspond à 3 heures d'ensoleillement maximal par jour en moyenne du côté de Paris, à 4,5 heures dans le Sud de la France. Tel est le « gisement » solaire de la France. Cette énergie, distribuée sur tout le territoire, atteint cependant 7.10^{14} kWh par an, soit trois mille fois l'équivalent de notre production électrique totale.

Dans les pays du Sud, le gisement solaire peut atteindre 2 500 kWh par an et par mètre carré, soit 7 heures de fort ensoleillement chaque jour. De la France à l'Afrique, il passe donc du simple au double. Quant aux pays du grand Nord, leur gisement solaire est quatre fois plus faible que celui des déserts d'Afrique. Le 40ᵉ parallèle, qui traverse la Méditerranée, est une sorte de frontière entre les pays pauvres et les pays riches en soleil. Pour cette énergie, la prospection est déjà faite : chaque pays connaît en gros les réserves qu'il possède. Aucun gisement nouveau ne risque d'être découvert.

Encore faut-il capter cette énergie, pour satisfaire les besoins humains.

---

dre 0,4 kW/m² par moments. Ainsi, avec des nuages d'orage très éclairés et du soleil en plus, le rayonnement global peut monter, pendant quelques instants, jusqu'à 1,4 kW/m².

2. La capture du soleil

Impalpable, l'énergie solaire se perd dans l'espace ou semble se dissoudre à la surface de la Terre. Pour la saisir, on est amené à construire un « réservoir » où elle s'accumule comme « l'eau d'un courant dans un barrage », selon l'expression d'un pionnier du solaire, A. Mouchot, en 1879. La solution réside dans l'effet de serre.

Tout ici est affaire de couleurs. Le noir absorbe tout le rayonnement visible, le blanc le réfléchit tout entier. Les agriculteurs le savent si bien que, depuis des centaines d'années, ils ont l'habitude de recouvrir le sol de terreau : celui-ci, outre son rôle d'engrais, permet par sa couleur foncée de réchauffer le sol au printemps.

Une surface noire constitue donc le capteur le plus simple qui soit. Exposée au soleil, elle transforme la lumière en chaleur. Mais cette chaleur se dissipe à son tour dans l'atmosphère. La plaque métallique noire devra donc être d'abord isolée du côté de l'ombre, grâce à un corps conduisant mal la chaleur. Il reste à limiter les pertes du côté du soleil. Ecoutons ce que propose A. Mouchot, dans un langage scientifique plus imagé que celui utilisé aujourd'hui :

> Comme l'air en contact avec la feuille noire devient plus léger à mesure qu'il s'échauffe, et monte sans cesse pour faire place à l'air froid, on doit encore, en vue de combattre cette déperdition de chaleur, entraver autant que possible le mouvement ascensionnel du gaz, sans trop affaiblir l'intensité des rayons incidents du soleil.

Recouvrons donc la plaque noire d'une lame de verre. Celle-ci est transparente aux rayons du soleil et opaque à la chaleur émise par la plaque. Car le verre est un mauvais conducteur de chaleur : il l'absorbe, s'échauffe et émet un rayonnement diffus, dont une partie se perd à l'extérieur mais dont le reste retourne vers la plaque noire. La chaleur est emprisonnée : c'est l'effet de serre. La couche d'air qui sépare la plaque noire de la lame de verre fait office de tampon, préservant la serre du refroidissement extérieur. Avec plusieurs épaisseurs de verre et autant de couvertures d'air intermédiaires, les pertes de chaleur diminuent encore, et la température peut atteindre une centaine de degrés [1].

Il s'agit enfin de récupérer la chaleur emmagasinée par le système. Il suffit d'y accoler des canalisations, grâce auxquelles un fluide — de l'eau ou de l'air — transportera la chaleur jusqu'au lieu d'utilisation [2].

Le capteur plan est inventé. C'est à H.B. de Saussure, savant du XVIIIe siècle, qu'on en doit le premier exemplaire. Depuis, le modèle n'a pas beaucoup évolué. Des versions légèrement différentes sont apparues ici ou là. Par exemple, la lame de verre peut être remplacée par une structure en nid d'abeilles, qui retient mieux la chaleur [3]. Grâce à divers artifices, des chercheurs américains

---

1. On atteint vite une limite de température, cependant. Avec plusieurs épaisseurs de verre, le système est moins transparent aux rayons incidents, d'où des pertes en amont. D'autre part, lorsque la température devient trop élevée, le verre commence à devenir transparent à la chaleur (à partir de l'infrarouge moyen), d'où des pertes en aval.

2. Précisons que la température du fluide caloporteur dépend du débit qu'on lui donne. On a parfois intérêt à avoir un débit élevé, quitte à obtenir une température plus faible, afin de diminuer les pertes de chaleur dans les tuyauteries.

3. La structure en nid d'abeilles guide le rayonnement de chaleur en direction du soleil. Le rayonnement terrestre issu de la plaque noire est alors moins diffus, les pertes latérales étant moins fortes. La plaque noire conserve donc mieux la chaleur. Ce genre de structure en nid d'abeilles est notamment utilisé en Italie dans la centrale solaire du Pr Francia, à l'entrée du four, pour diminuer les déperditions.

ont créé le *Sunpak*, un capteur renforcé où l'eau sous pression atteint une température de 115° C. Divers laboratoires étudient aussi actuellement des capteurs dont la température pourra monter jusqu'à 180° C. Il s'agit de surfaces noires capables d'absorber la chaleur et très mauvaises émettrices : on diminue ainsi les pertes de chaleur par rayonnement. Le Laboratoire d'héliotechnique de Marseille a ainsi mis au point une surface sélective formée d'un corps semi-conducteur (silicium-germanium) surmonté d'une couche diélectrique. Les Américains pensent déjà à combiner ces surfaces sélectives avec des photopiles possédant une structure analogue...

Pour obtenir des températures nettement supérieures à une centaine de degrés, il faut concentrer les rayons de soleil par des dispositifs optiques. Une série de miroirs plans permet de superposer plusieurs images du Soleil en un même point. Un miroir de forme parabolique va beaucoup plus loin : il concentre sur une petite surface toute l'énergie lumineuse captée sur une grande surface. Le miroir d'Odeillo concentre ainsi la lumière vingt mille fois.

Bien d'autres dispositifs existent encore. Les photopiles, qui transforment directement la lumière en électricité, sans passer par l'intermédiaire du chauffage. Ou les capteurs naturels tels que les plantes, dont la croissance est assurée par le soleil.

Une fois captée, l'énergie solaire laisse aussitôt apparaître sa faiblesse fondamentale : vite « essoufflée », intermittente, elle ne peut répondre à une demande continue. Pour la rendre disponible à tout instant, il faut encore la stocker. Problème redoutable : que faire d'une énergie en montagnes russes, animée qui plus est de trois rythmes dissemblables, celui des nuages, celui des jours, et celui des saisons ?

Le premier rythme surtout est déroutant, quand le soleil joue à cache-cache avec les nuages. Il faut prévoir un stockage en fonction de la durée maximale du mauvais temps, pour éviter les mauvaises surprises. De plus, le capteur plan réagit avec une certaine inertie : devant un peloton étiré de nuages, entrecoupé de courtes périodes ensoleillées, il n'a pas le temps de réagir[1]. Encore doit-on obtenir un certain seuil d'échauffement avant que les machines qui lui sont associées se mettent en route. Les photopiles, elles, réagissent mieux aux fluctuations, de même qu'elles acceptent avec un meilleur rendement l'arrivée d'une lumière diffuse. Quant aux plantes, elles sont très sensibles au moindre rayon de lumière : ne « digérant » pas les forts ensoleillements, elles assurent leur existence par tous les temps. Sans doute constituent-elles les meilleurs capteurs, surtout dans les pays nordiques.

Par contre, les nuages sont la bête noire des systèmes à concentration par miroir, qui sont complètement inhibés face à une lumière diffuse.

Autre difficulté : s'adapter au cycle des jours et des nuits. Comme sur un toboggan où l'on prend de l'élan sur une bosse pour atteindre la suivante, il convient de stocker une partie de l'énergie solaire pendant le jour, pour la restituer durant la nuit. C'est indispensable dans le chauffage des maisons. C'est inutile, au contraire, pour une installation mécanique (une pompe, par exemple) qui réclame seulement quelques heures de travail chaque jour. Mais, là encore, un travail en continu est avantageux : avec un stockage d'appoint, le rendement moyen est amélioré, et les problèmes journaliers de démarrage ne se posent plus. Pour d'autres petits appareils, comme les chauffe-eau, le stockage peut être minime : au Japon, où les gens ont l'habitude de prendre leur bain le soir, sans attendre le matin, les chauffe-eau solaires se sont multipliés.

Dernière difficulté : l'adaptation au rythme lent mais inexorable des saisons. Dans les pays tempérés, où l'énergie est d'autant moins forte qu'on en a plus besoin pour le chauffage hivernal, il faut prévoir un stockage inter-saisonnier pour conserver l'énergie solaire de l'été jusqu'en hiver. Au contraire, les pays désertiques sont avan-

----

1. En France, il vaut donc mieux ne pas escompter, pour un capteur plan d'un mètre carré, une énergie annuelle supérieure à 1 000 kWh en moyenne.

tagés : l'offre correspond à la demande, car on peut utiliser l'énergie solaire en été, quand elle est maximale... pour la réfrigération.

Faire du continu avec de l'alternatif, tel est le casse-tête du stockage. Si ce problème ne se pose pas pour les énergies fossiles, il est crucial pour l'énergie électrique comme pour l'énergie solaire. Aussi les recherches sur les méthodes de stockage se multiplient-elles. Citons en vrac quelques systèmes : les batteries électro-chimiques, le stockage d'eau chaude dans des réservoirs, le chauffage d'un tas de cailloux, la conversion en hydrogène, le stockage hydraulique par élévation d'eau dans un bassin, les volants d'inertie, les paliers magnétiques... Sans oublier le stockage naturel. Car la nature fabrique elle-même ses stocks, grâce à des mécanismes comme la croissance des végétaux ou les courants d'eau.

Le soleil, capté et empaqueté, devient une énergie à part entière, prête à affronter ses rivales.

3. La compétition énergétique

Des énergies concurrentes, lancées à la conquête du marché du futur. Pétrole contre charbon. Nucléaire contre solaire. On soupèse les qualités des unes et des autres. Le soleil ne manque pas d'atouts, qu'il vaut mieux, cependant, ne pas présenter comme des arguments péremptoires.

Le soleil est inépuisable. Il est effectivement assuré sur le futur, à l'inverse des énergies fossiles. Lorsque le pétrole et l'uranium seront épuisés, l'énergie solaire ne rivalisera plus qu'avec la fusion nucléaire. Bel avenir, assurément... jusqu'à la fin du monde : « En ces jours-là, après cette tribulation, le Soleil s'obscurcira et la Lune ne donnera plus sa lumière, les étoiles du ciel tomberont », dit l'Evangile. Mais en attendant, les énergies fossiles ont encore de beaux jours devant elles et l'énergie solaire, si inépuisable soit-elle, risque d'être reportée dans un futur lointain.

Le soleil est gratuit. Oui, dans la mesure où chacun reçoit sa part du ciel. Mais demain, s'il prend soudain une valeur marchande ? Au Japon, on trouve déjà l'air payant : dans les grandes villes, des machines à sous permettent d'inhaler un bol d'air pur. Peut-être faudra-t-il payer à l'avenir un péage sur le rayon de soleil kidnappé... Et puis, d'ores et déjà, il n'est pas vraiment gratuit, comme l'indiquent les méthodes de calcul utilisées pour comparer une machine à fuel et une machine solaire. L'une, bon marché à l'achat, demande ensuite une fourniture régulière de carburant, comme si on la payait à crédit. L'autre, chère au départ, ne coûte plus rien par la suite : la gratuité du soleil va de pair avec un lourd investissement initial. Finalement, on s'y retrouve. Conclusion paradoxale : le soleil est, dans l'état actuel des techniques, une énergie aussi chère que les autres.

Le soleil est propre. Cette fois, l'argument fait mouche, à l'heure où l'énergie nucléaire rôde : celle-ci laissera toujours des déchets radioactifs, même si on les enterre dans des blockhaus souterrains. Il reste cependant la pollution thermique. L'homme, lorsqu'il fabrique de l'énergie, doit en laisser une partie se perdre dans l'environnement sous forme de chaleur. Une centrale électrique de 1 000 MWé, qu'elle soit alimentée par du pétrole, de l'énergie nucléaire ou de l'énergie solaire, relâche dans l'atmosphère l'équivalent de 2 000 MW en chaleur, si son rendement est de 30 % [1]. L'air environnant, ainsi que les fleuves, s'échauffe. Aussi s'inquiète-t-on aujourd'hui des effets possibles de cette dissipation de chaleur sur l'équilibre général de la planète. On craint même que le climat soit profondément perturbé.

1. Le rendement de la conversion de chaleur en électricité est assez faible. Il faut fournir 3 000 MW thermiques pour fabriquer 1 000 MW électriques. Le reste est perdu. Précisons que cette puissance, dite de crête, n'est disponible que pendant le fonctionnement de la centrale : 5 000 heures par an pour une centrale nucléaire, 2 000 heures pour une centrale solaire. L'énergie délivrée annuellement par une centrale s'obtient en multipliant sa puissance crête par le nombre d'heures de fonctionnement. Elle s'exprime en kilowatt-heure.

4. Climat et pollutions

Hier on disait : « Il n'y a plus de saisons. » Et d'invoquer l'influence des bombes atomiques ou des soucoupes volantes. Aujourd'hui on entend : « Le climat devient fou. » Des scénarios de catastrophes sont aussitôt montés. L'un d'eux revient à chaque anomalie climatique : nous vivons une « petite glaciation », ce qui explique tout, par exemple la sécheresse au Sahel en 1973 (en 1974, on se taira prudemment, tout étant redevenu normal) ou en France en 1976. On peut lire ici ou là : « Les déserts s'étendent, les océans se vident, parce que nous retournons vers une ère glaciaire. » A partir de courbes étalées sur des millions d'années et présentant de vagues oscillations à l'échelle de centaines de milliers d'années, on conclut que nous allons « bientôt » entrer dans une longue période de refroidissement. Mais ce « bientôt » peut vouloir dire dans 50 000 ans. En réalité, les anomalies du climat ne sont que des cas extrêmes de phénomènes tout à fait réguliers, paroxysmes assez rares pour qu'on puisse les croire inconnus de mémoire d'homme.

Autre scénario, incompatible avec le précédent : la concentration industrielle s'accentue, échauffant peu à peu notre planète, ce qui fait fondre la neige et reculer les glaciers. La lumière solaire est de plus en plus absorbée par la terre, au lieu d'être réfléchie par la neige. La température s'élève. Les icebergs fondent, puis toutes les glaces polaires. Le niveau des mers monte. A la fin, la Terre est engloutie.

Les partisans de l'énergie solaire ont alors des arguments convaincants. La pollution climatique généralisée, ils l'attribuent exclusivement aux autres énergies. En effet, si l'équilibre thermique de la Terre — mélange complexe de rayonnements solaires et terrestres — est détruit, c'est parce qu'on a déterré des énergies fossiles dont une partie part en fumée sous forme de chaleur. Ce surplus d'énergie perturbe tout et rompt l'harmonie naturelle. Par contre, le captage par l'homme de l'énergie solaire ne change pas les grands flux qui traversent l'espace. L'équilibre du globe est ainsi préservé, et le climat assagi.

Mais rien n'indique en fait que l'industrie humaine ait sensiblement modifié le climat global du monde. L'homme est bien petit devant la nature. Une catastrophe écologique, si désastreuse soit-elle, reste minuscule face à un cataclysme naturel comme l'éruption du Krakatoa. Même une bombe atomique est peu de chose devant un cyclone. L'énergie utilisée par l'homme est dérisoire par rapport à celle qui arrive du Soleil, et la pollution thermique généralisée n'est encore qu'un cauchemar du futur [1]. Mais si un jour la cote d'alerte est atteinte, l'énergie solaire devra s'imposer devant toutes les autres énergies.

Par contre, et c'est là l'inquiétant, l'homme peut parfaitement agir sur les microclimats, dans les grandes villes notamment. Sur des périmètres limités, l'énergie dissipée par l'homme n'est plus négligeable devant celle apportée par le Soleil. A New York, l'une et l'autre se valent à peu près. Le phénomène est d'autant plus marqué dans les pays tempérés, en hiver, que le soleil est faible et l'énergie consommée par l'homme importante. A Londres, dans les années soixante, la pollution devenait catastrophique, avant que des mesures sévères ne soient prises. Une insolation diminuée de 20 %, un *smog* épais, des arbustes qui ne poussaient plus, la disparition de certaines espèces de papillons...

Les énergies fossiles induisent donc des changements locaux du climat. La supériorité de l'énergie solaire n'est pas pour autant démontrée. En effet, lorsque l'homme « déroute » une partie des rayons de lumière pour ses

---

1. Il faudrait que l'énergie dépensée par l'homme atteigne environ 10 % de l'énergie solaire reçue sur terre pour que le climat global soit affecté. On en est loin.

propres besoins, il détruit l'équilibre thermique local par défaut, tout comme il l'avait détruit par excès en brûlant le pétrole. A petite échelle, la pollution thermique est sensiblement la même, à puissance égale, quelles que soient les énergies utilisées. Une centrale solaire polluera même plus qu'une centrale nucléaire, car son rendement est en général plus faible : elle dissipera donc plus de chaleur dans les circuits de refroidissement, c'est-à-dire en fin de compte dans les fleuves, les mers, l'air...

Cependant, d'autres conditions interviennent, plus favorables au soleil. Car il n'est pas judicieux de comparer une centrale nucléaire à une centrale solaire. Leur taille les sépare. L'une, très sensible à l'effet d'échelle [1], réclame des installations géantes pour fournir un kilowatt-heure à bas prix. L'autre s'accommode de petites installations dispersées. Alors, quitte à avoir une pollution thermique, mieux vaut qu'elle soit diluée plutôt que concentrée en un point. En termes écologiques, la dissémination solaire est un atout. Le solaire y trouve en outre une dimension humaine et égalitaire. Du point de vue économique, c'est moins évident : si les frais de distribution sont diminués, les investissements initiaux élevés sont difficilement compressibles.

La pollution thermique n'est pas la seule produite par l'industrie humaine. Il y a aussi, par exemple, le gaz carbonique accumulé dans l'atmosphère. Nous sommes condamnés à vivre avec un épais nuage de gaz carbonique au-dessus de nos têtes. Son extension — 50 % déjà depuis la révolution industrielle — risque d'être dangereuse... à moins qu'il ne se produise une régulation naturelle, le gaz étant absorbé par les océans et par les plantes.

Mais les futurologues sortent une fois de plus leurs scénarios. Le nuage de gaz carbonique, transparent à la lumière, mais qui absorbe la chaleur émise par la Terre, se comporte comme le verre d'une serre. Et voici la Terre

1. Supposons qu'on multiplie la taille d'une installation par deux et que la production soit trois fois plus grande : on dira qu'on bénéficie d'un effet d'échelle.

qui conserve sa chaleur et s'échauffe progressivement, jusqu'à l'embrasement final... Un deuxième scénario poursuit le même raisonnement, mais arrive au résultat inverse : effet de serre, oui, mais comme la température tend à augmenter, l'évaporation de l'eau est plus grande, l'atmosphère se charge de nuages, le rayonnement solaire diminue. Par conséquent la température baisse. A quel niveau se stabilisera-t-elle finalement ? La science des climats vit plus à l'heure des interrogations que des réponses.

En tout cas, face au charbon et au pétrole polluants, le solaire est pour une fois aux côtés du nucléaire : ni l'un ni l'autre n'émettent de gaz carbonique.

Tout aussi importantes sont encore d'autres pollutions, comme l'effet des supersoniques sur la couche d'ozone de la haute atmosphère, ou les modifications artificielles produites dans le ciel par les ceintures de paillettes, les satellites et les objets divers lancés par l'homme dans l'espace.

Et, si toutes ces pollutions sont flagrantes, elles ne doivent pas en cacher une dernière, beaucoup moins visible mais sans doute la plus importante. Comme l'explique en effet M. Perrin de Brichambaut, ingénieur en chef de la Météorologie nationale :

> Le plus grave actuellement n'est pas la modification des climats, mais celle des phénomènes naturels, bactériens, par l'intermédiaire des végétaux et des animaux. Une modification lente, insidieuse.

Sur ce point essentiel, qui touche aux mécanismes de la vie, l'énergie solaire présente une propreté immaculée, face à la concentration industrielle provoquée par les autres énergies.

5. L'air du temps

Une brume d'énergie flottante et intermittente, à l'heure des jerricans d'essence et des commutateurs électriques. Comme l'outsider solaire semble fluet... En 1974, il doit sa réapparition à la « crise de l'énergie ». Mais des crises de l'énergie, il en pleut depuis le début du siècle, aussi vite montées que démontées. Si le solaire dépendait uniquement de ce phénomène de conjoncture plus ou moins maquillé en catastrophe, il risquerait fort d'être condamné à terme.

Heureusement, les conditions économiques ne sont pas déterminantes. Plus importante est peut-être une certaine transformation des mentalités, au sein des sociétés humaines. On croyait irréversible la concentration industrielle. On était prêt à affirmer, comme un personnage de Jules Verne [1] : « Je me suis toujours figuré que le dernier jour du monde sera celui où quelque immense chaudière chauffée à 3 milliards d'atmosphères fera sauter notre globe ! » Mais cette image apocalyptique s'estompe peu à peu.

De même, on croyait irrévocable le triomphe des énergies fossiles sur les énergies renouvelables. Ce changement radical, opéré au cours du XIXe siècle, avait vu le charbon et le pétrole remplacer le bois, le vent, l'eau, les animaux de trait et de transport.

Aujourd'hui, tout se complique et change. Les doctrines économiques sont prises à contre-pied. Le gigantisme industriel, avec ses combinats, est considéré comme dépassé. On recherche des systèmes plus souples, plus diversifiés, avec des entreprises à taille humaine. Les sociétés géantes disséminent leurs entreprises, même si cela doit surtout servir à des transferts de plus-value d'une

---

1. Dans *Cinq Semaines en ballon.*

filiale à l'autre. L'artisanat, le petit commerce, qu'on croyait condamnés par les lois économiques, resurgissent peu à peu, poussés par la fatalité sociale. Des idées archaïques apparaissent : la qualité de la vie, l'idée de création, de l' « œuvre » à accomplir, l'envie d'une science innocente... En même temps, jaillissent des phénomènes de masse nouveaux : l'ouverture des frontières, le tourisme. L'appel du soleil suscite un vaste *melting-pot* des peuples. Ecoutons un spécialiste, G. Trigano :

> Ce sera le tourisme intégré dans une forme de vie, mélangeant des populations qui travaillent et des populations en vacances, le tout intégré dans un nouveau concept industriel, avec probablement des entreprises à échelle humaine, de 300 à 500 ouvriers, pas plus, dans lesquelles les conditions de travail et de vie seront très différentes de celles d'une entreprise de 50 000 ou 100 000 personnes. L'entreprise monstrueuse est condamnée à mort, au même titre que l'entreprise touristique monstrueuse, la concentration de mille hôtels au même endroit [1].

Quel tremplin pour une énergie solaire trop longtemps oubliée ! A la fois archaïque et nouvelle, indéfiniment renouvelable, elle fait partie de l'air du temps. Sa dispersion milite en faveur de la petite entreprise, démultipliée, personnalisée, et son universalité la met à la portée de tous, qu'il s'agisse des amateurs de bricolage, des hommes de science austères, des écologistes imaginatifs...

Avec autant d'atouts, peut-être renaîtra-t-elle enfin. Depuis un siècle, elle tente de s'imposer. Apparitions, tentatives avortées : une poussée à la fin du xixe siècle ; quelques essais épars depuis ; une petite tentative dans les années cinquante, sous prétexte d'une crise de l'énergie. Et enfin, ce nouvel éveil, dans les années soixante-quinze : cette fois-ci, est-ce vraiment la renaissance ?

---

1. *Actuel-Développement,* n° 10, novembre-décembre 1975, interview par Y. Catalans.

6. Les cathares d'Odeillo

Ramasser la pluie solaire dans une cuvette, puis en exprimer le suc en la concentrant : c'était hier l'entretien du feu sacré par les vestales. C'est depuis une expérience de physique élémentaire, réalisée avec une loupe, que l'on apprend dans toutes les écoles du monde. L'énergie solaire est là, brûlante, disponible. Dans ces conditions, il n'est pas étonnant qu'à chaque réapparition de la science solaire ce soit toujours ce système qui prévale. Il obéit aux seules règles de l'optique.

A la fin du XIXᵉ siècle, A. Mouchot, professeur au collège de Tours, et Abel Pifre utilisent des miroirs cylindriques et tronconiques. La chaleur solaire sert à préparer le thé ou le café, à distiller l'alcool, à faire marcher des machines. A la même époque, aux Etats-Unis, John Ericson, après avoir dessiné les plans d'un bateau de guerre, le *Monitor*, constate que les marins se brûlent les pieds sur son pont de fer. Pris d'une inspiration subite, il invente des machines solaires fonctionnant avec des miroirs paraboliques. Il faut attendre 1910 pour qu'un autre Américain, M. Shuman, change de système et utilise un capteur plan au fond d'une boîte, flanqué de deux miroirs plans latéraux. Nouvelle innovation, en 1930 seulement : l'Allemand Wilhelm Maier pose le problème du stockage, et se sert de blocs de béton pour accumuler la chaleur.

Nouveau départ en France, en 1946 : à Meudon, des chercheurs du CNRS montent un four solaire dont l'élément central provient d'un miroir de projecteur de DCA. En 1949, un autre four est construit dans la citadelle de Montlouis, avant celui de Font-Romeu-Odeillo en 1970. Des crédits militaires financent tous ces creusets solaires, dont l'objectif est de permettre des expériences chimiques. L'énergie solaire, si prodigue en métamorphoses, est ainsi circonscrite pour un temps dans les limites de l'optique et de la chimie. A la même époque, d'autres ingénieurs, des thermiciens, jouent aussi avec le soleil dans divers laboratoires : ils resteront dans l'anonymat et devront abandonner leurs recherches.

Aujourd'hui, le miroir d'Odeillo est toujours considéré comme un fleuron de la technologie française. Il est situé à 1 600 m d'altitude, dans une région ensoleillée, dont la latitude est proche de celle de Rome. Un décor pyrénéen superbe, où les taches de neige éblouissantes se conjuguent avec la mosaïque scintillante d'un immense miroir parabolique. Celui-ci, de 50 m de long sur 40 de haut, forme la façade courbe du bâtiment des laboratoires. Il est constitué de 9 000 petites glaces de 45 cm de côté, chacune d'elles étant légèrement cintrée pour parfaire la courbure de l'ensemble [1].

Il présente la forme d'un paraboloïde, parce que c'est la seule figure géométrique qui focalise bien des rayons lumineux parallèles [2]. A Odeillo, le foyer où se concentre

1. Cette mise au point, carreau par carreau, réalisée par contrainte mécanique, a demandé 2 ans.

2. De la Terre, le Soleil est vu sous une ouverture angulaire très faible (32 minutes d'arc, ou 0,01 radian). Tous les rayons du soleil sont donc sensiblement parallèles. Avec un miroir de faible ouverture et de faible courbure, assimilable à une forme sphérique, on obtient au foyer une image du Soleil circulaire et de diamètre égal à 0,01 F (F étant la distance séparant le miroir du foyer, où tous les rayons réfléchis se rencontrent).

Mais le four solaire demande une grande concentration. L'image du Soleil au foyer doit être petite par rapport à la dimension du miroir. C'est impossible dans le cas précédent. Le miroir doit donc présenter une grande ouverture et par conséquent une forte courbure. Dans ce cas, seule une forme parabolique convient : c'est la seule courbe qui réfléchisse des rayons parallèles en direction d'un même point, le foyer.

Il subsiste cependant des anomalies. Seuls les rayons qui frappent le fond du miroir parabolique permettent d'obtenir une image circulaire du Soleil. Ceux qui arrivent à la périphérie du miroir donnent une image plus allongée, elliptique. Finalement, au foyer, l'image du Soleil est une tache circulaire, fortement lumineuse, entourée d'une auréole de plus en plus floue. Dans la partie centrale, seule une partie de l'énergie incidente se retrouve. Le rapport

le rayonnement lumineux se trouve à une vingtaine de
mètres du miroir : c'est là qu'est installé le four. Si le
miroir est aussi grand, c'est pour capter plus d'énergie
solaire. Et s'il est aussi courbe, c'est pour mieux la concentrer. Le miroir reçoit, sur ses 2 000 m² de surface,
2 000 kW par fort ensoleillement. Après la réflexion de
la lumière, il en subsiste environ la moitié, soit 1 000 kW,
disponibles à volonté dans le four.

Encore faudrait-il que le miroir soit constamment tourné
vers le Soleil. Mais allez donc essayer de mouvoir cette
structure géante, ainsi que le four ! Une seule solution :
disposer de relais mobiles. Des miroirs plans tournants,
baptisés orienteurs, suivent, eux, la course du Soleil et
envoient un faisceau lumineux toujours identique vers le
grand miroir. Pour celui-ci, tout se passe comme si le
soleil restait fixe.

A Montlouis, l'orienteur est un miroir plan de 13 m
de côté. A Odeillo, où l'on s'est inspiré de Montlouis, on
ne pouvait cependant se contenter d'un simple agrandis-
sement. L'installation étant cinquante fois plus puissante,
un orienteur unique aurait mesuré 70 m sur 30. Il faut
donc une armée d'orienteurs. Ils sont au nombre de 63 et
mesurent 7,5 m sur 6. Disposés en quinconce, étagés sur
huit gradins le long d'une colline, ils visent chacun une
partie déterminée du grand miroir. Leur réglage, semi-
automatique, est réalisé depuis la salle de commande.

Enfin, les rayons lumineux s'engouffrent dans le four,
porteurs d'une chaleur intense, très localisée. Le faisceau a
une quarantaine de centimètres de diamètre, sans compter
sa périphérie plus floue. A l'entrée du four, l'obturateur
est constitué de deux panneaux réfrigérés qui s'ouvrent
sur commande, pendant un temps très bref si nécessaire.

Tout dépend alors des matériaux qui vont recevoir ce
« coup » de soleil. Selon leur capacité d'absorption, leur

----

de cette densité d'énergie utilisable à celle de la lumière incidente
sur le miroir constitue le facteur de concentration. Théoriquement,
avec un miroir de 60° d'ouverture, on arrive à concentrer l'énergie
trente mille fois. Dans la réalité, mieux vaut compter une quinzaine
de milliers de fois, à cause des pertes diverses.

température s'élève plus ou moins. Une plaque métallique polie, très réfléchissante, s'échauffe peu ; on y creuse donc une cavité, où la chaleur est prise au piège. Dans certains cas, les matériaux sont réduits en poudre, puis placés dans un four centrifuge ; en tournant, une cavité centrale se forme où la matière pulvérulente est traitée sous le jet de chaleur. Avec une bonne absorption de chaleur, la température peut dépasser 3 500° C.

Appareil privilégié pour le traitement des matériaux réfractaires et la purification des substances, le four solaire possède l'exclusivité dans un domaine précis : celui des chocs thermiques, qui consistent à lancer brutalement un rayon chargé d'énergie en direction d'un corps. Le four solaire reproduit alors en grandeur nature le phénomène de rentrée des fusées dans l'atmosphère — c'est sans doute ce qui fut à l'origine de la décision d'investir à Odeillo. Mais on peut aussi étudier de la même façon le comportement du revêtement d'un four de coulée : le four solaire reproduit à l'air libre le choc de l'acier en fusion.

De l'armée à la sidérurgie, on fait la queue à Odeillo. Les demandes affluent. Par sa dimension, ce four est unique au monde. Odeillo a ainsi acquis une notoriété mondiale qui lui a valu d'être considéré pendant longtemps comme la Mecque du solaire. Dès 1952, un laboratoire solaire est créé par le CNRS, sous la direction du Pr Trombe.

Mais peut-être les recherches solaires ont-elles souffert de se faire pendant une douzaine d'années autour d'un appareil géant, et unique. Depuis quelques années, Odeillo n'est plus qu'un centre solaire parmi d'autres. On continue d'y étudier des problèmes d'habitat solaire, de stockage thermique, de dessalement, de réfrigération, etc., avec une orientation nettement plus théorique, plus axée sur l'énergie proprement dite. En 1977, le four est fermé au public et consacré exclusivement à tester les chaudières des futures centrales solaires.

Si le miroir d'Odeillo est le voisin géographique des temples cathares, l'analogie semble s'arrêter là. Le miroir n'a de l'arche que la forme. Ni foisonnement, ni mystère...

Four solaire de Lavoisier, avec deux lentilles, dont la plus grande est remplie d'esprit-de-vin. Ce four permettait de fondre du fer. (Photo Bibliothèque nationale, Paris, d'après une brochure du CNRS).

Four solaire miniature, expérimenté par le Centre national de la recherche du Caire (Egypte). (Photo P. Boucas, Unesco.)

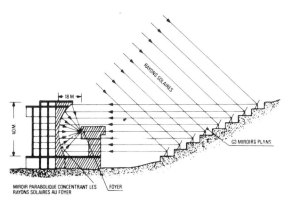

Four d'Odeillo (Pyrénées-Orientales). (Photo G. Ehrmann, Sodel photo-thèque EDF.)

« Tout ce dont le miroir accueille l'émanation, image en harmonie avec les prunelles... », disait le poète solaire de l'Antiquité grecque, Empédocle, sans terminer sa phrase. L' « émanation », une fois enfournée à Odeillo, n'est qu'une image rudimentaire du feu à la micro-échelle humaine. Une solution bien limitée, finalement. Pendant longtemps, le Soleil a été ainsi condamné à ne livrer qu'une facette de son talent, à travers un éclat de verre. Il ne donnera vraiment sa mesure qu'en alliant ses capacités calorifiques à toutes sortes d'autres effets. Les usines du futur feront sans doute du Soleil le chef d'orchestre de multiples usages, ou combineront les énergies lumineuse, éolienne, hydro-électrique, fossile...

Pour entrevoir ces nouveaux dispositifs, partons en voyage, vers les pays regorgeant de soleil : ceux qu'on appelle du tiers monde. Nous n'y trouverons pas la solution miracle, mais des essais en tous sens, chargés d'incertitudes, de réticences, d'échecs et de rêves.

Déjà, confronté aux besoins du tiers monde, le miroir d'Odeillo prend un nouvel éclat, parmi une multitude d'autres appareils. Plus petit, simplifié, il aurait sa place dans bien des pays chauds. Avec une puissance de 300 kW environ, de petits fours solaires pourraient avantageusement servir à transformer des minerais locaux ou à cuire des matériaux courants comme les briques, les plâtres, les ciments.

3

Le soleil brille pour tout le tiers monde

D'étranges croissants de verre et de fer tournés vers le soleil... C'est ce qu'on pouvait voir à Méadi, près du Caire, en 1912. La première pompe solaire est née là-bas. Installée par un spécialiste américain, M. Shuman, elle a permis d'irriguer les terres avec les eaux du Nil, sans qu'il fût besoin d'attendre la crue. De longs miroirs incurvés, en forme de cylindres paraboliques, concentraient le feu solaire sur des tuyaux remplis d'eau, placés dans l'axe du cylindre. La vapeur produite actionnait une machine attelée à la pompe. Le châssis tubulaire des miroirs, en forme de berceau, était entraîné par un engrenage pour suivre le mouvement du Soleil.

On serait tenté de penser que l'histoire se répète aujourd'hui, en constatant l'essor subit des pompes solaires dans les pays du tiers monde. Les arguments n'ont pas changé : les pays du soleil sont toujours le meilleur terrain d'essai. Hier, M. Shuman faisait sa première expérience à Philadelphie, avant de l'exporter en Egypte. Aujourd'hui, on teste les appareils dans le Sud de la France, avant de les exporter à Abou Dhabi.

« En captant la chaleur solaire, nous pourrions nous passer de charbon », titre la revue *la Science et la Vie* en 1914[1]. Et l'auteur de l'article constate : « Nous voyons fort bien la population du Midi de la France, et surtout celle de notre belle Algérie, remédier à l'insuffisante irrigation naturelle de leurs terres et aux longues périodes de sécheresse, par l'irrigation artificielle incomparablement économique », telle que la réalise l'installation de M. Shuman en Egypte.

Cette constance dans l'argumentation, aux changements

---

1. *La Science et la Vie,* n° 14, mai 1914.

L'installation de F. Shuman à Méadi (Egypte), en 1912. (Photo Roger Viollet.)

historiques près, laisse perplexe. Car l'optimisme affiché dans les années 1900 est resté sans lendemain. Qu'en sera-t-il donc demain de l'optimisme d'aujourd'hui ? Le seul instrument de mesure est ici la réalité — plus prometteuse qu'au début du siècle, certainement : quelques dizaines d'installations solaires fonctionnent. Et les projets sont aussi multiples que variés. En première ligne, comme toujours, les pompes solaires.

1. Les pompes solaires

Au commencement, régnait Tezcatlipoca, le Dieu-Soleil qui éclairait et nourrissait un monde en formation. Un jour, Quetzalcoatl, dieu des Forces créatrices, le frappa d'un coup de bâton sur la tête, et Tezcatlipoca fut renversé de son trône céleste... Ainsi commence une vieille légende indienne. Mythe éternel de l'homme qui veut dompter le Soleil. La suite, on le devine, n'est qu'une longue chaîne de malédictions. Quetzalcoatl, roi des Toltèques, exilé au loin dans sa vieillesse, se fit brûler, et ses cendres devinrent oiseaux...

A 300 km au nord de Mexico, San Luis de la Paz n'était jusqu'à présent qu'une bourgade écrasée de soleil. Autour du centre résidentiel s'étalent les bosses arides d'une terre hérissée de buissons d'épines. Quelques arbres, ici et là, et des maisons de torchis. Hier, cette région était le trésor du Mexique, avec ses fabuleuses mines d'argent pour conquistadors rapaces. Puis elle fut le berceau de la révolution mexicaine. Depuis, rien... si ce n'est tout récemment l'intrusion incongrue d'une drôle de machine.

De vastes panneaux vitrés qui miroitent au soleil, sillonnés de grosses tubulures. Des tuyaux qui s'enfoncent dans le sol. Et, en septembre 1975, l'eau a jailli et s'est répandue dans un grand bassin. En procession, les villageois sont venus contempler cette machine mystérieuse qui marche toute seule, sans bruit et sans essence, et ils l'ont aussitôt adoptée. Certains font boire là leurs troupeaux. Des femmes viennent laver leur linge. Des gosses s'amusent tout autour.

Ainsi est née la machine solaire la plus grande du monde. Sa puissance, toutefois, ne dépasse pas 30 kW. En se gorgeant des rayons de lumière, elle pompe l'eau dans deux puits, profonds de 25 et 45 m. Elle peut alimen-

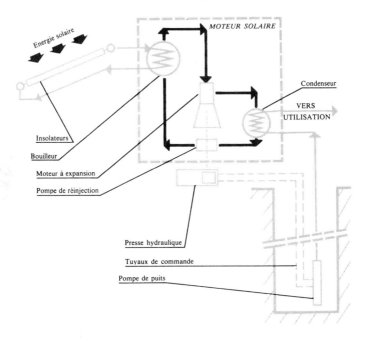

Schéma de fonctionnement d'une pompe solaire Sofretes. (Document Sofretes.)

ter en eau 3 000 personnes et irriguer une vingtaine d'hectares. Le gouvernement mexicain entend faire de cette station un centre de cultures expérimentales : à l'ombre des panneaux solaires, entre les pilotis qui les soutiennent, les bâtiments d'un centre agronomique seront construits.

Premier pays à contrôler son énergie pétrolière (nationalisée en 1938), le Mexique se trouve maintenant à la pointe de la technologie solaire. Outre la station de San Luis de la Paz, une dizaine de petites pompes solaires fonctionnent dans les régions les plus âpres. On envisage un programme de mille pompes et de cinquante stations du type de celle de San Luis de la Paz. Le programme a été baptisé *Tonatiuh* — le dieu du Feu chez les Aztèques.

Le fonctionnement d'une pompe solaire

Comment cette énergie tombée du ciel peut-elle faire tourner un moteur ? Les rayons de soleil sont d'abord collectés dans un capteur plan, traversé par des tuyaux où circule de l'eau en circuit fermé. Cette eau, chauffée à 70° C, transmet ensuite sa chaleur à un nouveau fluide plus volatil, à travers un échangeur. A cette température, le fluide (du propane ou du fréon) se vaporise, et il entraîne un petit moteur à piston ou une turbine à gaz, comme dans n'importe quelle machine à vapeur. Dans le cas de la turbine, celle-ci fait tourner un alternateur, qui fabrique du courant électrique. Après sa détente dans le moteur, le fluide se liquéfie à nouveau, en passant dans un condenseur refroidi par l'eau pompée sous terre. Et le cycle reprend, en circuit fermé. Le moteur entraîne ainsi une pompe, qui fait surgir l'eau de terre [1].

1. Le promoteur de ces pompes solaires est la société française Sofretes, créée et dirigée par Jean-Pierre Girardier. Son histoire a commencé en Afrique. A l'instigation du Pr Masson, doyen de l'université de Dakar, la première pompe a été mise en fonctionnement en 1966, au Sénégal. Les travaux se sont poursuivis au Laboratoire d'énergie solaire du Niger, à Bamako, sous la direction d'Abdel Moumouni, ainsi qu'à l'Ecole inter-Etats de Ouagadougou, en Haute-Volta, et à l'université du Tchad. En France ont été créés les Etablissements Pierre Mengin, puis la Sofretes en 1973. Aujourd'hui, si les Etablissements Pierre Mengin conservent 51 % des parts dans la Sofretes, le CEA et Total en détiennent chacun 20 %. Renault-International Moteurs a également une participation dans les Etablissements Mengin.

Les caractéristiques des pompes Sofretes sont les suivantes :

	Surface des insolateurs	Puissance du moteur solaire	Niveau de l'eau souterraine	Débit d'eau journalier
Pompe de petite puissance	80 m²	Près de 1 kW moteur à pistons	20-30 m	20-30 m³
Pompe du type de San Luis de la Paz	1 500 m²	30 kW, turbine à gaz, fabriquant de l'électricité pour la pompe	25-45 m	900 m³

Chaque jour, la machine ne fonctionne que pendant les 5 ou 6 heures de fort ensoleillement. C'est déjà une certaine « allergie au travail ». Mais le plus grave est la faible différence de température entre le capteur solaire et le condenseur, une trentaine de degrés parfois. Dans ce cas, les lois de la physique sont impitoyables : plus la différence de température entre la source chaude et la source froide est petite, plus le rendement de la machine est faible, selon le principe de Carnot [1]. La pompe solaire a un rendement de quelques pour cent seulement. Quel est donc son intérêt ? Aucun entretien, aucune manutention, une seule personne pour assurer sa bonne marche : le voilà, l'argument décisif, celui qui ouvre les portes du tiers monde.

C'est ce dont a pris conscience un ingénieur français visitant une ferme expérimentale à 60 km de Khartoum,

---

1. Le rendement théorique (ou rendement de Carnot) d'une machine transformant de la chaleur en énergie mécanique est égal à $\dfrac{T_1 - T_2}{T_1}$, où T_1 et T_2 désignent les températures absolues (c'est-à-dire les températures en degrés centigrades augmentées de 273°) de la source chaude et de la source froide. Dans la réalité, il faut encore ajouter diverses pertes : pertes de charge et pertes de chaleur du fluide dans les canalisations, conversion éventuelle en énergie électrique... Le rendement réel est nettement inférieur au rendement théorique. Pour une pompe solaire, il faut compter environ 2 %. Pour une centrale électrique fonctionnant entre 100° C et 500° C, il est de 30 % environ. Pour une machine solaire à capteur cylindro-parabolique, du type de celle de Méadi, il est de 15 %.

Condamné à un rendement très faible, le moteur solaire a-t-il un intérêt ? Oui, car son énergie est gratuite. Mais, en compensation, son prix de fabrication est plus élevé que celui d'un moteur classique. Comparons par exemple une centrale électrique conventionnelle et un moteur solaire, l'une avec un rendement de 30 % et l'autre de 2 %. Il faut que l'appareil solaire reçoive quinze fois plus de chaleur pour délivrer à la sortie la même puissance : les surfaces de captage de chaleur seront bien plus grandes, et les prix multipliés d'autant. Cependant, un autre facteur vient limiter cette hausse. Un appareil conventionnel de bon rendement doit en effet supporter des températures et des pressions élevées. Son installation doit donc être renforcée, ce que n'exige pas le moteur solaire.

au Soudan. A cet endroit, l'irrigation suffit à rendre le désert fertile, et l'eau ne se trouve qu'à quelques dizaines de mètres de profondeur ; mais deux des trois moteurs Diesel qui font marcher les pompes sont en panne. Petit détail... qui fait qu'aujourd'hui, à son tour, le Soudan se met à l'heure du Soleil.

Même le calcul économique vient à la rescousse du moteur solaire, face à ses divers concurrents. L'ancêtre, c'est la corde à nœuds du puisage manuel, qui ne permet guère de remonter plus de 600 litres à l'heure. La traction animale est elle aussi dépassée : pas plus de 8 000 litres par jour. Puis est venu le diesel : avec une puissance de 4 ou 5 chevaux, il permet de tirer 4 000 litres à l'heure d'une profondeur de 30 m. Enfin, dernier arrivé, le groupe moto-pompe solaire Sofretes, d'une puissance proche du kilowatt, qui a des performances identiques. L'investissement initial élevé est compensé par des frais de fonctionnement très faibles (ni entretien, ni combustible), à l'inverse du moteur Diesel. Finalement, ils se valent, en termes de coûts [1].

1. Comparaison du diesel et de la pompe solaire, d'après *Etudes et Documents du ministère de la Coopération :*

	Diesel 4 chevaux	Pompe solaire
Profondeur de l'eau	30 m	
Débit	4 m³/h	id
Fonctionnement	1 800 h/an	
Débit annuel	7 200 m³	
Dépenses		
— *Investissements*	21 500 F sur 4 ans	130 000 sur 20 ans, sans les bâtiments
— *Charges annuelles :*		
1. Amortissement	6 300 F	12 000 F
2. Fonctionnement		
a) énergie	3 000	0
b) entretien	1 800	200
c) personnel	3 000	2 000
Total des dépenses annuelles	14 100 F	14 200 F

Tel qu'il est fait ici, le calcul suppose une durée de fonctionne-

Mais le moteur solaire devient le seul vainqueur dans les zones isolées. En effet, son prix reste à peu près inchangé, tandis que le fonctionnement du diesel est plus coûteux, à cause des frais de transport du gas-oil. Quant à l'énergie électrique, elle devient vite hors de prix dans les campagnes reculées. Autre concurrent original : l'éolienne ; elle est aussi moins chère que les autres, mais elle supporte mal les tornades, le criblage des vents de sable, et son entretien risque d'être une charge pesante.

Dans ces conditions, la pompe solaire est avantagée. Outre le Mexique, d'autres pays tentent l'expérience : la Mauritanie, le Sénégal, le Mali, le Niger, la Haute-Volta, etc. En 1970 il n'existait qu'une pompe solaire au monde. Une douzaine fonctionnent en 1975. Avant 1979, le cap de la centaine devrait être passé.

Les multiples applications de la pompe solaire

Mais les « fous du soleil » ont d'autres ambitions. Selon eux, l'installation solaire ne doit pas se réduire à une machine perdue dans les sables. Elle peut abriter de rudimentaires bâtiments sociaux. Les panneaux de capteurs font alors office de toit pour une école ou un dispensaire. Nouvel avantage : la chaleur du soleil étant captée pour les besoins de la machine, il s'établit au-dessous une étonnante fraîcheur [1]. Et le fonctionnement des appareils ne risque de troubler ni les élèves ni les malades.

A Dioila, au Mali, l'installation comprend un dispen-

_____

ment de 4 ans pour le moteur Diesel, et de 20 ans pour la pompe solaire. C'est seulement grâce à ce handicap en faveur du soleil, peut-être exagéré, que les deux concurrents arrivent *ex aequo*.

1. Du moins si l'isolation est bonne. Au-delà d'une température de 70° C dans le capteur du toit, la maison risque de s'échauffer.

Pompe Sofretes de 1 kW à Caborca au Mexique. (Document Alexandroff.)

saire, une borne-fontaine et un abreuvoir. Elle doit son existence à un petit drame : le vent avait arraché le toit du dispensaire. D'où l'idée de mettre à sa place un capteur solaire. Sensibilisées par le problème, diverses organisations chrétiennes[1] ont recueilli les fonds nécessaires grâce à une campagne de presse dans *la Vie catholique*. La nouvelle installation a stimulé l'activité de la population locale, au point que, depuis, plusieurs dispensaires de brousse se sont ouverts alentour. Quant aux associations chrétiennes, elles ont décidé de financer la construction d'autres pompes solaires en Haute-Volta, au Cap-Vert, en Tanzanie.

1. Notamment le Comité catholique contre la faim et pour le développement, et la Cimade, service œcuménique d'entraide.

A Ceballos, dans le Nord du Mexique, 250 personnes se sont fixées autour du puits solaire et des vergers. A Caborca, toujours au Mexique, aux portes du désert cruel de l'Altar, ainsi qu'à Chinguetti, en Mauritanie, toute une vie est née autour du puits et de l'école.

Chinguetti, telle que la décrit M. Alexandroff, architecte travaillant pour la Sofretes :

> Septième ville sainte de l'Islam, autrefois illustre étape caravanière, la ville se meurt, sa piste délaissée martyrise de rares camions qui montent chargés de fret, et descendent les jeunes hommes vers la capitale : la palmeraie autrefois florissante dépérit faute d'eau.

C'est là que la première pompe solaire vraiment opérationnelle est montée, en 1973. Fin de la corvée d'eau pour les enfants qui y passaient la moitié de la journée. L'école disparaît aussi, car c'est là, autour de la margelle, que les enfants discutaient avec les vieillards. Il est donc décidé d'en construire une en dur, dont le toit servira de capteur. Au-dessus des murs blancs, troués de petites meurtrières, miroitent aujourd'hui des gouttières solaires dont la forme incurvée réfléchit la lumière sur le fond noir absorbant. Le réservoir d'eau chaude, situé plus haut que le toit, permet l'effet automatique de thermosiphon — l'eau chaude tend à monter, l'eau froide à descendre. Il est abrité dans une tour qui s'harmonise avec l'architecture locale.

Une pompe solaire ne peut cependant sauver une ville. L'exode rural continue à Chinguetti. Enfin, l'eau elle-même vient à manquer. Au bout de 2 heures de pompage continu, le puits est à sec. Il faudrait le creuser encore davantage...

Mais mieux vaut ne pas céder au découragement. Les pompes solaires ont leur utilité. Elles permettent de créer de nouveaux centres de vie, suffisamment adaptés à l'environnement pour ne pas bouleverser les habitudes de populations nomades ou semi-nomades. Elles constituent à la fois une halte pour les caravanes, et un pas vers la sédentarisation des nomades. D'ores et déjà, un programme Sahel est lancé par les ministères français de la Coopération et de l'Industrie : entre 1976 et 1978, une quarantaine de pompes sont montées pour un montant global d'une trentaine de millions de francs.

Et une nouvelle étape commence. Après la gamme des petites puissances, le cap des 50 kW est maintenant franchi. La voie est ouverte aux complexes solaires, assurant la fourniture de l'énergie, la climatisation, l'irrigation, etc.

A Diré, au Mali, un village solaire est en construction au bord du fleuve Niger. Tout le matériel est amené par bateau. Les surfaces de capteurs, étalées sur 3 000 m² de remblais et de toits, alimenteront un turbo-alternateur de 60 kW. L'eau du Niger, ainsi puisée, irriguera une centaine d'hectares. Et la coopérative agricole sera couplée à un centre touristique rustique, intégré au style de construction local. M. Alexandroff en a tiré les plans. « Si cette installation fonctionne bien, toute la rive du Niger sera équipée en solaire », ajoute-t-il, rêveur.

En attendant, on tente d'améliorer le rendement du moteur solaire, qui plafonne actuellement à 2 % environ. Toujours l'infernale logique du principe de Carnot. Il faut donc augmenter la différence de température entre la source chaude et la source froide. Parfois, la nature s'en charge : au Mexique, l'eau puisée n'est qu'à 18° C, alors qu'au Sahel elle atteint 30° C — température peu recommandable pour une source froide. Chez Sofretes, deux voies sont à l'étude : réchauffer la source chaude en renforçant l'effet de serre, ou refroidir la source froide en installant une micro-tour de refroidissement. Un simple gain de 20° sur la différence des températures des sources chaude et froide doublerait les rendements.

Mieux encore, ajoute M. Alexandroff :

> On pourrait stocker l'eau chaude du jour, et l'eau froide de la nuit. Il suffirait de deux citernes rudimentaires, et d'un capteur plus grand, pour pouvoir emmagasiner l'excès de chaleur diurne pendant la nuit. Alors le moteur pourrait fonctionner sans arrêt, 4 fois plus longtemps que la machine actuelle. Plus de problème de démarrage chaque matin. C'est une solution idéale

pour les pays qui ne connaissent pas les saisons, mais
de grandes variations de températures entre le jour et
la nuit.

Autre possibilité : le capteur sans vitrage. Rien que la
surface noire. C'est quatre fois moins cher. Mais en supprimant l'effet de serre, le rendement risque de devenir
catastrophique, sauf si l'on fait jouer au capteur un double
rôle. La surface noire sans vitrage a en effet l'avantage
de suivre sans inertie les variations de température
ambiante. Elle monte à 50° C plus rapidement que le capteur vitré, et elle descend plus vite à de basses températures
le soir. Ainsi, pendant 18 heures chaque jour, sa température est au-dessous de 30° C, et elle peut faire office de
source froide. Avec un capteur vitré, au contraire, la couche
d'air sous la vitre fait tampon : on y gagne en chaleur mais
on perd tout le froid ; on doit même gaspiller de précieu-
ses calories chaque matin pour réchauffer le capteur refroidi par la nuit. Ce rôle complémentaire de source froide,
ajouté à celui déjà connu de source chaude, est peut-être
la chance future des capteurs plans, face à leurs multiples
concurrents. Et pourquoi, à la limite, ne pas utiliser comme
capteur un petit carré de sable du désert, noirci au préalable ? Chacun sait, pour en avoir fait la cuisante expérience, que la température atteint 60° C sur le sable, lorsque le soleil brille. Le moteur solaire, enfoui dans le sable,
peut se contenter de cette chaleur [1]. Finalement, la pompe
solaire peut être branchée dès qu'on trouve une légère
différence de température entre deux points rapprochés.

Les idées foisonnent autour de la petite machine. A la
limite, un gros sac en plastique rempli d'eau peut faire

---

1. Si le moteur sert à pomper l'eau, celle-ci constitue la source
froide. Sinon, la source froide peut être trouvée sous terre, à quelques mètres de profondeur, là où la température est plus clémente
qu'en surface. Mais dans ce cas, il faut évacuer la chaleur fournie
à la source froide, sinon celle-ci s'échauffe et ne remplit plus son
office. Comme le sous-sol conduit mal la chaleur, il faudrait alors
creuser un grand fossé, pour permettre à l'air d'emporter les calories souterraines.

office de capteur solaire. La simplicité, poussée jusqu'au bout, répond ici à l'objectif de l'économie maximale. « Ce serait cent fois moins cher que l'usage des photopiles », dit-on parmi les partisans de la Sofretes.

Car un concurrent s'est présenté, ces derniers temps. Après avoir fait cavalier seul pendant quelques années, le moteur Sofretes, à cycle thermodynamique, fait face aujourd'hui à un autre moteur, qui transforme directement la lumière en électricité, grâce au système des photopiles.

Quittons un instant le tiers monde pour gagner la Corse.

Les pompes à photopiles

Belvedere Campomoro, au sud de Propriano : loin de la route principale, dans le maquis, une petite exploitation agricole expérimentale. Tout près, un rocher vertical se dresse — vestige préhistorique de quelque culte solaire. A quelques pas d'un indolent troupeau de moutons, trônent sept panneaux solaires, sagement alignés au bout de pilotis. Recouverts de photopiles [1], ils apportent, à l'heure du soleil, le courant électrique nécessaire à une pompe. L'eau est captée à 20 m sous terre, et son débit atteint 10 à 20 m³ selon le temps qu'il fait. Cela suffit pour abreuver le bétail, alimenter la salle de traite et la fromagerie, irriguer 2 000 m² de cultures maraîchères et de luzerne. Pendant l'été, l'exploitant s'occupe d'un restaurant à Campomoro, qu'il approvisionne avec les produits du soleil. Actuellement, il fait construire un bassin à ciel ouvert de 10 000 m³, pour stocker l'eau pompée, ainsi que les eaux de ruissellement, d'une saison à l'autre. Deux ou trois hectares de luzerne seront ainsi irrigués pendant l'été. On parle même d'installer un système d'irrigation au goutte-à-goutte.

Succès prometteur, assurément, pour les promoteurs de

1. Cf. le chapitre « Soleil blanc », p. 149.

Pompe solaire à photopiles, en Corse. (Document Groupement d'intérêt économique Elf/Guinard/Wonder.)

cette opération, le groupement agricole (GAEC) de Capo di Luogo et la société des pompes Guinard, maître d'œuvre de l'installation. Même si ce genre de système n'est pas encore à portée de la bourse du premier venu, il s'avère utile en tout lieu isolé, ne disposant pas d'eaux de surface. Ce qui est vrai en pays méditerranéen l'est encore plus dans les déserts du tiers monde.

Une pompe, des panneaux, quelques fils à brancher, un mode d'emploi simple. Rien que le puits à forer, pas de grands travaux de génie civil, pas de tuyaux à souder, pas de fuites à colmater... comme chez le concurrent Sofretes. Chaque organe de l'installation pèse moins de 60 kg et peut être porté à dos de chameau. Pour un ingénieur de la société des pompes Guinard : « C'est l'après-diesel. Le moteur de la seconde génération. » Une durée de marche indéterminée, un nettoyage des panneaux tous les mois. Eventuellement, un changement d'orientation si les panneaux sont mobiles. « On peut prévoir, ajoute cet ingénieur, une multitude de pompes disséminées dans une région, avec un seul mécanicien qui ferait la tournée. »

La pompe est conçue pour supporter des variations de régime continuelles. Inutile de placer une batterie d'accumulateurs pour stocker l'électricité et faire marcher la pompe en continu : on supprime ainsi une cause de pannes et de dépense. De plus, la pompe n'est pas immergée au fond du puits, à la différence de la pompe Sofretes. C'est une pompe à arbre long, moins sensible à l'usure par le sable en suspension dans l'eau. Et, pour de petits débits, on peut se contenter d'un forage de 4 pouces (105 mm) de diamètre, au lieu des 6 pouces habituels pour une pompe immergée. Cette seule économie paye les photopiles, assure-t-on à la société Guinard [1]... Cela dit, tout ceci coûte, pour une puissance de 500 W environ, entre 100 000 et 130 000 F. Un prix à peu près comparable à celui de la pompe Sofretes, pour une puissance du même ordre [2].

1. La pompe à photopiles a encore un avantage : elle peut puiser de l'eau à n'importe quelle profondeur. Avec une pompe thermodynamique, on est au contraire limité en profondeur. Du fait que l'eau pompée sert de source froide, il faut que le débit soit suffisant pour évacuer les calories du moteur sans que l'eau s'échauffe. Si la profondeur du puits augmente, le débit diminue, et ne suffit bientôt plus à refroidir le fluide du moteur.

2. Un autre fabricant français, les pompes Briau, commercialise aussi des moteurs à photopiles. Deux exemplaires notamment ont

Un marché d'avenir

Dans l'immédiat, un partage du marché semble s'établir entre les deux filières des pompes solaires. L'hydraulique pastorale, avec ses petites pompes de moins d'un kilowatt, éparpillées dans le paysage pour éviter le surpâturage et l'épuisement des eaux, constitue le meilleur terrain pour les pompes Guinard à photopiles. A l'opposé, les villages solaires multifonctionnels, d'une puissance de 50 kW au moins, sont l'objectif vers lequel s'oriente maintenant la Sofretes.

Il ne subsiste qu'un handicap commun : le prix de l'eau [1], difficile à chiffrer exactement. Il semble qu'on puisse annoncer en 1977 un prix de 100 000 à 150 000 F pour la pompe solaire d'un kilowatt. Les prix ont cependant tendance à baisser au fil des ans, tout en restant encore élevés. A ce sujet, le bilan donné par un client, la Cimade, est édifiant ; le dispensaire de Dioila, équipé de la pompe solaire, a coûté plus de 600 000 F, qui se décomposent ainsi :

— pompe solaire Sofretes 180 000 F
— travaux de génie civil 300 000 F
— équipement médical   120 000 F

Pour le prix de l'eau, en ne prenant en considération que le prix de la pompe, on arrive effectivement à 2 F

été vendus à l'Iran, et possèdent les caractéristiques suivantes : 14 m² de panneaux de photopiles (soit 80 modules de base RTC) et 72 batteries de stockage, qui assurent le pompage de 10 m³ d'eau chaque jour, ainsi que l'alimentation de la télévision et une fourniture supplémentaire d'énergie électrique.

1. Chiffres donnés par *le Monde* le 11 juillet 1973, et par *Science et Vie* en 1975 : 200 000 F pour l'installation de Chinguetti, soit 1 F le mètre cube d'eau. Chiffres avancés par le ministère de la Coopération : 130 000 F pour la pompe, soit 2 F le mètre cube d'eau.

par mètre cube. Mais a-t-on jamais vu une pompe débiter de l'eau sans puits ni tuyaux ? Même en reportant le prix des capteurs dans un autre budget, celui des équipements publics, le mètre cube d'eau revient en gros à 4 F.

Prohibitif, diront les froids adeptes du calcul économique. Mais ce genre d'argument n'a guère de sens lorsqu'on joue avec la vie des gens. Au pays de la soif, l'eau n'a pas de prix. N'oublions pas qu'avec 500 000 F on peut construire un dispensaire dans la brousse, tout en disposant d'une quantité d'eau suffisante pour alimenter un millier de personnes, à raison de 20 litres par jour et par personne, en la puisant à une trentaine de mètres de profondeur [1].

Quant aux stations solaires de plus grande envergure, d'une puissance de 50 kW, elles coûtent environ 6 millions de francs, dont la moitié pour la machine. Le mètre cube d'eau revient alors à moins de 1 F, prix somme toute raisonnable et que l'extension du marché et les économies d'échelle devraient encore permettre d'abaisser [2].

Alors il est permis de rêver. L'énergie solaire, diffuse, émiettée, dispersée, s'accommode parfaitement de ces petites installations disséminées dans le paysage. On imagine soudain l'uniformité ocre du désert se parsemer de petits îlots de verdure. Les taches scintillantes qui éblouiront les voyageurs des sables ne seront plus les mirages du passé, mais les surfaces vitrées des nouvelles oasis solaires.

---

1. Dans le cas de l'hydraulique pastorale, les travaux de génie civil sont moins importants. Le prix total est de 350 000 F environ.

2. Précisons cependant que le moteur Diesel est encore plus sensible à l'effet d'échelle. Pour une petite puissance, son prix est proche de celui de la pompe Sofretes. Pour une puissance élevée (50 kW), il tend à devenir moins cher.

2. Le dessalement de l'eau de mer et la recherche de l'eau douce

Le soleil est une terre cuite
Entourée d'une spirale de cuivre
Portée à l'incandescence
Qui lui donne son mouvement diurne,
Qui donne lumière et vie à l'univers.
Le soleil est comme du cuivre en fusion.
La preuve c'est qu'au feu le métal
Jette des rayons comme ceux de l'astre.
Mais ces rayons sont pompeurs d'humidité,
Faiseurs de nuages.
Ils sont les chemins de l'eau,
Ils sont eau.
La preuve c'est qu'on ne les voit
Que par temps de brumes chaudes
Et d'orages.
Et c'est pourquoi
Les rayons solaires sont dits
Ménn di, « Eau de Cuivre ».

Propos d'Ogotemmêli, au pays Dogon, Mali[1].

Sous l'effet du soleil, l'eau des océans s'évapore. En même temps, le soleil est un filtre : l'eau salée, en se vaporisant, devient eau douce. Ainsi commence le cycle bioclimatique. Les nuages qui se forment ainsi sont poussés par les vents et atteignent une zone à basse température, où la condensation se produit. La pluie tombe...

C'est donc de la masse des océans que les continents reçoivent leur eau douce. Une bien faible dose, comparée

1. Marcel Griaule, *Dieu d'eau.*

à la totalité des eaux du globe : 2 % par an environ. Cela fait cependant un volume de 30 000 m³ qui est gracieusement fourni, chaque année, à chaque habitant de la planète. Quantité phénoménale, dont l'homme ne sait récupérer qu'une partie infime. Aux Etats-Unis, la consommation d'eau par habitant est de 6 m³ par jour, soit 2 000 m³ par an. En France, elle est de 1,6 m³. Dans les pays en voie de développement, elle n'est que de 0,06 m³.

Les pays arides ont beaucoup de soleil et peu d'eau douce. Cependant l'eau est là, en attente, salée en bordure des côtes ou saumâtre dans les nappes souterraines. Disponible, mais non potable. On peut alors envisager de la dessaler, en reproduisant à petite échelle ce que fait le cycle bioclimatique. Le Soleil sera ici encore le grand Régulateur, équilibrant les excès et les manques. L' « eau de cuivre » peut jaillir n'importe où, pourvu que l'homme le désire.

Le distillateur solaire

Il y a un siècle déjà, un distillateur solaire fonctionnait au Chili. De 1872 à 1910, des bassins étendus sur 4 700 m² ont produit jusqu'à 20 m³ d'eau douce par jour en été, pour abreuver les mules des mines de nitrates dans la province d'Antofagasta, à Las Salinas. Dans les installations d'aujourd'hui, les principes de fonctionnement sont identiques.

Un bac peu profond, bien isolé du sol, avec un fond peint en noir, est rempli d'eau sur une faible épaisseur. Le tout est surmonté d'un toit de verre incliné. Dans cette sorte de serre chauffée par le soleil, la température de l'eau s'élève à 60 ou 70° C, et l'évaporation se produit. Le vitrage, plus froid que l'eau, provoque la condensation de la vapeur d'eau douce. Celle-ci s'écoule le long de la paroi interne du toit, jusqu'à une gouttière qui la récupère.

Le reste est affaire de bon sens. Le toit doit être incliné

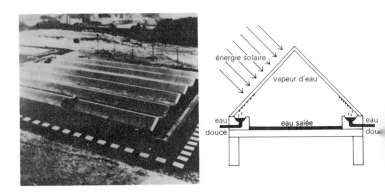

énergie solaire

vapeur d'eau

eau
douce

eau salée

eau
dou

Appareil solaire de dessalement, en Floride. (Photo USIS.)

de 20° environ : ni trop peu (l'eau ne s'écoulerait plus le long de sa pente), ni trop (la surface de verre deviendrait plus grande, et donc plus chère). La couche d'eau doit être mince (quelques centimètres) pour favoriser une évaporation rapide. La plaque de verre doit être proche de la surface de l'eau, afin d'éviter les ombres sur les bords. Une contrainte, enfin : racler régulièrement la croûte de sel qui se dépose au fond, pour permettre au fond noir de faire son office de capteur.

Cet appareil ne fonctionne que s'il est petit. Trop grand, son toit ne serait plus assez frais : l'air extérieur, qui refroidit le verre par convection, se réchaufferait en léchant une surface trop grande, et la condensation ne pourrait plus se produire à l'intérieur. Le distillateur solaire est donc insensible à l'effet d'échelle. Un grand appareil ne peut être que la juxtaposition de petits appareils, dont les productions s'additionnent. D'où ces installations en forme de tentes allongées, alignées côte à côte, telles qu'on les voit au Chili, en Inde, en Grèce...

En 1970, au Chili, deux tentes solaires sont installées pour traiter les eaux saumâtres de la rivière Loa. L'eau est ensuite acheminée en train jusqu'à Quillagua. Eau potable, au goût cependant peu agréable... Dans le Sud-Est de l'Espagne, une installation de 900 m² est inaugurée en 1966 sous l'égide de l'Institut de la colonisation. Elle alimente en eau le village de Las Marinas. Si son prix reste élevé (5 F le m³ en 1966), il est cependant dix fois inférieur à celui de l'eau minérale d'Aaroz vendue à Almería. En Inde, un petit appareil similaire est à l'essai : il distille 6 litres d'eau par jour, produit du sel, et permet de surcroît la collecte des eaux de pluie, s'adaptant ainsi au climat très variable de ce pays.

Bon an, mal an, un distillateur solaire fournit 3 à 4 litres d'eau douce journellement, sur chaque mètre carré de bassin [1]. Pour atteindre une production de 100 m³/jour, il

---

1. Le soleil apporte journellement 6 kWh sur un mètre carré. Pour évaporer un litre d'eau, il faut environ 500 kcal. L'énergie solaire, si rien ne se perdait, permettrait l'évaporation d'une dizaine de litres par jour (1 kWh = 860 kcal).

faudrait déjà un bassin étendu sur 30 000 m². De plus, en hiver, la fourniture d'eau douce diminue, alors que la demande reste constante. Pour éviter un surdimensionnement de l'appareil en fonction des situations extrêmes, mieux vaut donc prévoir un stockage saisonnier de l'eau douce. En comptant un investissement global de 200 F/m² de distillateur, on arrive à un prix du mètre cube d'eau compris entre 10 et 20 F[1].

Cette eau à prix d'or n'est pas pour autant invendable. Lorsque l'eau doit être menée en camion dans des régions isolées, elle coûte encore bien plus cher : 50 F le m³ par exemple sur la côte de Makran, au Pakistan. D'autre part, les petits distillateurs, fonctionnant au fuel, peuvent coûter aussi cher[2].

En dessous de 50 m³/jour, le distillateur solaire ne semble pas avoir de concurrent, surtout dans les régions isolées — et en bordure de mer, car pour les eaux saumâtres il existe, on le verra, des traitements plus économiques. Mais au-dessus... qu'est-ce qu'un distillateur solaire de 50 m³ face à des usines de dessalement qui traitent journellement 10 000 m³ d'eau ? Tels ces cinq blocs d'acier rutilant, portant de gigantesques boucles de tuyaux sur leurs flancs, et hérissés de canalisations en tous sens, au bord de la mer, à Koweit : cinq lignes de dessalement d'une capacité de 112 500 m³/jour.

Le procédé « flash » dans la grande industrie

Le distillateur solaire a le défaut de sa simplicité. Modèle réduit d'un phénomène naturel gigantesque — le

1. Une étude de l'ONU, plus optimiste, prévoit un coût de 5 F, sans compter le stockage de l'eau cependant.
2. Sur les bateaux, par exemple, se trouvent des appareils de distillation à compresseur, qui délivrent de l'eau douce à 10 ou 20 F le mètre cube.

cycle bioclimatique —, il ne sait pas en miniaturiser les mécanismes. Il fonctionne grossièrement... comme une casserole pleine d'eau sur le feu.

De l'eau salée qui bout, c'est encore une distillation. Mais l'eau douce n'est pas seule à partir en fumée. Elle entraîne avec elle une grande quantité de calories, celles qui ont servi à chauffer l'eau (80 calories par gramme) et celles qui ont servi à la vaporisation (460 calories par gramme). En se condensant, l'eau douce est récupérée, mais des calories se perdent. « Non rentable », dira le professionnel désabusé.

A la recherche des calories perdues... Ici commence l'histoire du dessalement industriel. La vapeur d'eau, en se condensant, restitue ces calories. Utilisons alors cette chaleur pour vaporiser de l'eau à nouveau, dans une autre casserole... Et ainsi de suite. Bien sûr, d'un évaporateur à l'autre, la température diminue légèrement. Pour assurer la vaporisation, la température devenant inférieure à 100° C, il faut diminuer la pression, ce que réalise une pompe à vide. Ainsi une vingtaine d'évaporateurs peuvent-ils être alignés côte à côte, la température baissant progressivement de 140° à 40° C. Ce fonctionnement en cascade a l'avantage de libérer les calories disponibles.

Cet appareil est à effet multiple, alors que le distillateur solaire est à simple effet. Avec le même chauffage initial, on obtient vingt fois plus d'eau douce.

Le procédé de distillation par détente étagée (en américain *multistage flash*) en est l'application. L'eau de mer, préchauffée, sous pression, est détendue à travers une ligne de chambres de détente. La vapeur d'eau se condense sur les tubes où circule de l'eau de mer à contre-courant. Il ne reste qu'à recueillir l'eau douce dans une gouttière. Cette méthode est à l'œuvre dans 75 % des installations de dessalement. Elle est particulièrement efficace pour les grandes tailles : 10 000 à 100 000 m³ d'eau douce par jour. D'où ces usines géantes qu'on voit au Koweit, en Arabie Saoudite, en Libye...

Nouvelle économie : les usines de dessalement sont couplées à des centrales électriques. En effet, à la sortie de la turbine qui fait tourner l'alternateur d'une centrale, la

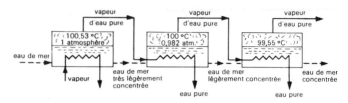

Principe de la distillation par multiple effet. (Document Hydes.)

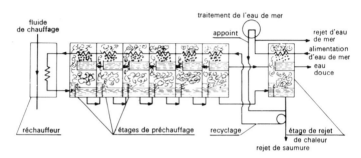

Schéma d'une ligne de distillation par détente étagée. (Document Hydes.)

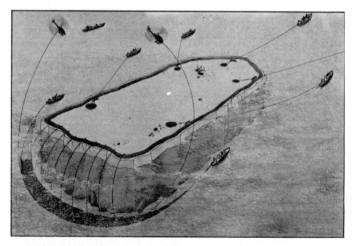

Opération « iceberg » pour obtenir de l'eau douce sans avoir besoin de dessaler l'eau de mer (voir p. 82). (Document Cicero.)

vapeur d'eau est encore à 120° C et sous pression. Au lieu de se perdre, cette énergie peut servir de chauffage initial à une ligne de dessalement. Autre avantage [1] : comme toute installation industrielle, l'usine de dessalement est sensible à l'effet d'échelle. Plus elle est grande, moins l'eau est chère. Face au distillateur solaire, peu sensible à l'effet d'échelle, le procédé *multistage flash* l'emporte aisément. Pour une petite production de moins de 100 m³/jour, le choix est difficile : le mètre cube d'eau coûte plus de 10 F dans les deux cas. Mais pour une production de 100 000 m³/jour, le *multistage flash* fournit une eau à 2 ou 3 F le mètre cube, soit dix fois moins chère.

Le soleil n'est pas pour autant condamné à faire fonctionner des micro-unités rustiques disséminées ici ou là, tandis que les grandes installations sophistiquées seraient nourries au fuel. Une tierce solution peut encore être envisagée...

L'utilisation du solaire dans le procédé « flash »

On peut en effet coupler un appareil à détente étagée avec un chauffage solaire. En quelque sorte, il suffit de changer de fuel. Pour chauffer l'eau, le pétrole est remplacé par une batterie de miroirs. Transformer une usine classique en installation solaire n'a rien d'impossible. Le problème a été concrètement posé à des spécialistes français pour une usine de dessalement à Malte. Mais c'est un peu le problème du cyclomoteur transformé en bicyclette. L'énergie concentrée dans des jerricans faciles à manier, cède la place à une énergie dispersée et intermittente, avec toutes les difficultés d'adaptation

---

1. Ajoutons encore que l'eau douce ainsi distillée est très pure. On peut donc y ajouter de l'eau légèrement salée, souvent disponible à proximité. On obtient ainsi une eau contenant 0,5 g de sel par litre, toujours potable, en réalisant une économie substantielle de 15 %.

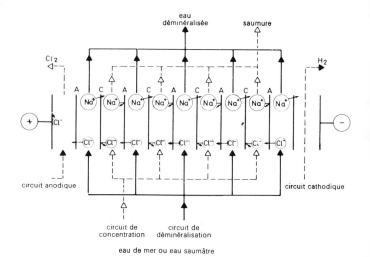

Principe du dessalement par électrodialyse. (Document Hydes.)

qui en découlent. Et à quel prix... Sans doute la meilleure solution est-elle dans un système combiné : une centrale solaire délivrant quelques mégawatts électriques est couplée avec une installation de dessalement classique, toujours dans le but d'épuiser les calories.

Du produit classique au solaire : ce passage donne le vertige à l'ingénieur spécialiste du dessalement. Lui qui est habitué aux installations géantes qui ont fait leurs preuves, il doit s'adapter au fonctionnement de petites unités soumises aux aléas des forces de la nature. Cela explique peut-être la lenteur avec laquelle on s'engage dans la voie du dessalement solaire.

Cette lenteur est particulièrement sensible dans le domaine des eaux saumâtres [1], où les technologies ne sont encore qu'à l'étude...

1. Les eaux saumâtres sont légèrement salées, 2 à 5 g de sel par litre, alors que l'eau de mer en contient 35 g (avec de grandes variations : 6 g seulement en mer Baltique, 45 g dans le golfe Arabique).

Les procédés par filtration

Pour les eaux saumâtres, la distillation cède la place à la filtration. Des membranes servent à séparer l'eau salée de l'eau douce. Deux nouveaux procédés industriels surgissent : l'un électrique, l'autre mécanique.

D'abord l'électrodialyse. Une sorte d'électrolyse : une solution d'eau salée est soumise à un champ électrique. Les ions négatifs (chlore) sont attirés d'un côté, et les ions positifs (sodium) de l'autre. On peut ainsi concevoir une série de barrages formés de membranes sélectives en alternance, les unes arrêtant les ions positifs, les autres les ions négatifs. Il s'ensuit une alternance d'eau douce et d'eau salée dans les compartiments successifs.

Autre procédé : l'osmose inverse. L'osmose est une expérience classique en sciences naturelles : entre deux bassins d'eau douce et d'eau salée séparés par une membrane semi-perméable, l'eau douce a tendance à s'infiltrer dans l'eau salée, jusqu'à ce qu'un équilibre des pressions s'établisse. Inversement, appliquons une pression sur l'eau salée. De l'eau douce suinte alors à travers la membrane : c'est l'osmose inverse.

Contrairement à la distillation, ces méthodes sont sensibles au degré de salinité de l'eau à traiter [1]. Elles sont d'autant plus économiques que l'eau est moins salée. Incapables de rivaliser avec la distillation pour les eaux très salées et les grandes installations, elles sont au contraire sans concurrence pour les petites installations de dessalement des eaux saumâtres.

Dans une installation de 100 m³/jour, le mètre cube d'eau douce revient à 2,5 F [2]. On espère un jour descendre à 1 F pour de grosses unités de 100 000 m³ — très

---

1. De plus elles ne délivrent pas une eau parfaitement pure, à la différence des distillateurs. Par exemple, dans l'électrodialyse, si l'eau devient trop pauvre en sel, le courant ne passe plus et l'électrolyse s'arrête.

2. On suppose une eau saumâtre avec 2,5 g de sel par litre.

hypothétiques pour le moment, la plus grosse usine en fonction actuellement ne dépassant pas 10 000 m³/jour.

La membrane semi-perméable est l'objet de tous les soins des chercheurs qui étudient la filtration. Le jour où elle sera suffisamment résistante et bon marché, un marché immense s'ouvrira... Pour le moment, les appareils à membrane ont déjà l'avantage de consommer beaucoup moins d'énergie que les distillateurs : dix fois moins environ pour des eaux saumâtres. C'est là un nouvel atout en faveur de l'énergie solaire, mieux adaptée aux petites puissances.

On peut donc concevoir la combinaison de l'osmose inverse à une pompe solaire délivrant de l'énergie mécanique. Malgré le faible rendement du moteur solaire, le résultat est bien meilleur que celui du distillateur solaire, d'après un calcul fait par le CEA : l'eau coûterait deux fois moins cher. Peut-être est-ce là une solution d'avenir pour les eaux saumâtres.

L'alternative au dessalement

L'eau douce revient donc entre 3 F et 10 F le mètre cube, selon la combinaison des procédés et la dimension des appareils. Dans ce domaine réservé des industries de pointe, le soleil s'infiltre difficilement. Il ne réussit à être vraiment compétitif que dans le procédé d'osmose inverse pour les eaux saumâtres. Et encore faut-il attendre une première réalisation pour pouvoir juger sur pièces. Mais les recherches ont pris un tour fébrile ces derniers temps. Les Allemands fournissent un gros effort. Du côté français, on semble manifester plutôt un certain laxisme, en se contentant de vendre des usines de distillation clés en main, domaine où les entreprises françaises (Alsthom, CEM-Sidem) sont bien placées.

De fait, le problème de l'eau est aussi crucial que celui de l'énergie, même si l'on en parle moins. Il affecte non seulement les pays arides, mais aussi les pays hautement industrialisés et fortement peuplés, qui consomment de plus en plus d'eau. Les chiffres viennent alors imposer des choix : 2 % d'eau douce, 98 % d'eau salée sur l'ensemble du globe. Le dessalement devient une nécessité. Depuis 25 ans qu'il existe, le marché du dessalement s'accroît ainsi en moyenne de 15 % chaque année. Aujourd'hui, 4 millions de mètres cube d'eau douce sont journellement fabriqués, grâce à un millier d'usines dispersées de par le monde [1].

Cependant, une question se pose. Au lieu de filtrer l'eau salée, on pourrait aussi bien prendre d'abord l'eau douce là où elle se trouve déjà. On a déjà vu que l'homme ne récupère qu'une part minime des eaux de pluie et des eaux qui courent à travers la nature. L'eau se disperse, s'évapore, s'infiltre sous le sol. Impossible de la retenir. Mobile et fluctuante, dégradable et sensible à la moindre pollution — celle de l'homme ou des sels marins —, elle n'est vraiment disponible que le long des fleuves, ou dans les nappes souterraines. Certaines régions sont favorisées, d'autres non. Une solution toute simple consisterait alors à transporter l'eau d'une zone à l'autre.

En France, on n'a pas de pétrole, mais on a de l'eau douce. Imaginons un scénario : une petite ponction d'eau à l'embouchure du Rhône. Transférée outre-Méditerranée, cette eau viendrait alors fertiliser les sables sahariens qui affleurent au bord de la mer, entre la Libye et l'Egypte, ou encore du côté de la Mauritanie.

Voilà un usage tout indiqué pour les tankers en mal d'emploi. Aujourd'hui, de nombreux pétroliers restent à quai, même ceux qui viennent à peine d'être lancés. D'autres tournent à perte. Seuls les pétroliers géants, les VLC *(Very Large Carriers),* ont un avenir assuré. L'industrie pétrolière vit une crise des frets. Faut-il laisser rouiller les tankers ou les laisser se saborder contre quelque récif providentiel ? Les tankers sont immédiatement disponibles pour le transport de l'eau au prix d'un simple lavage.

---

1. Les divers procédés se répartissent ainsi, selon les quantités d'eau qu'ils traitent : distillation par compression : 1 %, distillation par multiple effet : 6 %, distillation par détente étagée : 75 %, procédé par électrodialyse : 9 %, procédé par osmose inverse : 7 %.

L'idéal serait d'avoir une cargaison de pétrole dans un sens, et d'eau dans l'autre sens, mais cela semble impossible — à moins de se contenter d'une eau sale, à peine valable pour l'irrigation.

Toujours est-il que l'eau pourrait être vendue au prix du fret. Celui-ci est actuellement de 5 F environ pour une tonne de pétrole qui traverse la Méditerranée. C'est exactement dans la fourchette des prix du dessalement, en comptant même le bénéfice des compagnies pétrolières.

Du bon usage de la coopération, pourrait-on conclure, en s'interrogeant sur les raisons qui empêchent que le problème soit à tout le moins posé. Est-ce la peur du ridicule qui arrête les responsables des Etats concernés ? Ou bien les compagnies pétrolières craignent-elles de voir l'intrusion de l'eau perturber la rente des frets [1] ?

Plus inventifs sont les Brésiliens, malgré le handicap des distances. Ils y ont pensé voici 3 ans. M. Antonio de Oliveira Rocha, président de la société India Mineral Water, a proposé aux Koweitiens d'exporter de l'eau minérale en échange de pétrole. L'eau serait placée à bord de pétroliers, dans des conteneurs de 20 000 litres chacun. Mais quand cela se réalisera-t-il ?

En attendant, une autre idée a germé : des déserts de glace, ceux du pôle Sud, à ceux des sables...

Des icebergs en Arabie Saoudite

Il était une fois un cheikh et une banquise... Début d'une nouvelle légende du désert. Déjà, dans l'Antiquité, des caravanes de chameaux transportaient de la glace,

---

1. Du fait de la dimension croissante des pétroliers, le coût du fret est décroissant au fil des ans. Cependant, le marché est ainsi organisé qu'il laisse vivre une multitude de petits armateurs marginaux, dont il est tenu compte pour fixer à un niveau élevé le tarif du fret. D'où la rente qu'empochent les grandes compagnies, propriétaires des gros bateaux.

destinée à préparer les sorbets des princes du désert. Alors demain... Peut-être verra-t-on un jour les icebergs, remorqués depuis l'Antarctique, flotter majestueusement le long des rives de la mer Rouge...

L'idée traîne depuis longtemps On sait que les masses de glace qui dérivent doucement dans les régions polaires contiennent presque autant d'eau douce [1] que tous les fleuves du monde à la fois. Ressource phénoménale, à portée de la main, alors qu'on s'évertue vainement à chercher de l'eau dans certains pays.

Divers projets ont été étudiés. On a même envisagé de noircir les glaces, ce qui les réchaufferait au soleil, et les ferait fondre. Pour larguer la peinture, il faudrait mobiliser toute la flotte aérienne des Etats-Unis pendant plusieurs années. Sans que l'on sache ce qu'il adviendrait si les glaces polaires se mettaient à fondre...

Aujourd'hui, ce sont les cheikhs d'Arabie Saoudite qui s'intéressent au remorquage des icebergs. Une longue traversée. A une vitesse de deux nœuds, cela demandera plus de 6 mois, au risque de barrer les routes maritimes. Il faudra inventer un remorqueur gigantesque, ou en prendre plusieurs, déjà surpuissants. Et puis l'iceberg fond lentement en cours de route. Suspense... Des chercheurs américains, Hult et Ostrander, pensent qu'un iceberg, fût-il épais d'un kilomètre, fondrait complètement sur le trajet de l'Antarctique à Los Angeles. Comment empêcher cette fonte ?

Regardons évoluer un glaçon dans un verre de pastis. Un gros glaçon d'une seule pièce dure plus longtemps que plusieurs petits : mieux vaut donc remorquer les icebergs les plus gros... Agitons l'eau dans notre verre : la glace fond plus vite. De même, c'est le mouvement de l'iceberg dans l'eau qui est la principale cause de sa

---

1. L'eau salée, lorsqu'elle change d'état, donne naissance à de l'eau douce, sous forme de vapeur, à haute température, ou sous forme de glace, à basse température. Evaporation ou cristallisation, il s'agit dans les deux cas d'une distillation. Cependant, dans les conditions polaires, on distingue le *packice*, glace salée qui couvre périodiquement la surface de l'eau, et l'*iceberg,* glace d'eau douce provenant des glaciers continentaux.

fonte : échauffement par convection... D'après les chercheurs américains, une enveloppe de plastique est indispensable pour réduire les pertes.

Plus ou moins diminué, l'iceberg arrive en vue de l'Arabie Saoudite. Impossible d'accéder à la côte bordant le golfe Arabique, trop peu profond. La mer Rouge est ouverte, au contraire, elle laisserait passer un iceberg aux dimensions déjà conséquentes : 200 m d'épaisseur, 150 m de large et plus d'un kilomètre de long. Il ne reste qu'à tirer parti de cette banquise baroque échouée dans les sables

On entoure l'iceberg d'une barrière verticale étanche, et on le laisse fondre. Plus légère, l'eau douce flotte au-dessus de l'eau de mer à l'intérieur du bassin ainsi constitué. Là encore, le soleil fait son œuvre sans hâte : la fonte demande un an ou deux. Mieux vaut être patient, plutôt que d'essayer de débiter l'iceberg en glaçons, à coups de pics ou d'explosifs.

L'eau douce est enfin directement acheminée par pipe-line dans des nappes souterraines naturelles. C'est du moins l'idée du prince Mohamed Al-Faisal, gouverneur de la Saline Water Conversion Corporation à Djedda. Idée d'autant plus louable que la nappe phréatique voit actuellement son niveau baisser dangereusement sous l'Arabie Saoudite, attirant ainsi jusqu'à elle l'eau de mer salée toute proche. Cette pollution marine est déjà très sensible à Bahrein et du côté des monts d'Oman.

Une grande inconnue cependant : le changement de climat résultant de la fonte de l'iceberg. Celui-ci provoque la condensation de la vapeur d'eau atmosphérique environnante, dans ce climat déjà très humide. Nouveau gain d'eau douce, mais après ? Un refroidissement général du climat local ? Du brouillard épais sur les sables, qui à son tour gênerait la fonte de l'iceberg ? Nul ne le sait.

L'eau froide pourrait encore servir, à l'échelle industrielle, dans les circuits de refroidissement des centrales électriques, améliorant les rendements et supprimant la pollution thermique.

Comme prix de l'opération, les Américains Hult et Ostrander annoncent, pour un transport jusqu'en Californie du Sud, le chiffre dérisoire de 0,08 F le mètre cube de glace. Le prix du transport du pétrole sur les tankers est cent fois plus élevé. Il est difficile d'admettre qu'il puisse être beaucoup plus bas pour une masse de glace qui n'a rien d'aérodynamique et qui fond. Seules les dimensions de l'iceberg sont un facteur favorable, grâce à l'effet d'échelle : un iceberg équivaut en effet à quelques dizaines de tankers. Cela ne suffit pas à expliquer la différence des chiffres. Mieux vaut tabler sur un prix plus élevé : la firme française Cicero, qui a étudié le même projet, prévoit un prix de 4 F le mètre cube d'eau douce [1].

Farfelu, ce projet d'iceberg arabique ? Pas si sûr. Et même... C'est peut-être grâce à ce genre de projets extravagants que la science sortira du carcan où elle est enfermée et retrouvera une certaine humanité. Le prince Mohamed Al-Faisal conclut d'ailleurs que l'arrivée des icebergs ne mettrait pas un terme au développement des procédés de dessalement de l'eau de mer. A la lumière des besoins, immenses, c'est effectivement la multiplication des moyens de fabrication d'eau douce qui importe : dessalement, recyclage des eaux polluées, transport par tankers, par remorquage d'icebergs, par pipe-lines sous-marins.

Aujourd'hui l'eau, qu'on utilisait sans compter, sans même plus la remarquer, devient une nouvelle richesse. On a déjà parlé de l' « après-pétrole ». On parle maintenant de l' « après-eau ». Du moins l'eau retrouve-t-elle un peu du merveilleux qu'elle avait acquis dans les temps anciens. L'eau, qui alimente les rêves du désert. « Nous fîmes de l'eau toutes choses vivantes », dit le Coran. Isaïe, quant à lui, prophétisait une ère nouvelle : « De l'eau jaillira dans le désert... Le pays de la soif se changera en sources. » Cette source coulera peut-être un jour de l'iceberg qui fond en dégageant du froid.

Mais il n'est pas même nécessaire d'aller jusqu'au pôle Sud. Par une nouvelle métamorphose, le Soleil va nous permettre de fabriquer des morceaux de glace à domicile, et même en plein désert.

---

1. On s'interroge aussi sur le risque de détruire l'équilibre polaire. Cela se produirait si la razzia allait plus vite que le rythme de renouvellement naturel des icebergs. On en est loin.

3. Le froid et la climatisation naturelle

Dans l'Egypte antique, certains soirs, les villageois disposaient des vases et des plateaux remplis d'une fine couche d'eau, sur le sol tapissé de paille. Il fallait un ciel pur et un air très sec. Au petit matin, avant le lever du soleil, on recueillait à la surface de l'eau une mince pellicule de glace, aussitôt transférée dans une fosse profonde qui servait de glacière.

Un mystérieux anti-Soleil agit la nuit et souffle le froid... Ce que les Egyptiens ont constaté jadis s'observe encore plus facilement sous nos latitudes : c'est la gelée blanche. Phénomène étrange que le rafraîchissement nocturne ne suffit pas à expliquer. De même, les nuits sont froides dans le désert, mais sans atteindre le zéro fatidique. Cependant de la glace se forme, ce qui s'explique de la façon suivante.

La surface de la Terre, chauffée le jour par le Soleil, émet un rayonnement de chaleur qui se poursuit pendant la nuit. Si le ciel nocturne est couvert, les nuages font office d'écran et émettent à leur tour de la chaleur qui est renvoyée vers la Terre. Ce que perd la Terre en chaleur est aussitôt restitué. Par contre, si le ciel est très clair, la surface de la Terre ne reçoit plus rien, mais continue de rayonner vers les couches supérieures du ciel où la température est très froide. Perdant sa chaleur, elle se refroidit.

Ainsi, tout corps bon émetteur de chaleur, disposé sur le sol, se refroidit la nuit beaucoup plus que l'air ambiant. Et l'eau peut se transformer en glace.

Le Pr Trombe en a fait l'expérience à Atacama, dans le désert du Nord du Chili, en associant la fabrication de glace au dessalement. Dans un bassin d'eau salée, une croûte de glace se forme pendant la nuit. On obtient jusqu'à 10 kg de glace par mètre carré chaque jour, pour une température qui descend jusqu'à - 20" C, à la limite de la surgélation. Ce genre d'installation est rudimentaire. Un bassin peu profond, isolé du sol : l'eau est justement un bon émetteur de chaleur. Pendant la journée, on le recouvre d'une surface réfléchissante pour le préserver des ardeurs du soleil. La nuit, on enlève la couverture, et l'eau immobile agit toute seule...

A la place de l'eau, on peut aussi bien utiliser de l'aluminium recouvert d'oxyde, ou du verre. Pour la couverture, on cherche actuellement des substances capables de réfléchir les rayons du soleil, tout en étant transparentes aux rayons calorifiques (infrarouges) émis la nuit. Des anti-serres solaires, pour un soleil qui agit par défaut.

Cependant, le résultat reste limité. Le rayonnement nocturne est faible : 150 W par mètre carré. Et encore faut-il trouver un endroit propice, aux nuits fraîches, avec un ciel clair et un air très sec. Sans cette dernière condition, la cristallisation de l'eau du bassin est contrecarrée par la condensation de la vapeur d'eau atmosphérique. Finalement, les sites favorables sont peu nombreux. En bord de mer, le climat est souvent humide, et le dessalement par cristallisation difficile à réaliser. Le désert côtier du Chili est une exception. Mais les possibilités se multiplient quand on s'enfonce à l'intérieur des terres, où le climat est sec : il suffit alors d'utiliser les eaux saumâtres.

Dans les sites défavorisés, il convient de trouver une autre méthode. Sans prétendre arriver jusqu'aux températures de surgélation, en se contentant de -5° C, on cherche à fabriquer un réfrigérateur solaire.

Le réfrigérateur solaire

Une solution évidente : fabriquer de l'électricité à partir d'une panoplie de capteurs solaires, puis brancher dessus un réfrigérateur classique. Des photopiles, ou un moteur Sofretes, peuvent entraîner le moteur et le compresseur frigorifiques [1]. Solution chère, au rendement faible. Il faut remplir son jardin d'appareils bizarres pour un usage somme toute limité.

Aussi cherche-t-on un système mieux adapté, transformant directement les rayons de soleil en cristaux de glace. Cela paraît à première vue impossible. Cependant, un phénomène naturel vient prouver le contraire. Celui de l'évaporation de l'eau, qui crée du froid [2]. Ajoutons un courant d'air, pour chasser l'atmosphère humide qui recouvre la surface de l'eau et obliger ainsi l'évaporation à se poursuivre : c'est le principe du ventilateur, dont la rotation vient sécher la transpiration humaine en laissant une impression de fraîcheur, bien que la température ambiante n'ait pas changé. Encore faut-il un climat sec ; en atmosphère poisseuse, le ventilateur est sans effet.

Deux mille ans avant J.-C., les Egyptiens rafraîchissaient les boissons en agitant un éventail devant les cruches poreuses qui les contenaient. Aujourd'hui, il existe encore les gargoulettes et les *alcarazas* : l'eau qui suinte à travers les pores s'évapore à la surface, ce qui rafraîchit le contenu. Le même phénomène a lieu dans l'habitat traditionnel, avec ses murs de chaux épais et poreux, qui abritent de la chaleur extérieure autant qu'ils rafraîchissent par leur humidité.

Un réfrigérateur classique reproduit aussi ce qui se

1. Avec un moteur solaire Sofretes, on peut même brancher directement l'arbre moteur sur celui du compresseur du réfrigérateur, sans passer par le relais de l'électricité.
2. Un gramme d'eau, en s'évaporant, entraîne avec lui 500 calories. Il provoque donc un abaissement de température de 1° dans 500 g d'eau, ou de 10° dans 50 g...

passe dans la nature : c'est l'évaporation d'un fluide qui provoque la création du froid dans le *freezer*.

Avant le modèle actuel du réfrigérateur à compresseur [1] existait un appareil dit à absorption, alimenté non pas par du courant électrique, mais par un chauffage [2]. Rien de plus simple, alors, que de fournir le chauffage par l'énergie solaire.

Le circuit interne d'un appareil à absorption comporte quatre étapes. Le bouilleur est chauffé, en guise de fuel, par les calories solaires ; il contient par exemple un mélange liquide de bromure de lithium et d'eau. Le bromure de lithium a en effet la propriété d'être extrêmement avide de vapeur d'eau. Mais sous l'effet de la chaleur, la vapeur d'eau se dégage. Elle arrive dans le condenseur, maintenu à la température ambiante, où elle se liquéfie en restant sous pression. Traversant ensuite un détendeur, l'eau est lâchée dans l'évaporateur qui est en contact avec l'absorbeur où se trouve du bromure de lithium pur. Attirée par ce dernier, l'eau qui n'est plus sous pression se volatilise dans l'évaporateur — en créant du froid. Finalement le mélange de bromure de lithium et d'eau de l'absorbeur est envoyé à nouveau dans le bouilleur. Et le cycle recommence [3].

Des expériences sont actuellement en cours, sous l'égide de la Compagnie française des pétroles et de la Sofretes. Une installation expérimentale, réalisée dans le Sud de la France, sera ensuite exportée dans un pays du Moyen-

---

1. Cf. p. 92.
2. Si ce système a été abandonné, c'est à cause de l'essor de l'électricité. D'autre part, son rendement est moins bon que celui du système à compresseur. En effet, il n'est pas seulement tributaire des conditions du cycle de Carnot, mais aussi des problèmes d'équilibre chimique du fluide utilisé. Cet ancien système a cependant été repris : des frigidaires portatifs pour le camping, chauffés au gaz, sont actuellement commercialisés.
3. Théoriquement, la circulation d'un compartiment à l'autre se fait automatiquement. Mais mieux vaut installer une petite pompe. C'est ainsi qu'a fonctionné un réfrigérateur solaire expérimental à Odeillo.

Orient. Les pays du tiers monde ont en effet intérêt à s'affranchir du réseau électrique pour produire du froid.

D'autant plus qu'on en a besoin en été au milieu de la journée, quand le soleil brille. Le réfrigérateur solaire est non seulement valable dans un endroit isolé, mais aussi en tout lieu relié au réseau électrique mais où risque de se produire une surcharge pendant les heures de pointe. C'est le cas par exemple à Abou Dhabi, où les besoins sont très forts en été.

Il subsiste un inconvénient majeur : le caractère intermittent de l'ensoleillement. L'appareil fonctionne en continu... tant que le soleil brille. Pour une chambre froide, mieux vaut donc prévoir un stockage important de la chaleur solaire, pour passer le cap de la nuit et des changements météorologiques. Cette marge de sécurité suppose un capteur solaire surdimensionné qui coûtera très cher [1]. A ce prix, les chambres froides solaires ont un bel avenir dans les dispensaires de brousse et les supermarchés du désert.

On étudie aussi un système légèrement différent, où le liquide absorbant est remplacé par un solide (gel de silice ou zéolite [2]). Rien de nouveau dans ce cas, si ce n'est que l'on peut mieux s'harmoniser au rythme journalier du soleil. En effet, les gels de silice seront chauffés pendant la journée, stockeront la chaleur et produiront le froid pendant la nuit. Il est alors possible de confondre le bouilleur et l'échangeur en un seul appareil, puisqu'ils n'ont pas les mêmes heures de fonctionnement. Cet appareil serait simple et robuste, qualités inestimables dans les régions reculées. Combiné à un autre appareil à absorption liquide,

---

1. Le froid par absorption suppose un chauffage assez vif, autour de 100° C. Il est encore possible d'utiliser un capteur plan. Mais pour atteindre la température demandée, plusieurs épaisseurs de verre seront nécessaires... à moins de choisir une surface sélective très élaborée. Sinon, un petit capteur parabolique fait l'affaire, comme cela a été fait pour le réfrigérateur d'Odeillo.

2. L'absorption cède alors la place à l'adsorption — phénomène de surface par lequel le solide « éponge » les vapeurs dont il est avide.

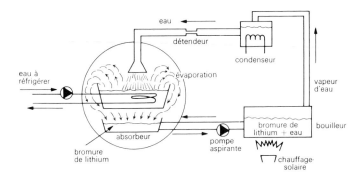

Schéma d'un réfrigérateur à absorption. (Document EDF.)

il pourrait même fournir du froid en continu. Son succès dépend toutefois de la résistance à l'usure des solides adsorbants, soumis à des cycles répétitifs journaliers.

Les résultats sont encore limités. En France, quelques rares laboratoires font des tests intensifs sur les zéolites et les ammoniacates. Aux Etats-Unis, quelques maisons solaires possèdent un conditionnement d'été. Par exemple la Peter Wood Residence, dans le Colorado : l'eau ruisselle la nuit sur la toiture nord et se rafraîchit par rayonnement et évaporation, le climat local étant très sec. Il existe aussi des réfrigérateurs solaires à absorption.

En URSS, on étudie un autre procédé, dit thermo-électrique. Celui-ci est basé sur les effets Peltier et Seebeck. On a en effet constaté qu'une boucle formée de deux fils métalliques différents, soudés à leur extrémité, est traversée par du courant électrique lorsque les deux soudures sont chauffées à une température différente. C'est le principe des thermocouples. Inversement, le passage d'un courant dans la boucle crée une différence de température entre les deux soudures. Cela permet de pomper de la chaleur sur l'une des soudures, c'est-à-dire de créer du froid. Si le soleil sert de source de chaleur, on peut produire un petit courant électrique, susceptible à son tour de produire du froid.

Machines frigorifiques, pompes à chaleur, appareils climatiseurs

Les uns produisent du froid, les autres de la chaleur, mais tous ces appareils sont basés sur le même principe.
Voici comment fonctionne un réfrigérateur à compresseur, tel qu'on en trouve dans le commerce :

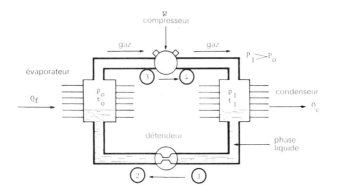

Schéma d'un réfrigérateur à compresseur. (Document EDF).

Un fluide circule en circuit fermé. Un compresseur aspire les vapeurs et les comprime, augmentant ainsi leur température et leur pression. Le gaz comprimé arrive dans le condenseur, qui est refroidi extérieurement par de l'air ou de l'eau. Le gaz cède donc de sa chaleur à l'extérieur, se refroidit, et passe à l'état liquide. Il est ensuite détendu en passant dans la zone à basse pression. Dans ces nouvelles conditions, il a tendance à se vaporiser dans l'évaporateur. Les vapeurs formées arrivent à nouveau dans le compresseur, et ainsi de suite. En s'évaporant, le fluide prend de la chaleur à l'extérieur, c'est-à-dire qu'il refroidit son environnement.

Cette machine réalise donc un transfert de chaleur : l'environnement de l'évaporateur est refroidi tandis que celui du condenseur se réchauffe.

Le premier environnement est constitué par le petit volume du réfrigérateur. Le second est l'air ambiant : dans ce cas la chaleur se perd sans qu'on en ressente les effets.

La pompe à chaleur

Les rôles sont maintenant inversés : le condenseur est enfermé dans un petit volume, qui se réchauffe, tandis que l'évaporateur se trouve à l'air libre, où le froid créé se perd. La pompe à chaleur prend ainsi de la chaleur à l'air extérieur pour la décharger à l'intérieur d'un bâtiment. Elle ne produit pas de chaleur elle-même, elle la transfère. Or on peut prendre de la chaleur partout, même si la température est bien plus basse que 0° C : la chaleur de l'air n'est autre qu'un mouvement plus ou moins important de molécules.

La pompe à chaleur constitue alors un amplificateur d'énergie : avec l'électricité fournie pour faire tourner le compresseur, on obtient trois ou quatre fois plus d'énergie sous forme de chaleur.

Les pompes air-air fonctionnant entre l'air extérieur et l'air intérieur d'une maison sont les plus courantes. Elles ont cependant l'inconvénient de prendre de l'air très froid en hiver, ce qui diminue leurs performances quand on en a le plus besoin. Elle sont aussi sensibles à l'humidité extérieure, ce qui nécessite une installation supplémentaire de dégivrage.

Les climatiseurs été-hiver

La machine précédente est maintenant rendue réversible. En changeant le sens de la compression, on peut soit réfrigérer, soit chauffer.

La climatisation

Plus accessibles semblent être les procédés de climatisation naturelle des habitations. On définit généralement le confort souhaitable par une température voisine de 23° C, associée à un taux d'hygrométrie [1] de 60 %. Le plus souvent on en est assez loin. On peut alors demander au soleil de rétablir les équilibres...

En climat désertique, les grandes variations de température journalières peuvent facilement être tempérées et ramenées dans des limites convenables. Un simple capteur sur un toit limite déjà la chaleur à l'intérieur d'une maison. L'eau chaude obtenue pendant la journée, puis emmagasinée dans une citerne, servira de chauffage pendant la nuit. Ce système est à l'étude pour des bergeries solaires, sur les hauts plateaux d'Algérie.

Même l'humidité peut être tempérée par le soleil. Ici intervient la cheminée solaire, sorte de toit en double épaisseur, avec un fond noirci et une couche de verre par-dessus, laissant circuler l'air entre l'intérieur de la maison et l'extérieur. L'air chaud qui se forme tend à monter, et sort par le haut, tout en aspirant l'air intérieur, plus frais. Grâce à une autre ouverture, à hauteur du sol cette fois, un courant d'air s'établit à travers la maison. Il suffit de placer dans cette ouverture un jet d'eau, si le climat est trop sec, ou un voile déshydratant, si le climat est trop humide. Ainsi la cheminée solaire éjecte-t-elle les calories superflues tout en laissant entrer dans la maison un air qui satisfait aux conditions d'ambiance [2].

Le déshydratant utilisé est un solide adsorbant : gel de silice, chlorure de calcium ou anhydride phosphorique.

---

1. Le taux d'hygrométrie est la pression de la vapeur d'eau dans l'air ambiant rapportée à la pression de vapeur saturante — correspondant à l'humidité maximale — à la même température. Une atmosphère poisseuse, comme à Panama, correspond à un taux d'hygrométrie de 90 % environ.

2. La cheminée solaire est d'ailleurs inspirée des procédés de climatisation en usage dans les maisons du Nord de l'Afrique.

Une fois gorgé d'eau, sa simple exposition au soleil le dessèche à nouveau. Mais supportera-t-il sans fatigue une indigestion d'eau constamment répétée ?

Au Pérou, une expérience intéressante de climatisation a été tentée récemment dans des poulaillers. Au départ, une banale histoire de *poultry farm,* que le gouvernement péruvien fait installer dans un village déshérité. Contre le froid nocturne très rigoureux, un chauffage au pétrole s'impose. Dans ces conditions rudimentaires, les poulets viennent se griller les pattes, et une portée sur deux est anéantie. Un nouveau dispositif est mis en place... Sur le toit du poulailler, une grande cuve remplie de paraffine, éventuellement peinte en rouge. Quelques petits miroirs réflecteurs tout autour, pour concentrer la chaleur solaire en cas de besoin. Dans la journée, la paraffine fond au soleil, à une température constante de 37° C. La nuit, elle se solidifie à nouveau. Ce changement d'état s'accompagne d'un transfert de chaleur. La chaleur absorbée lors de la fusion est en quelque sorte emmagasinée, puis restituée pendant la nuit, lors de la solidification. Les poulaillers sont ainsi climatisés, ni trop chauds le jour, ni trop froids la nuit, grâce au tampon de paraffine. Celle-ci toutefois conserve difficilement un comportement réversible après des cycles répétés [1]. Ces petites inventions de la technologie solaire n'ont l'air de rien, mais elles sont susceptibles de changer les conditions d'existence de millions de gens. Dans le même ordre d'idées, mais en quittant le froid pour le chaud, il faut citer les séchoirs solaires.

1. De plus, sa solidification n'est pas homogène : une croûte en surface peut faire office d'isolant et emprisonner la chaleur au centre, freinant ainsi la solidification.

4. Les séchoirs solaires

Dans le Sud tunisien, au printemps, les petits toits des maisons blanches semblent peints en noir : c'est là que les olives sont déposées après la récolte. En Turquie, des tapis d'abricots sont étalés sur le sol, devant les monts de Cappadoce. En Algérie, ce sont des figues ou de la viande de mouton préalablement salée — ce qui éloigne d'ailleurs les mouches et les insectes. La viande séchée au soleil est un plat fort prisé dans le Sud méditerranéen... comme en Californie, où on la vend dans les stations d'essence. Ces usages remontent à plusieurs millénaires. Du séchage des briques à celui des produits alimentaires, le soleil est disponible depuis toujours, pour peu qu'il bénéficie du concours du vent.

Rien de plus simple, en effet. Les produits sont étalés sur le sol, puis remués de temps à autre. Le seul danger vient de la pluie ou d'une humidité trop forte. Aujourd'hui l'on cherche à améliorer ce système artisanal. Il est difficile de le simplifier plus, mais on peut diminuer la durée du séchage, ou pousser celui-ci plus loin.

La grande industrie s'est emparée de l'opération. C'est le séchage artificiel. Un soufflage d'air chaud et sec : l'eau qui s'évapore est emportée par le courant d'air. Deux instruments sont nécessaires : un appareil de chauffage et un ventilateur. Entre cette installation industrielle et le rudimentaire séchage à l'air, une solution intermédiaire serait bienvenue.

On a donc inventé le séchoir solaire. Rien de très original : c'est toujours l'effet de serre qui intervient. Des plaques de verre recouvrent une enceinte au plancher noirci. L'air frais extérieur est aspiré et s'échappe par le haut après avoir traversé les couches de produits à sécher. Voilà un séchoir artisanal et bon marché, qui réduit le

Séchoir solaire pour le tabac à l'université de Caroline du Nord (USA). (Document National Geographic.)

temps de séchage de moitié par rapport au séchage à l'air.

Pour le rendre plus rentable, on peut agrandir l'appareil. L'air est préchauffé dans une serre plate, à hauteur du sol, puis monte dans la tour de séchage, en traversant plusieurs épaisseurs de produits à sécher. On y gagne en place, en manutention, en temps de séchage, mais le coût est plus élevé. Le vitrage de la tour peut encore accélérer le processus.

Enfin on peut reprendre le principe du séchage artificiel, en ajoutant un chauffage solaire, grâce à un capteur sur le toit du séchoir. Alors l'air chaud qui se forme est aspiré vers le bas par un ventilateur électrique, d'où il est projeté sur les produits à sécher. On dépense un peu d'énergie pour la ventilation, mais on économise le chauffage au fuel, totalement ou partiellement. A l'université de Caroline du Nord, aux Etats-Unis, les chercheurs ont fabriqué une grange solaire pour les feuilles de tabac. La charpente noircie est entourée d'une serre en plexiglas. Par comparaison avec les installations conventionnelles, on économise un tiers du propane. Hors saison, la serre peut — autre avantage — servir à d'autres usages.

En fait les combinaisons sont multiples, et chaque cas demande à être étudié à part. Certains produits demandent une forte insolation, comme les raisins : dans ce cas, le séchoir solaire est mal adapté. D'autres acceptent plusieurs types de séchage, comme le cacao : on pourrait envisager une conservation de courte durée sur le lieu de production, grâce à de petits séchoirs solaires, puis une conservation de longue durée sur le lieu d'exportation, dans une installation industrielle capable d'effectuer un séchage poussé.

Si rustique soit-il, le séchage solaire apparaît souvent comme indispensable. Au Mali, par exemple, plusieurs entreprises gagneraient à l'utiliser, selon les conclusions d'une étude faite par la Cimade. Ainsi la Socoma, fabrique de conserves de mangues, ne peut traiter toute la production à l'époque de la récolte, et subit ensuite des ruptures de stocks. Dans les petites entreprises de briqueterie, le séchage est si long pendant la saison froide et pluvieuse que la production ne peut plus couvrir la demande. Quant aux chambres froides de conservation de viande, elles tombent parfois en panne prolongée... Dans tous ces cas, le séchage solaire serait un palliatif, à défaut d'être la solution idéale.

Enfin, dans l'industrie du bois, le séchage est essentiel. Si le bois et la verdure deviennent, comme certains l'annoncent déjà, l'énergie du XXIᵉ siècle [1], les séchoirs solaires seront alors aussi courants que les cuves de pétrole dans les ports.

1. Cf. le chapitre « Soleil vert », p. 199.

5. Du Niger à l'Allemagne, la cascade d'énergie

Le Dr Nikolaus Laing enseigne à Aldingen, près de Stuttgart, où de tous pays on vient pour le consulter. Sa grande idée : la « cascade » d'énergie. Une véritable cavalcade à travers la planète.

Tout commence en Afrique. Des pompes géantes puisent l'eau du fleuve Niger et l'envoient vers un champ immense de collecteurs solaires, tapissant les sables sahariens. Là, grâce à des vitres et à des lentilles concentrant la lumière, l'eau du Niger est chauffée jusqu'à 380° C, puis emmagasinée dans de grandes cuves souterraines. Imaginez ensuite des bouteilles thermos de quelques mètres de diamètre et très longues : elles constituent de longs pipe-lines qui amènent la vapeur d'eau brûlante du Sahara à l'Europe, en passant sous la Méditerranée. Nouveau chauffage : des réacteurs nucléaires surchauffent la vapeur jusqu'à 650° C. Puis commence la cascade des utilisations.

D'abord, les réacteurs nucléaires ne font pas tourner de turbines, et ne fabriquent pas d'électricité. Pas de pollution thermique à craindre, dans ce cas. Ils se contentent de fournir de la vapeur d'eau surchauffée, qui est aussitôt stockée dans des accumulateurs spéciaux, dits à énergie latente. Ceux-ci sont formés de matériaux analogues aux zéolites et capables de conserver la chaleur à de fortes températures. Ils peuvent ensuite restituer cette chaleur à volonté. Ils emmagasinent ainsi, à volume égal, trente fois plus d'énergie que les batteries électriques existant actuellement sur le marché, d'après N. Laing, qui multiplie les expériences et pense au futur...

Car ces batteries pourront faire marcher des voitures à vapeur. Tout comme les locomotives à vapeur d'antan : le tender sera simplement remplacé par une petite batterie. Ainsi le moteur à combustion des automobiles, qui a déjà 100 ans, se trouvera dépassé. On ne le verra plus cracher ses fumées noires. Place à la voiture à batterie de vapeur !

Mais revenons à la vapeur chaude qui sort des réacteurs nucléaires. Après avoir chargé les accumulateurs, aussitôt envoyés vers les stations-service, la vapeur ressort avec une centaine de degrés en moins. A 550° C, elle est prête à faire fonctionner des centrales thermiques classiques, celles qui fabriquent l'électricité. Simplement, en guise de pétrole, on utilise l'eau chaude. Celle-ci, à la sortie des centrales, est encore à 90° C environ. C'est ce qu'on appelle de nos jours les rejets thermiques. Au lieu de les rejeter dans les fleuves ou dans l'atmosphère, on s'en servira désormais pour une multitude de besoins. Mais il faut pour cela pouvoir stocker cette chaleur à grande échelle.

Des lacs artificiels d'eau chaude seront mis en place. Avec une eau à 90° C en surface, et 70° C en profondeur. Si la chaleur tend à se dissiper, cela restera limité dans un lac suffisamment profond. De plus, les lacs seront couverts de matières flottantes qui feront couverture et sur lesquelles pousseront des cultures tropicales. Méthode d'ores et déjà utilisée pour conserver la chaleur des piscines : il suffit de recouvrir la surface de l'eau d'un tapis de billes de plastique.

Ensuite, grâce à ces vastes réserves d'eau chaude, la cascade des utilisations se poursuit. Pour le chauffage des habitations par radiateurs, on puise dans l'eau à 90° C. Pour celui de l'eau domestique, on prend l'eau à 70° C. De même, pour les besoins industriels. Après ces usages, l'eau sort encore tiède, à 30 ou 40° C. Elle peut chauffer des piscines, réchauffer les autoroutes en hiver grâce à des canalisations souterraines empêchant le dépôt de verglas. Enfin elle chauffe les serres agricoles, avant d'être répandue dans les champs pour l'irrigation.

Voilà le système total du Dr Laing, qui peut conclure :

La demande de pétrole en Allemagne ne serait alors plus que 6 % de ce qu'elle est aujourd'hui... L'importation d'eau chaude depuis l'Afrique permettrait aussi d'éviter la pénurie d'eau dont risque de souffrir l'Allemagne industrialisée [1].

Curieuse utopie, tout de même, où l'énergie nucléaire vient en renfort à l'énergie solaire et où l'eau du Niger, dont le Sahel a tant besoin, sert à alimenter la grande Allemagne...

1. Cf. D. Behrmann, *Solar Energy : the awakening science.* Little, 1977.

6. Les choix du développement

« Le froid s'échauffe, la chaleur se gèle, l'humidité se dessèche, l'aridité se mouille. » Ainsi disait déjà Héraclite 500 ans av. J.-C. On connaît depuis longtemps le cycle de la nature, du climat, de la vie. Mais imaginait-on que des feux du Soleil naîtrait le froid et que du désert nu, grâce à l'énergie du Soleil, jaillirait l'eau ?

Celui-ci peut rétablir les grands équilibres là où ils sont perturbés. Ce rôle du Soleil, admis dans l'Antiquité grecque, où l'on savait regarder le ciel, revient à l'ordre du jour. Là où le soleil est en excès, il chauffe et dessèche au-delà de ce qui convient. Alors, éliminons cet excès en l'utilisant pour refroidir l'atmosphère, et pour pomper l'eau souterraine en attente. Tous les pays du tiers monde sont concernés. Mais on peut élargir à d'autres pays ce phénomène de régulation solaire, pour compenser certains défauts du climat. Par exemple le vent, cet autre produit du soleil : là où il souffle trop fort, il refroidit et dessèche exagérément ; la logique solaire suggère alors qu'on l'utilise pour chauffer les maisons et pour pomper l'eau. Voilà un emploi tout trouvé pour les éoliennes dans les pays tempérés, en France par exemple, dans la vallée du Rhône. Et ainsi de suite...

Les pays du tiers monde sont en quelque sorte le terrain d'élection de cette voie nouvelle, à la recherche d'une harmonie naturelle. Et ce n'est que juste retour des choses, puisque c'est là que les technologies solaires sont nées, hier. Inutile d'ailleurs de remonter jusqu'à la naissance des grandes civilisations, celles de l'Egypte ou du Mexique. Il existe aujourd'hui encore des traces de ces techniques — le séchage à l'air des aliments, ou certaines formes d'architecture. Dans un passé proche, vers les années trente, en Algérie, il existait de petits distillateurs solaires d'eau salée. Ainsi que des locomobiles à vapeur, nourries par de la paille [1] qu'on brûlait, et capables de faire tourner les batteuses dans les champs pendant la moisson. Plus au sud, en Afrique équatoriale, l'eau chaude domestique était obtenue grâce au soleil... Plus tard vint l'influence occidentale.

Selon M. Perrrin de Brichambaut, qui connut Bangui et Brazzaville :

> Les solutions simplistes ont été laissées aux indigènes. Les schémas architecturaux européens se sont imposés, en dehors de toute considération locale. Ce fut le triomphe de la villa basque.

De la villa basque aux transferts de technologie actuels, rien n'a changé au fond. Et quelle tentation, maintenant, que de vendre d'imposantes centrales solaires aux pays riches du désert. On va expérimenter dans le Sud de la France une installation de quelques mégawatts, avec des problèmes de stockage et de connexion au réseau électrique liés à la situation particulière de la France. Puis on cherchera à l'implanter dans quelque émirat aux conditions climatiques très différentes. On vendrait de la même façon une centrale nucléaire. Avec la machine, on exporte un mode de vie, et surtout un paysage, sans savoir ce que va donner la greffe.

Heureusement, des solutions plus originales apparaissent. D'abord celle qui consiste à diffuser de petits appareils tels que les pompes solaires. On largue dans quelque coin perdu une machine en pièces détachées, destinée à fonctionner en toute autonomie. Cela relève plus du *kit* cher aux Américains que de l'usine clés en main.

Il existe aussi une solution plus conventionnelle. En cas de « panne » du soleil, un groupe de secours intervient, avec une autre énergie. Ainsi les séchoirs alimentés à la fois à l'énergie solaire et au fuel. Ou les pompes mi-

---

1. La paille, comme toute végétation, est un produit du soleil. Cf. le chapitre « Soleil vert », p. 199.

Projet de station solaire au Soudan. (Dessin Alexandroff.)

solaire mi-diesel : dans la riziculture notamment, la nécessité d'avoir par moments des débits très élevés impose le recours à un moteur Diesel, tandis qu'en temps normal la machine solaire agit seule. De même pour créer du froid : dans ce cas, la marche continue est un impératif. Faute d'un système d'appoint classique, il faudrait surdimensionner l'installation solaire, jusqu'à doubler le volume des appareils pour qu'elle puisse fonctionner par tous les temps. Pour éviter cela, une deuxième machine vient prendre le relais. Encore faut-il que soit mise en place une certaine infrastructure électrique.

La ville solaire

Il reste la solution ultime et futuriste : la ville solaire. Au Mali, la station de Diré en est déjà une petite esquisse. Dans le Sud algérien, un « village socialiste solaire » est

Projet de village solaire en Algérie, avec utilisation combinée de la chaleur diurne et du froid nocturne. (Dessin Alexandroff.)

en projet. On envisage même des « ensembles intégrés », et déjà la grande industrie s'en préoccupe. La Compagnie générale d'électricité propose la « Base de vie solaire ». Là, tout est combiné pour faire vivre une communauté en parfaite autonomie, avec des activités diverses. Pour cela, la CGE déploie toute sa puissance : huit entreprises filiales ou associées sont mobilisées pour l'étude, l'ingénierie, la fabrication de générateurs d'énergie électrique et thermique, le dessalement de l'eau, l'aménagement hydro-agricole. La conception d'une telle unité pose une question fondamentale pour le développement du tiers monde : à quoi sert de réaliser des installations onéreuses d'extraction et de traitement de l'eau, si c'est pour gaspiller ensuite cette eau précieuse dans une agriculture déficiente ? Il faut donc un travail d'équipe entre agronomes, ingénieurs électromécaniciens, hydrotechniciens. La « Base de vie solaire » en est le produit, spécialement conçu pour les régions chaudes, arides, isolées, où l'énergie et l'eau seront enfin produites et utilisées rationnellement.

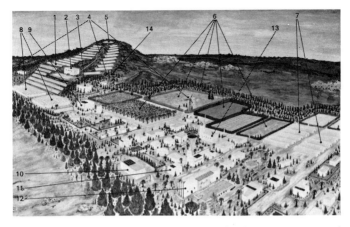

1. Capteurs solaires. — 2. Centrale thermo-électrique + groupe auxiliaire. — 3. Unité de dessalement. — 4. Stations de pompage + aérogénérateur. — 5. Réservoirs d'eau — stockage d'énergie. — 6. Production agricole : irrigation « goutte à goutte ». — 7. Production de légumes : « serres solaires ». — 8. Production animale (poulaillers et étables). — 9. Chambres froides, ateliers. — 10. Production artisanale. — 11. Dispensaire. — 12. Centre de loisirs et d'enseignement. — 13. Télécommunications. — 14. Traitement des détritus.

Base de vie solaire, projet de la CGE. (Document CGE.)

Un monument central, dans la « Base de vie solaire » : la centrale solaire de 100 ou 200 kW. Elle pompe l'eau de mer ou l'eau souterraine, souvent saumâtre. L'eau est ensuite remontée dans un bassin à une centaine de mètres plus haut : c'est le stockage hydraulique. Vient ensuite une unité de dessalement qui travaille avec le surplus de vapeur chaude de la centrale, selon le procédé d'évaporation étagée. De ce bloc central sortent l'eau douce et le courant électrique. Tout autour s'étend un complexe agro-alimentaire, faible consommateur d'eau grâce à des systèmes de goutte-à-goutte et des serres solaires à parois filtrantes. Plus quelques bâtiments d'élevage semi-climatisés, dont le toit sert de capteur solaire : l'eau chaude produite est réinjectée dans la centrale comme préchauffage. Enfin, dans le centre communautaire, fonctionnent un petit artisanat et une installation de recyclage des déchets, grâce au courant électrique fourni. On y trouve aussi un centre d'animation culturelle, le réseau de télécommunications, une chambre froide pour la conservation des denrées...

Le choix d'une technologie appropriée

Il est permis de rêver. On peut aller jusqu'à concevoir, pour demain, une industrialisation tout à fait originale dans les pays du tiers monde. Une usine d'aluminium par exemple, sur le lieu de production de bauxite, fonctionnant à l'énergie solaire. Ou bien un *reforming* de gaz naturel, avec une participation thermique solaire de 25 MW, fournissant journellement 150 tonnes de méthanol. Idéal, sans doute, mais on en est loin. Aucune grande société française ne semble s'être penchée sur le problème. Déjà, avec le dessalement de l'eau, nous avons vu combien il était difficile de coupler une installation classique à un « fuel » solaire.

Du moins nous voici passés, insensiblement, du transfert de technologie conventionnel, par simple mimétisme, à une esquisse de « technologie appropriée » — mot nouveau qui devient à la mode. Les pays du tiers monde ont un choix de développement à faire. Leur réseau énergétique est pour le moment très lâche et très localisé. Ils ont parfois de l'énergie à revendre, mais manquent de systèmes de distribution, de réparation, de fabrication diversifiés. Dans ces conditions, ils sont souvent amenés à acheter des moteurs Diesel par cargaisons successives, à construire une par une des centrales thermiques, à former des réparateurs... Un travail de Sisyphe. Cela demandera beaucoup d'argent, souvent gaspillé, et beaucoup de temps pour arriver un jour, si ce n'est pas la famine qui triomphe, à une copie conforme du système occidental.

Cuisinière solaire mise au point par l'Institut physico-technique de l'Académie des sciences de l'Ouzbékistan. (Photo Y. Yegorov, *Inventors Magazine,* APN, Moscou.)

Aussi est-il tentant d'opter pour les énergies nouvelles. Celles-ci apportent en effet des solutions partielles, locales, mais immédiates, directement liées aux besoins essentiels. A court terme, cela peut paraître préférable. Les problèmes risquent de se présenter ensuite : le pays va se développer, que va devenir la filière solaire ? Arrivera-t-elle à suivre l'évolution des choses ? On entre dans l'inconnu. Pour peu que leur essor s'arrête, les petites techniques solaires risquent de se trouver dépassées, un jour, par les solutions classiques. Ce qui demandera une reconversion pénible. Au contraire, si l'invention humaine ne tarit pas dans ce domaine, on verra naître un système énergétique pluraliste, une sorte de *melting-pot* original, qui combinera le pétrole au soleil, au vent, aux plantes...

« On ne veut pas essuyer les plâtres », entend-on souvent dire dans les pays du tiers monde, à propos des énergies nouvelles. Sentiment diffus que les techniques appropriées ne sont pas une voie royale, et que l'on risque même de se trouver embourbé en milieu de parcours.

D'autre part, du bricolage au simple gadget, il n'y a qu'un pas. Vanter les mérites de chauffe-eau solaires rudimentaires, soit. Encore faudrait-il ne pas oublier qu'ils tendent à disparaître là où ils étaient très nombreux, notamment au Japon et en Israël, parce que les gens préfèrent le chauffage au gaz ou à l'électricité, plus cher mais plus fiable. De même pour ce qui est de la cuisinière solaire. Parfois, c'est une réussite : à Haïti, dans la communauté religieuse des Filles de la Sagesse, des experts canadiens en ont installé une pour économiser le charbon. Equipée d'un capteur plan qui porte l'eau à ébullition, elle ne permet qu'une cuisson au bain-marie, mais suffit aux besoins des 250 élèves, pour le prix modique de 3 000 F. Ce n'est cependant pas une raison pour vouloir vendre n'importe où des cuisinières solaires encombrantes, avec de grands miroirs paraboliques qu'il faut orienter, au risque de se brûler les doigts. Mieux vaut un poêle à charbon.

Avec ce genre de techniques appropriées pour le tiers monde, les techniques de pointe étant monopolisées par les pays développés, le déséquilibre des forces peut s'éterniser. Aussi s'oriente-t-on vers une technologie à la fois appropriée et avancée. Domaine encore très flou...

Il faut trouver des solutions d'ingénierie pour des installations simples, à faible coût d'énergie et de capital. Cela revient à fabriquer du clés en main sophistiqué avec, en plus, l'utilisation des qualifications et des matériaux locaux. L'ingénieur occidental devra travailler sur du bambou, du coco, de la bagasse de canne à sucre, du jute. La combinaison des traditions locales au modernisme pose vite plus de problèmes que la simple exportation d'une technologie, et réclame plus que jamais une coopération à double sens.

4

Soleil noir.
L'architecture du soleil

Une surface noire pour transformer la lumière en chaleur. Ou simplement de grandes ouvertures pour laisser pénétrer la lumière à l'intérieur des maisons. Le Soleil est là, prêt à dispenser sa chaleur. Et pourtant... tout se passe comme si sa clarté universelle aveuglait les architectes, hormis quelques-uns, « monarques borgnes » au royaume des aveugles, selon les propres termes de l'un d'eux. Une vieille légende des nomades peuls compare en effet le Soleil à « un monarque borgne dont l'œil unique suffit à voir tout ce qui se passe sur la Terre ».

En France, il n'existe que quelques dizaines de maisons solaires. Et dans l'architecture classique, que de négligences architecturales dès qu'il s'agit de tenir compte des climats et de la modulation thermique des bâtiments ! De Manhattan à la Défense, triomphe le gratte-ciel. Aucune inertie thermique : le bâtiment est prêt à réagir au moindre caprice du temps. Agression du soleil en été, froid glacial en hiver. Des millions sont engloutis dans la climatisation électrique. D'autant plus que les architectes travaillent sans aucun lien avec les thermiciens. La faillite de Manhattan n'a pas encore réussi à endiguer cette mode.

A peine ose-t-on se souvenir de l'approche globale réalisée hier par Le Corbusier à Chandigarh en Inde. Brise-soleil devant la façade pour provoquer une rupture thermique, parasol au-dessus du toit, et même un grand déversoir pour capter les pluies de la mousson.

Il est loin, le temps où l'on voyait les hommes tirer profit des moindres ressources naturelles. L'architecture du soleil remonte à plusieurs millénaires. Elle a toujours su protéger l'homme du froid aussi bien que de l'excès de chaleur.

Ainsi, la maison islamique d'hier et d'aujourd'hui. Sur
un terrain aux contours souvent irréguliers, le bâtiment
entoure une ou plusieurs cours de forme simple. Avec plusieurs espaces abrités, tenant compte de l'orientation
solaire et de la direction des vents : galeries où l'on déam-
bule, dont l'encorbellement réduit l'ensoleillement dans les
pièces adjacentes, loggias plus vastes, surélevées, pouvant être un lieu de séjour, *irwan*, pièce carrée et immense
toujours orientée au nord, où l'on reçoit. Le reste est
accessoire : escaliers, couloirs, alcôves. A Bagdad, en
été, les habitants passent une grande partie de la journée
au rez-de-chaussée, prennent leur repas sous la galerie,
font leur sieste dans la cave, dorment la nuit sur la ter-
rasse aérée, protégés des regards des voisins par des
murs élevés. Espaces d'été, espaces d'hiver, voire ville
d'été et ville d'hiver : ainsi Ghardaïa aux portes du
désert saharien.

Polyvalence des pièces, habitat mobile tout autour de
la cour devenue patio, avec sa fontaine et sa végétation.
La cour agit alors comme régulateur thermique ; l'air
frais de la nuit ne finit de se dissiper que dans l'après-midi,
tandis que les plantes luxuriantes dispensent une fraîcheur
bienvenue. Va-t-il pleuvoir ? Le froid se fait-il sentir ?
En quelques minutes, une bâche recouvre la cour. A
moins qu'on ne descende dans une pièce à demi enterrée.
En Egypte, les habitants continuent d'enterrer leur habitation dans le tuf, afin de profiter de l'inertie thermique
de la terre. Déjà à l'époque romaine, dans la ville de Bulla-
Regia, les maisons comportaient deux étages, l'un chaud,
en rez-de-chaussée, l'autre froid, en sous-sol.

Climatisation de la maison, mais aussi de la rue, avec
ses maisons accolées l'une à l'autre pour réduire les surfaces d'ensoleillement. Les rues sont profondes et sinueuses,
empêchant le vent de chasser l'air frais accumulé la nuit...
Architecture du soleil, symbole d'un art de vivre.

L'Europe semble l'avoir oublié.

Les explications à la carence actuelle sont nombreuses,
parfois contradictoires. Les uns y voient l'effet de conditions climatiques incertaines. D'autres déplorent le coût
élevé du solaire par rapport aux autres énergies. Certains

soulignent la difficulté d'adaptation d'une énergie intermittente, dispersée, dans une structure faite de combinats et de concentrations urbaines. Enfin, d'aucuns déplorent les réticences des pouvoirs publics à promouvoir une énergie nouvelle qui pourrait concurrencer l'électricité officielle...

Jacques Michel, un des premiers architectes solaires français, qui collabore avec Félix Trombe, raconte :

> En 1972, j'ai essuyé un refus de la société des HLM à Odeillo, cela s'est passé avant la crise du pétrole. Un refus d'innovation. Je me suis trouvé devant une série d' « ouvertures de parapluie », à l'Equipement, aux Sites... Quand on force les gens à réfléchir, on en arrive à être gênant.

Le grand ensemble de trente et un logements solaires, avec un système nouveau de stockage dans des « murs » d'eau, n'a pas vu le jour.

> Mais peut-être est-ce mieux ainsi, ajoute-t-il, hésitant. Il faut être modeste. Et l'expérimentation était peut-être insuffisante à cette époque-là.

En tout cas, un principe reste acquis : « Pas question de faire du solaire dans " une réserve d'Indiens ", selon l'expression de Trombe. Il faut entrer dans le domaine public, quotidien, celui du logement social et de la résidence secondaire. »

Le panorama des réalisations et des projets en cours manifeste cependant une extrême diversité. Recherche d'avant-garde pour une architecture intégrée, d'inspiration quasiment cosmique, à l'image de l'antique Héliopolis, la cité de l'intelligence, celle de l' « homme d'or » et du « soleil-bouddha » des grands mythes passés. Ou au contraire simple adjonction d'un système d'énergie solaire à des habitations classiques...

1. La redécouverte
de la climatisation solaire

Années soixante : explosion de la culture *underground*, et redécouverte des principes de l'énergie solaire... L'année 1961 marque l'entrée officielle de l'énergie solaire dans les instances internationales, avec une conférence de l'ONU où le Pr Löf présente un bilan critique des expérimentations menées sur neuf maisons solaires. Des résultats satisfaisants déjà, mais un défaut : les coûts restent trop élevés, quasiment prohibitifs. Dès 1950, le Massachusetts Institute of Technology avait effectué, le premier, des essais de chauffage solaire sous la direction du Pr Hottel.

En France, les recherches commencent un peu plus tard, avec F. Trombe, J. Michel, M. Missenard, puis Georges et Marie Alexandroff. En même temps, loin des bureaux du CNRS, dans les verdoyantes prairies de Normandie, un inconnu bâtit sans bruit la première maison solaire sur le sol français.

Il fallut un article paru dans le journal *le Sauvage* pour que Jean Piquet, la soixantaine allègre, marié, six enfants, soit connu au-delà de ses voisins d'Hagueville, près de Granville. Mais laissons parler Jean Piquet :

> J'ai bâti ma maison solaire il y a 20 ans. J'avais été intéressé par l'idée qu'un Américain avait eue de chauffer sa maison au soleil.

Une maison posée sur pilotis. L'escalier débouche sur une grande salle de séjour séparée en son milieu, mais pas complètement, par un mur de granit de 75 cm d'épaisseur. C'est là qu'arrivent les rayons du soleil, après avoir traversé les baies vitrées. Le mur sert de volant thermique : il amasse dans la journée une quantité importante de calories qu'il restitue la nuit, ou en cas d'absence de soleil.

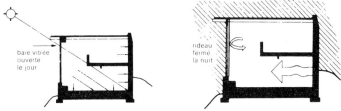

Architecture passive : maison de David Wright à Santa Fe, au Nouveau-Mexique. (Photo Vaye-Nicolas.)

Il comporte aussi une cheminée où couve un feu de bois, pour servir d'appoint. 18° C en hiver, 22° C en été : une température modérée, sans excès, « sinon cela affaiblirait l'organisme ». En acceptant de consacrer 7 % de l'investissement initial à cette petite invention solaire, J. Piquet a construit sa maison comme il l'aimait. Puis une seconde pour un de ses voisins.

Ce qui servit hier de modèle américain à J. Piquet est aujourd'hui réalisé dans le Nouveau-Mexique par l'architecte David Wright. Une maison construite à même le sol,

avec de grandes baies vitrées sur toute la façade sud.
Tout l'habitat fait office de capteur : la chaleur solaire
est accumulée dans les murs épais et dans le sol environnant, puis lentement irradiée à travers la maison. Pendant
la nuit, des volets sont repliés devant les baies vitrées
pour isoler l'intérieur. Une avancée du toit permet de
se protéger du soleil lorsqu'il est haut dans le ciel, en
été. La preuve est ainsi faite que dans un climat favorisé
— basse température en hiver, mais fort ensoleillement —
on peut habiter des maisons solaires à 100 %.

Telle est l'architecture solaire dite passive, la plus naturelle qui soit, sans aucun dispositif technique spécial. Le
bâtiment est conçu en fonction du soleil. L'enveloppe de
la maison établit une relation entre l'intérieur et l'extérieur, la rend perméable. Voilà qui va à l'encontre de certaines théories actuelles à l'heure de la maison tout-électrique. Comme l'explique A. Liébart, jeune architecte
toulousain :

> Sous prétexte de faire des « économies d'énergie », on
> établit une barrière entre le dedans et le dehors. C'est
> une aberration. Une maison n'est pas une capsule
> Apollo.

La maison « passive » a un avantage immédiat : le surcoût solaire est faible ; il est noyé dans le prix de la conception globale. Mais dans ce cas, c'est l'esthétique qui coûte
cher, pour une climatisation assez rustique. « Le soleil n'est
pas seulement une énergie, précise A. Liébart, c'est une
façon de vivre. Dût-on accepter une certaine rusticité. »

Il existe une démarche inverse, qui consiste à adjoindre
à une maison conventionnelle une véritable installation
solaire, avec des appareils plus ou moins nombreux.
Architecture solaire « active », dit-on dans ce cas. Cela
suppose un surcoût solaire qui s'ajoute au prix moyen
de la maison classique. Les appareils solaires permettent
alors un grand raffinement dans la climatisation, mais
les prix deviennent vite très élevés.

Entre les extrêmes, passif et actif, toutes les combinaisons sont possibles.

2. L'architecture solaire en France

Les appareils de chauffage solaire sont tout simplement des capteurs plans, à simple ou double vitrage, car la température requise dans la maison n'est pas très élevée. Ils sont orientés plein sud pour faire face à la trajectoire du Soleil, et leur orientation peut varier selon les cas — verticale à Odeillo, en pente à 45° au Havre [1]. Le fluide caloporteur est de l'air ou de l'eau. Un rapide calcul indique ce qu'on peut en attendre, en France, pendant la période de froid : une surface de 40 m² de capteurs délivre environ 7 000 kWh [2]. Résultat substantiel, mais

---

1. En hiver, un capteur vertical capte à peu près autant d'énergie qu'un capteur horizontal. Il en capte beaucoup moins en été, ce qui permet d'éviter les surchauffes. La disposition d'arbres devant la façade sud, dénudés en hiver et couverts de feuilles l'été, permet encore d'améliorer la climatisation.

Un capteur horizontal n'est pas pour autant interdit dans une maison solaire. Il suffit qu'un miroir rabatte la lumière sur lui, ce qui réalise en même temps une légère concentration du rayonnement. Ainsi le système de trappe solaire proposé par G. Alexandroff. Dans la pointe d'un toit, ouvert d'un côté, un matelas plastique rempli d'eau est disposé horizontalement, un miroir étant placé sur l'autre face du toit, du côté intérieur. Le matelas fait office de capteur. On peut même emmagasiner la chaleur par temps couvert, en baissant un store le long de l'ouverture du toit.

2. En admettant un ensoleillement de 2 heures par jour pendant les 6 mois froids, cela fait 360 heures de chauffage solaire, soit un apport de 360 kWh par mètre carré de capteur. Avec un rendement de 50 % du capteur, il reste 180 kWh. Pour 40 m² de capteurs, l'apport de chaleur est donc de 7 200 kWh. Les résultats seraient très supérieurs si l'on arrivait à conserver la chaleur de l'été pour l'hiver...

Maisons solaires d'Odeillo, selon le procédé Trombe-Michel, à air et béton. (Photo G. Ehrman, Sodel photothèque EDF.)

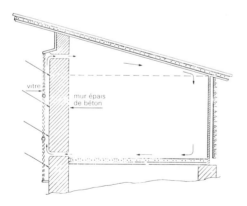

vitre

mur épais
de béton

Schéma J. Michel.

modéré, qui invite à la prudence. Le soleil n'est pas, en France, la solution miracle aux problèmes énergétiques.

Encore faut-il ensuite stocker cette chaleur solaire,

pour tenir compte des nuits ou des journées maussades pendant lesquelles le capteur ne fonctionne pas. Le stockage peut être constitué par les murs, comme nous l'avons vu. Dans des systèmes plus élaborés, l'air chaud du capteur est insufflé dans un lit de roches. Ou bien la chaleur est emmagasinée dans un réservoir d'eau. On utilise aussi des corps qui ont la propriété de fondre à la chaleur, puis de la restituer en se solidifiant, comme les paraffines et les sels fondus. On place aujourd'hui beaucoup d'espoirs dans les clathrates et les semi-cla-thrates, corps visqueux qui sont des urées ou des phénols. Avec ces corps chimiques, l'intérêt est de gagner en volume pour le stockage ; déjà, l'eau demande trois fois moins de place que les roches, pour emmagasiner la même quantité de chaleur. Il ne reste plus qu'à répartir ce chauffage dans toute la maison, par air pulsé, planchers chauffants, etc.

Si l'on voulait assurer l'intégralité du chauffage par le soleil, il faudrait un capteur de 300 m², et un réservoir d'eau de 25 m³, pour une maison de cinq pièces. Cela coûterait une fortune. En se contentant de 40 m² de capteur, on obtient à peu près la moitié du chauffage [1]. Plusieurs systèmes entrent alors en concurrence.

Le capteur à air

Il faut avoir vu Odeillo par temps gris, après l'orage qui bloque parfois la route d'accès, pour apprécier les vertus des trois maisons accolées chauffées au soleil vif de montagne bien vite réapparu... Mais le Sud de la France n'a pas l'exclusivité du chauffage solaire. Une autre maison

---

1. Les 40 m² de capteur sont tous sollicités dans les conditions de froid moyen. Les 300 m² ne sont tous sollicités que dans des périodes de pointe, par très grand froid. Cela correspond donc à un « surdimensionnement ». Mieux vaut, par raison d'économie, ajouter un chauffage d'appoint plutôt que de vouloir le tout-solaire.

solaire existe aussi à Chauvency-le-Château dans la Meuse. Construite en 1972, comme celles d'Odeillo, elle fonctionne selon le même système, mis au point dès 1956 par Félix Trombe et ensuite appliqué avec la participation de l'architecte Jacques Michel.

Le capteur est la façade sud de la maison. Il est constitué d'un vitrage et d'un mur épais de béton peint en noir, légèrement en retrait. Le soleil chauffe l'air situé entre la vitre et le mur, ainsi que le mur lui-même. L'air circule grâce à des orifices percés en haut et en bas du mur. L'air chaud, plus léger, a tendance à monter le long du mur, puis il pénètre dans la maison par le haut. L'air refroidi, plus lourd, est au contraire aspiré par l'orifice inférieur et s'échauffe dans le capteur. A ce courant d'air spontané, s'ajoute la chaleur emmagasinée par le béton, qui est restituée après la période d'ensoleillement. Grâce à l'épaisseur du mur, 40 à 50 cm, on peut ainsi espérer un stockage de 24 heures, voire même exceptionnellement de 48 heures.

Mais alors, durant l'été, les habitants ne risquent-ils pas de mourir de chaleur sous l'effet d'un violent ensoleillement ? La surchauffe solaire a de tout temps été une hantise. Une légende de la Chine voulait déjà qu'on abatte les soleils excédentaires à coups de flèches. Le procédé mis au point par Jacques Michel est moins barbare, mais fort rustique. Une simple aération : une ouverture dans la façade nord aspire l'air frais extérieur, qui ressort par une ouverture sud en haut du capteur, en rejetant l'air chaud.

Le système est simple et automatique. Mais il présente plusieurs aléas. Des surchauffes en été, des pertes de chaleur — du béton vers l'extérieur — pendant les nuits d'hiver... Même le simple nettoyage de la vitre du capteur est une opération délicate.

Aussi diverses améliorations sont-elles apportées aujourd'hui. Des clips pour pouvoir démonter chaque panneau vitré et le nettoyer. Un rideau qui descend entre la vitre et le mur de béton, pendant la nuit ou l'été, pour moduler les apports de chaleur et les pertes. C'est ainsi qu'est équipé le Centre de formation professionnelle de Béziers où l'énergie solaire, à elle seule, permet d'obtenir une température de 14° C constante en hiver, dans les ateliers. Innovation supplémentaire : un verre sélectif, créé par la société Boussois, piège beaucoup mieux la chaleur solaire.

Le système impose encore d'autres contraintes : les maisons doivent être longues, hautes, peu épaisses et situées dans une région à l'habitat dispersé, où les rayons du soleil ne rencontrent pas d'obstacle. A moins d'utiliser une toiture à air, où l'air est pulsé par un ventilateur, comme le proposent aujourd'hui MM. Trombe et Michel dans un projet de CEG pour l'Education nationale.

S'il est difficile d'atteindre une température constante à l'intérieur de la maison, il reste un avantage essentiel à ce système : son prix. En effet, l'apport solaire est évalué à 45 % de l'apport énergétique total à Chauvency [1], et à 65 % à Odeillo, le reste étant fourni par l'électricité. Il faut compter environ 300 F/m² de capteur vitré. Le prix du mur de béton n'est pas intégré dans le surcoût solaire : il est considéré comme mur porteur. Cela fait 10 000 à 15 000 F de surcoût solaire. Plus les radiateurs électriques (5 000 F), plus divers asservissements (10 000 F). « Je fournis tout le chauffage pour 30 000 F », conclut J. Michel.

Dans la meilleure des hypothèses — 15 000 F de surcoût solaire pour un gain de 10 000 kWh par an — le prix du kWh solaire s'établit à 20 centimes environ, en comptant 15 à 20 ans pour amortir l'investissement ini-

1. En 1973, les résultats donnés par EDF et J. Michel sont discordants. Ils se décomposent ainsi pour cette maison de 105 m², avec 45 m² de capteurs :

	EDF	J. Michel
Consommation électrique	12 000 kWh	7 000 kWh
Apport solaire	6 500 kWh	10 000 kWh

Selon les sources en présence, l'apport solaire varie entre 30 et 60 %. Par la suite, les deux parties s'accorderont sur le chiffre de 45 %.

tial. Résultat tout à fait raisonnable, proche de celui du kilowatt-heure électrique.

A ce stade de l'analyse, le néophyte se heurte à une difficulté qui le fera, selon qu'il est un fervent partisan du solaire ou un adepte convaincu du réalisme techno-cratique, défendre ou au contraire jeter au rebut le sys-tème de chauffage solaire. Il est impossible d'avoir une idée précise de la qualité du service et de son prix, vu le faible nombre de maisons solaires déjà construites et leur caractère expérimental. Quant aux habitants pion-niers de ces demeures solaires, sans doute préféreraient-ils, face à l'afflux des visiteurs, pouvoir garder leur porte fermée...

Le capteur à eau sous pression

A la fin de janvier 1974, le ministère de la Qualité de la vie, le ministère de l'Industrie, EDF et l'Agence natio-nale de valorisation de la recherche annoncent un projet d'expérimentation de dix maisons solaires. Cinq à Aramon, dans le Gard, et cinq autres au Havre, dont deux équipées de pompes à chaleur. Ces pavillons sont construits dans des lotissements, à côté de pavillons identiques, chauffés tout-électrique. Là réside l'intérêt de l'opération : il s'agit de mesurer, par comparaison, comment se comporte l'ins-tallation solaire. Mais les maisons du Havre et d'Aramon n'ont été inaugurées qu'en 1976 : il est encore trop tôt pour en connaître les résultats.

Deuxième intérêt : l'expérimentation de capteurs à eau sous pression, déjà mis en œuvre dans les pompes solaires Sofretes. Ce procédé, où l'eau remplace l'air du système précédent, présente plusieurs avantages. Il permet d'abord une meilleure régulation de la température am-biante. Les maisons d'Aramon et du Havre sont conçues pour être confortables, la température ne devant varier que d'un degré autour d'une valeur moyenne.

Les capteurs (45 m² sur le toit au Havre, 35 m² en paroi verticale sud à Aramon) chauffent l'eau qui les

Maison du troisième âge à Aramon, architecte G. Chouleur. (Document Délégation aux énergies nouvelles.)

traverse à 40° C environ [1]. Cette eau, glycolée pour éviter le gel, est ensuite stockée dans une cuve de 3 à 4 m³, ce qui assure une réserve de chaleur pendant 2 ou 3 jours. Le circuit du chauffage domestique ainsi que celui de l'eau sanitaire viennent s'échauffer dans cette cuve. Nouvel avantage de ce système, par rapport au précédent : il sert toute l'année, 6 mois pour le chauffage et à plein temps pour le chauffage de l'eau sanitaire. Il peut facilement s'adapter à l'architecture existante, sur les toits par exemple, sans subir de pertes nocturnes.

Mais l'eau qui circule en circuit fermé atteint de fortes

1. Les pertes de chaleur sont d'autant plus fortes que la température de l'eau est élevée. D'où l'intérêt de récupérer l'énergie solaire à basse température. Un problème, cependant : le chauffage correspondant étant faible, il faut que les appareils présentent une grande surface pour délivrer suffisamment de calories dans la maison. D'où un certain surdimensionnement des appareils de chauffage.

pressions, du fait de la différence des niveaux : au Havre,
entre le haut et le bas du circuit d'eau du capteur, la
dénivellation atteint déjà 4 m. Il en résulte des problèmes
de soudure et des fuites d'eau...

Le point noir est alors le prix. Pour le capteur, on utilise
du *roll-bond,* formé de deux plaques d'aluminium accolées
entre lesquelles sont dessinées des tubulures. Prix : 100 F
par mètre carré. Ajoutons le double vitrage : 200 F,
la soudure à l'argon des embouts du *roll-bond,* la mise
en place d'un boîtier pour le capteur et enfin la pose. Cela
donne au total 1 000 F par mètre carré de capteur. Plus
encore : il faut y adjoindre le prix du stockage, des
tuyaux, du surdimensionnement des appareils de chauffage.
Le chauffage solaire coûte alors 2 000 F par mètre carré
de capteur. D'où cette réflexion désabusée d'un responsable d'EDF : « Ce sera amorti au bout d'un siècle ! »
L'ensemble du chauffage — électrique et solaire — coûte
alors plus de 80 000 F.

Le capteur à eau par ruissellement

En attendant, un troisième procédé apparaît. Un capteur
où l'eau ruisselle. Ce système a souvent été utilisé aux
Etats-Unis, dans les réalisations de M. Thomason, vastes
maisons disposant d'un capteur de 120 m² et d'une cuve
de stockage de 15 m³ : le soleil fournit alors plus de
80 % de l'énergie du chauffage.

Aujourd'hui, A. Liébart construit à Toulouse dix maisons dont cinq disposent de 30 m² de capteurs, derrière
une vitre de couleur rouge brique. Principale différence
avec le système précédent : l'eau circule en écoulement
libre le long du toit. Pas de surpressions à craindre dans
ce cas. L'eau coule sur une tôle d'aluminium cannelée
surmontée d'un vitrage, où elle s'échauffe à 40° C avant
d'être envoyée dans une cuve de stockage de 3 m³, à
l'intérieur de la maison.

Le résultat tient dans les prix escomptés. Une petite

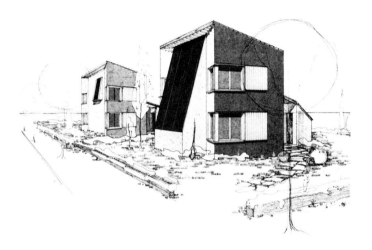

Projet de l'architecte Liébart à Toulouse, par le procédé du ruissellement d'eau. (Document Liébart.)

entreprise toulousaine, Thermisol Pereira, fournit le capteur complètement installé à 350 F par mètre carré. En ajoutant tout le reste, du stockage à la ventilation de l'air chaud, le surcoût solaire est de 25 000 F, et il correspond à un apport de 65 % d'énergie totale. Le coût global du chauffage — solaire et appoint au gaz — est alors de 35 000 F environ, d'après A. Liébart.

L'architecte Alexandroff, vigoureux partisan du système à ruissellement, propose encore des innovations. La cuve de stockage peut en effet être disposée au centre de la maison. Elle sert alors de pilier porteur et de radiateur. Il suffit de l'entourer de murs percés d'ouvertures en haut et en bas.

Comme dans le système Trombe-Michel, une circulation spontanée de l'air se produit dans la maison, mais sans le défaut des pertes extérieures. Le réglage à volonté des ouvertures permet de moduler la climatisation. Un dispositif de chauffage électrique complémentaire intervient en cas de besoin pour réchauffer la cuve. Dans ce système, c'est l'énergie électrique qui sert d'appoint à l'énergie solaire, et non l'inverse. Il s'agit donc là à proprement parler d'une maison solaire, et non d'une maison normale à appoint solaire comme celles du Havre ou d'Aramon, où la simple mise en place d'une cuve d'eau, non prévue dans le plan initial, est déjà tout un problème.

L'avenir de l'architecture solaire

Faut-il jouer la carte de la perfection et de la sécurité, en utilisant côte à côte deux systèmes d'énergie ? EDF ne manque pas d'arguments : le solaire est là en temps normal, et en cas d'intempéries l'électricité vient en renfort. Tout seul, le solaire imposerait un surdimensionnement des appareils, pour prendre en compte les périodes exceptionnelles de mauvais temps... Ou au contraire, faut-il promouvoir sans réserve un habitat véritablement solaire, quitte à modifier le paysage architectural, et certaines habitudes de vie ?

Telles sont en tout cas les contraintes du chauffage solaire aujourd'hui : pour économiser 60 % des frais de chauffage dans un pavillon de cinq pièces, il faudra dépenser à l'achat de 30 000 à 80 000 F pour le chauffage complet.

C'est cher, mais il existe déjà, d'après les promoteurs, un marché potentiel de quelques milliers de villas d'un certain standing ; dans ce cas, le prix d'une installation solaire n'est pas l'élément essentiel. Quant à une perspective plus ouverte vers les collectivités locales, ou vers les particuliers moins fortunés, elle semble se profiler aujourd'hui, partout où un chauffage à temps partiel suffit. Ainsi annonce-t-on un chauffage solaire pour le gymnase de Saint-Péray dans l'Ardèche, une crèche à Ajaccio, l'aérium de Saint-Lary dans les Hautes-Pyrénées, l'Ecole des mines d'Alès, le groupe scolaire de Vinsobres dans la Drôme, le cinéma Gaumont-Colisée à Paris... On pense même étendre le procédé à la construction de centres d'impôts, de commissariats de police, de casernes... La chaleur solaire est aussi bienvenue dans les résidences secondaires, ne serait-ce que pour apporter un chauffage minimal quand la résidence reste vide, empêchant ainsi les dégradations par l'humidité. On annonce enfin la construction de refuges de haute montagne, en forme de bulle, avec des capteurs triangulaires, où l'énergie solaire coûtera moins cher que le fuel à transporter...

Le tout-solaire ?

Sur la table de travail des Alexandroff, non loin d'un bric-à-brac de capteurs en tout genre [1], quelques maquettes de villes futures et des dessins... L'un représente un îlot de dix pavillons, avec des capteurs sur le toit, autour d'une placette centrale. Sous le petit jardin se trouve une citerne de 3 000 m^3, véritable « banque à calories ». Pour la première fois, on pense arriver à obtenir un stockage intersaisonnier. La chaleur de l'été sera emmagasinée pour l'hiver. Déjà les capteurs à eau trouvaient leur justification grâce au stockage qu'ils assuraient. Dorénavant, avec les 700 m^2 de capteurs des dix maisons et le stockage collectif correspondant, on espère couvrir pratiquement tous les besoins de chauffage grâce au seul soleil. Des appareils électriques portatifs fourniront un appoint de 5 %.

Pour ce projet, financé par un groupe franco-belge, les ordinateurs du CEA crépitent. La réalisation est prévue pour 1978. Déjà, Gaz de France propose une réalisation du même type à Toulouse-Blagnac... Est-ce la solution pour l'Europe ? Tout dépend de la citerne de stockage et de ses pertes de chaleur au bout de 6 mois. Elle ne devrait

---

1. Notamment des plaques de plexiglas à cannelures intérieures, de fabrication allemande. Avec une face peinte en noir, l'autre faisant office de vitrage, et de l'eau circulant à l'intérieur, on aurait là un capteur tout prêt, qu'il suffirait de couper aux dimensions voulues, pour 70 F/m^2.

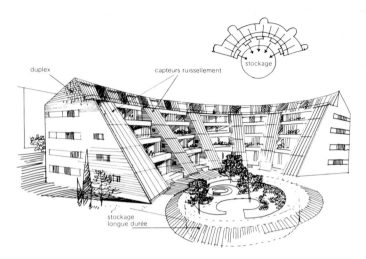

Chauffage solaire intégral d'un petit ensemble (20 appartements), avec stockage thermique intersaisonnier. Projet Alexandroff. (Document Alexandroff.)

être isolée que sur sa partie supérieure ; la terre qui l'entoure devrait s'échauffer et faire office de couverture isolante.

En attendant, trop de recherches stagnent encore dans les cartons. Certains jeunes architectes français, tels Frédéric Nicolas et Marc Vaye[1], n'hésitent pas à franchir l'Atlantique, à la découverte de l'imagination débridée des architectes ou des autodidactes américains, plantant leur case dans un coin perdu.

1. Auteurs du montage-photo présenté en 1976 lors d'une exposition au musée des Arts décoratifs sur les « Energies libres », sous l'égide du Centre de création industrielle et de l'Institut de l'environnement.

3. Dans le monde, quelques maisons pour rêver

Pays pionnier de l'architecture solaire moderne, constructeur le plus important de maisons solaires, les Etats-Unis restent jusqu'à maintenant la terre promise pour la nouvelle génération d'écologistes de tous horizons... Cachées dans les frondaisons des forêts du Colorado ou fichées dans les caillasses désertiques du Nouveau-Mexique fleurissent des maisons-sculptures futuristes, qui font rêver...

De l'autoroute qui conduit à Corrales, près d'Albuquerque (Nouveau-Mexique), le regard accroche, ébloui, un lointain point métallique, d'intense luminosité... Trente kilomètres sont encore nécessaires, puis un kilomètre de chemin de terre à travers les rocailles et les arbustes d'une lande sauvage, pour atteindre les *zomes* où habitent Steve et Holly Baer, 35 ans environ, et leurs deux enfants. *Zome* : module en forme de rhombo-dodécaèdre tronqué, plaqué d'aluminium, dont on imagine que le nombre pourrait se multiplier à l'infini, tel un jeu de construction pour enfants.

Onze *zomes* placés côte à côte composent cette structure métallique scintillante, située au sommet d'une colline, près d'un petit village perdu où circulent volaille, cochons, chevaux, entre des fermes de terre séchée et quelques habitations de luxe.

C'est par quatre murs sans fenêtre, face au sud, qu'est captée la chaleur solaire. Murs composés de bidons de 200 litres, remplis d'eau, alignés derrière une vitre et peints en noir, qu'on appelle *drumwalls*. La chaleur de ces bidons chauffés au soleil rayonne ensuite dans les pièces ; ils permettent une autonomie de 2 à 3 jours sans soleil, et assurent 90 % du chauffage. Esthétique futuriste,

Maisons Steve Baer, dans le Nouveau-Mexique. (Photo G. Mahé, Paris.)

Kittle zomes cluster de Steve Baer, en Californie. (Photo Vaye-Nicolas.)

aux ombres joliment distribuées sur le sol de la salle de séjour. Magie des espaces non orthogonaux, jusqu'alors réservée aux *freaks* et aux défoncés de Californie, mais ô combien plus confortable chez les Baer.

Devant les *drumwalls*, des panneaux recouverts d'aluminium sont abaissés pendant la journée, en hiver, comme un pont-levis, pour placer les bidons au soleil. La nuit, ils sont remontés, pour empêcher la chaleur de se perdre au-dehors. De même, en été, ils restent fermés, pour réfléchir le rayonnement solaire.

Le *zome* a été mis au point dès 1969 par un groupe vivant en commune à Drop City, sur la base du travail gratuit, de la récupération des matériaux et de l'imagination au pouvoir. A Corrales, *Zomeworks* est fondé, qui constitue à la fois un centre d'études, une maison d'édition et une fabrique, sans autres ressources que la vente des systèmes, la consultation et la diffusion des ouvrages auprès des autoconstructeurs. A son actif, plusieurs inventions...

Outre le *drumwall*, les *skylids*, petits volets métalliques amovibles placés derrière un vitrage, s'ouvrent automatiquement dès que paraît le soleil, pour laisser pénétrer sa lumière, et se referment quand il disparaît : ce qu'on appelle un « écomatisme ». Ou encore le *nightwall,* mur de nuit — ce sont tout simplement des plaques de polystyrène recouvertes de bandes aimantées, qu'on applique sur les vitrages, pendant la nuit ou par mauvais temps, afin d'isoler thermiquement la maison. Précisons que la régulation thermique dans tous les *zomes* est renforcée par des cloisons internes en adobe, brique de terre sèche utilisée par les agriculteurs des alentours.

Quant au *beadwall,* il fascine... C'est la tombée du jour, l'heure de tirer les volets. Dans la salle de séjour, l'enfant appuie sur un bouton, placé près d'une fenêtre. Derrière la vitre, soudain, telle une coulée de grains de blé sortant d'une moissonneuse-batteuse, des billes de polystyrène se précipitent. Turbulences rapides. Puis l'obscurité envahit la pièce. C'est fini. Jusqu'au matin. Le *beadwall,* ce rideau de billes, s'intercale entre deux vitres espacées de quelques centimètres. Quand vient la nuit, les billes, stockées dans

Maison Susan et Wayne Nichols, avec serre intégrée, à Santa Fe, au Nouveau-Mexique. (Photo Vaye-Nicolas.)

des fûts, sont soufflées ou aspirées par un ventilateur commandé électriquement [1].

Un *zome* pour vivre, un *zome* pour dormir, un *zome* pour jouer... Les applications de l'invention des Baer se multiplient à l'infini...

L'imagination au pouvoir : cela seul justifie la visite des merveilles architecturales disséminées sur le sol américain. Maisons-igloos semi-enterrées, dont le toit est troué de cheminées destinées à la régulation thermique, inventées depuis des siècles par les architectes arabes... Maisons flanquées de serres à la végétation luxuriante, agréablement fraîches en été lorsque la tente de plastique recouvrant la serre est enlevée, légèrement surchauffées en hiver par rapport au reste de la maison, quand il neige. Ou çette maison construite à 2 000 m d'altitude, près de Santa Fe, par Susan et Wayne Nichols, autodidactes qui

1. Signalons que ce dispositif équipe aussi l'aérogare d'Aspen dans le Colorado et la serre de Montevista à Albuquerque.

vivent et travaillent ensemble. Leur habitat comporte 50 m² de capteurs à air exposés plein sud, dont la chaleur est emmagasinée dans une masse de 34 tonnes de cailloux située dans le sous-sol. Un ventilateur pulse l'air réchauffé au contact des cailloux dans l'ensemble de la maison, elle-même construite en adobe. Quand la température de l'air à la sortie du stockage est trop faible, une résistance électrique porte automatiquement l'air à la température adéquate. La salle de séjour est à moitié enterrée ; on y accède par l'est à travers un sas. Quant à la serre amovible, elle joue plusieurs rôles, outre le simple agrément : elle fait « tampon » entre l'intérieur et l'extérieur et régule aussi l'humidité de l'air. D'autre part, les plantes absorbent la chaleur pendant le jour, tandis qu'elles en libèrent une partie la nuit en respirant : cycle inverse de celui de l'homme, engendrant une discrète harmonie naturelle.

A l'opposé, voici le laboratoire de Robert Reines, d'aspect « lunaire », sans aucune ouverture sur l'extérieur, auquel on accède par un sas. Dôme blanc fiché dans le sol, où la lumière entre par des hublots, tel un vaisseau spatial.

Loin des déserts du Nouveau-Mexique, dans les montagnes du Colorado, se dresse *Swiss Peak,* chalet entièrement construit par un scientifique, avec un capteur parabolique incrusté dans le toit. Première réalisation qui voit un miroir courbe intégré à l'habitat. Et c'est beau.

Enfin, puisqu'on ne peut énumérer toutes les réalisations solaires américaines, citons un dernier projet, celui d'un laboratoire à Minneapolis, sorti de l'imagination du Dr Holloway et de son équipe et qui porte — ô symbole — le nom d'un serpent mythique qui se régénère en mangeant sa propre queue, Ouroboros...

Freaks ou tranquilles pères de famille, autodidactes ou scientifiques confirmés, tous ont retrouvé la tradition architecturale héritée des grandes civilisations du passé, pour la marquer à leur tour du sceau du progrès. Matériaux ultra-modernes, sculptures abstraites, principe du *do it yourself...* Aux Etats-Unis, même les municipalités entrent dans la danse du soleil. Comme celle de Colorado Springs s'intéressant dès 1973, en pleine crise mondiale du pétrole, à l'énergie solaire. *Phœnix Home* en est le

Swiss Peak, Steward's House, avec intégration d'un capteur parabolique. (Photo Vaye-Nicolas.)

résultat, maison expérimentale qui reçut en 1975 une vingtaine de milliers de visiteurs pendant l'été, avant qu'une famille n'y emménage. Cette réalisation est due à un comité local, *the Phœnix of Colorado Springs,* regroupant habitants et associations professionnelles d'architectes, d'ingénieurs, de promoteurs. Elle reçoit l'aide de la National Science Foundation [1], l'équivalent de notre CNRS, chargée de distribuer les fonds budgétaires votés par le Congrès. Avec une certaine décentralisation : chaque Etat possède son « agence de l'énergie », qui détermine les nouvelles réglementations en fonction des conditions locales, et prend des mesures en faveur de la conservation de l'énergie. C'est là une promotion assurée pour l'énergie solaire, qui s'adapte bien aux conditions naturelles et culturelles amé-

1. La National Science Foundation a été relayée en 1975 par une nouvelle agence créée pour la circonstance, l'ERDA (Energy Research and Development Administration), dont le budget s'est élevé, en 1976, à une centaine de millions de dollars.

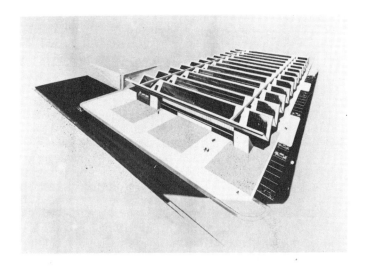

Projet d'université en Arabie Saoudite, réalisé par Sverdrup- Parcel. et associés, à Saint Louis, dans le Missouri. (Document Sverdrup-Parcel.)

ricaines : ensoleillement important, urbanisation dispersée et pavillonnaire, goût de l'isolement, du système D et de la vie au grand air, attrait de la nouveauté...

En même temps, l'administration centrale favorise la recherche architecturale solaire, par le biais des Universités, de l'American Institute of Architects, et du Department of Housing and Urban Development, équivalent du ministère de l'Equipement. Tout en stimulant l'activité des sociétés privées par des allocations diverses. Parmi les principales compagnies américaines engagées dans la bataille, citons General Electric, TRW Systems Group, Westinghouse Electric Corporation. Cinq cents sociétés produisent d'ores et déjà des équipements solaires.

Et s'il n'existe actuellement que cinq cents maisons solaires aux Etats-Unis, leur nombre devrait rapidement augmenter, grâce à l'heureux mélange qui s'est établi entre la recherche, l'ingénierie, les tests, les applications... Les crédits alloués vont plutôt à l'architecture active, utilisant une technologie sophistiquée de capteurs, de pompes, de ventilateurs, de fluides en mouvement. Mais il serait prématuré d'annoncer le déclin de l'architecture passive qui constitue une découverte prometteuse pour de nombreux jeunes architectes.

Tel le groupe Joint Venture, qui combine tous les systèmes en une floraison de projets. Projet « escargot », dont les coquilles sont des capteurs paraboliques disposés sur le toit d'un bâtiment circulaire. Projet « crabe », avec des capteurs plans intégrés à l'habitat. Et surtout projet « huître » qui combine les grandes baies vitrées à des capteurs plans. Une première réalisation est en cours de construction dans le Colorado. L' « huître », en forme de coupole posée sur le sol, bâille du côté sud, où se trouvent de grandes vitres transparentes, tandis que les pièces d'habitation sont situées au nord. La partie vitrée baigne, à la hauteur du sol, dans un bassin qui pénètre jusqu'à l'intérieur de la maison, au milieu des plantes vertes. Ce bassin a un double rôle : il emmagasine la chaleur collectée par les capteurs, et réfléchit les rayons du soleil vers la partie nord habitée...

A plus modeste échelle, cette situation existe dans d'autres pays comme la Grande-Bretagne, le Danemark, la Hollande, l'URSS. Avec de curieuses différences, selon les conceptions qui prévalent. Mettre côte à côte, par exemple, la maquette de la maison autonome hollandaise *De kleine aarde,* et celle d'un projet soviétique, présentés tous deux lors d'un concours au Canada en 1976, n'est pas sans enseignements. La maison hollandaise, visiblement faite pour rompre avec un habitat dispersé et un mode de vie trop individualisé, évoque par sa structure la tour de Babel. Et la distribution de l'espace intérieur n'est pas sans rappeler les couvents et l'hyper-collectivisme. Au contraire, le projet soviétique, de conception très imaginative, met l'accent sur une manière de vivre autonome mais repliée sur la vie privée, brisant avec le style collectiviste et l'étouffement qu'il produit...

En Grande-Bretagne, quelques pionniers inspirent encore les générations actuelles. Tel l'architecte qui conçut l'école Saint-George, construite il y a une vingtaine d'années près de Liverpool. Il mourut avant la fin des travaux, mais l'école accueille aujourd'hui encore de nouvelles générations d'élèves. Pas de système de chauffage à proprement parler. Seules jouent l'influence bioclimatique de la grande façade à double vitrage, ainsi que la chaleur produite par les occupants et celle des éclairages internes. Les murs de briques épaisses servent d'isolation, et un système de ventilation distribue la chaleur partout. Cela suffit à créer une atmosphère confortable, sans besoin de systèmes complexes... Cette école témoigne de la vivacité des recherches britanniques sur les habitats autonomes, utilisant l'énergie solaire tout en l'intégrant à la tradition architecturale anglaise : celle des espaces sous verrières, des serres et des *bow-windows*. Recherches d'autant plus avancées que le mode de développement urbain se caractérise par une densité relativement faible.

Si cette expérience marque aujourd'hui le pas, c'est sans doute à cause de la faiblesse irrémédiable de l'ensoleillement et de la découverte récente de pétrole dans les mers anglaises. L'Etat, qui prévoyait un apport d'énergie solaire de 1 % dans un proche futur — comme l'Etat français d'ailleurs —, a arrêté de financer la recherche solaire en 1976. Seule énergie nouvelle qui soit encore officiellement à l'étude : l'énergie des vagues... Cependant, l'expérience anglaise ne cesse d'inspirer d'autres écologistes [1]. Si les projets de rues et de jardins sous verrières n'ont pu voir le jour à Londres, peut-être seront-ils réalisés ailleurs, dans d'autres pays tempérés, jouant alors le même rôle que les souks en pays chauds.

L'expérience anglaise a mis en relief le rôle primordial de l'enveloppe bioclimatique des maisons, plus ou moins perméable aux influences extérieures. Aujourd'hui, des architectes américains comme Day Chahroudi proposent

1. Tels ceux de la ferme Durand, en France, dans la vallée de Chevreuse, reprenant le projet de *Street Farmers*, maison autonome anglaise aujourd'hui disparue. On y trouve justement, associés à des Français fabriquant des capteurs sophistiqués et chers — montrant ainsi que marginalité et technicité ne sont pas incompatibles —, deux Anglais, David Roditi et son amie, architectes sans prétentions mais efficacement spécialisés dans l'aquaculture.

des parois à transparence variable. D'abord des baies vitrées formées de plusieurs épaisseurs de plastique, assurant une isolation transparente : elles laissent passer la lumière solaire, et bloquent la chaleur à l'intérieur. Mais surtout on peut y introduire à volonté un rideau de billes de polystyrène ou de liquide : quand il fait trop chaud, la paroi blanchit et réfléchit la lumière solaire. Et l'on expérimente toutes sortes de verres dits *sunsitive,* qui changent de couleur selon l'ensoleillement. Cela s'applique aussi aux capteurs ; dans ce cas, ils changent de couleur : à basse température, ils restent sombres, pour bien capter la chaleur ; puis ils s'éclaircissent quand la température atteint 60° C environ, pour éviter les surchauffes. Ces capteurs imitent alors ce que fait constamment la feuille de toute plante, comme nous le verrons plus loin. Dans quelques années, on commencera à voir ces maisons « caméléons » qui changeront de couleur au fil des heures et des jours, comme la Nature.

Vers une théologie solaire...

Des maisons belles, parfois incongrues, toujours fascinantes par l'utilisation imaginative du milieu naturel. La simplicité des techniques solaires permet toutes les audaces architecturales. Sans que les écosystèmes excluent ce qu'il est convenu d'appeler le confort bourgeois.

« Le soleil noir est la matière première non encore travaillée, non encore mise sur la voie d'une évolution », disaient hier les alchimistes. Aujourd'hui on pourrait parler de même de cette architecture naturelle qui sert de trait d'union entre l'homme et son environnement. La maison redevient une niche ancrée dans l'univers nourricier. Telles ces maisons « à tout faire », arches de vie collective prêtes à affronter le cataclysme de la pollution. On peut même lire des réflexions sur les bienfaits d'un retour à l'adaptation primitive de l'homme aux variations naturelles de température, loin des normes de confort occidentales.

Dans son livre *Sunspots,* Steve Baer constate que ces variations font circuler le sang. Et il ajoute que l'homme devrait s'y habituer, en prenant exemple sur les mammifères et les serpents.

Les conceptions qui transparaissent évoquent les grands courants unanimistes, cosmiques, de l'histoire des civilisations. Sans vouloir renouer avec la magie du passé, les architectes manifestent la volonté de jouer un rôle plus global, voire même celui de démiurge. « La réalité terrestre est architecture », écrit Paolo Soleri, architecte italien [1]. Selon lui, l'architecture du soleil « ne se réfère qu'aux phénomènes globaux ». Et de conclure :

> Notre civilisation matérialiste, atteignant son sommet, s'interroge et réexamine le mystère théologique dans lequel nous évoluons... La vie que le soleil permet sur terre est une chose, la raison de cette vie en est une autre, qu'il faudrait peut-être déterminer.

Ainsi Soleri pose-t-il les bases de sa « théocologie ».

1. Dans un numéro de la revue *Architecture d'aujourd'hui,* consacré à l'architecture du soleil.

4. Les chauffe-eau solaires

« Le printemps est là. Quelle réalisation concrète utilisant l'énergie solaire peut-on faire sans mise de fonds ? » Ainsi s'interroge le héros hirsute qui fait et défait la chronique dessinée par Reiser dans *Charlie-Hebdo*. Et notre héros de prendre un baquet, comme celui dont se servaient nos grand-mères pour la lessive. Il le remplit, recouvre la surface de l'eau d'une feuille de plastique noir, puis en dispose une autre, transparente, par-dessus le baquet. Il ficelle le tout, comme un pot de confiture. Et le laisse tout l'après-midi au soleil. Le soir, à l'heure du repos, quelle jouissance exquise de se tremper dans une eau tiède qui a chauffé sans coûter un sou, ou presque : le plastique nécessaire revient à 5 F environ pour une infinité de bains...

Ce que fait le personnage de Reiser, des millions de gens l'ont fait à travers le monde, dans plus de vingt-cinq pays, surtout au Japon et en Israël. Rien de plus simple en effet que d'utiliser la chaleur du soleil pour chauffer l'eau sanitaire. Les besoins journaliers ne nécessitent ni de grandes quantités d'eau ni un stockage important. Même dans les pays chauds où le chauffage de l'habitat est superflu, le chauffe-eau solaire a sa place. Tels ces appareils rustiques encore nombreux dans les campagnes japonaises. Un coussin plat, recouvert de plastique noir, est rempli d'eau puis placé sur un plateau de bois, dans la cour ou sur le toit. Pour une capacité de 200 litres, il coûte environ 50 F, et peut être utilisé 2 ans sans problème. La version améliorée consiste à utiliser un capteur métallique traversé de tubulures, où l'eau est envoyée par le bas pour être recueillie, chaude, en haut.

Mieux encore : on peut transférer l'eau chaude dans

Chauffe-eau solaire à Saint-Julien, en Gironde. (Photo Sodel photothèque EDF.)

un réservoir calorifugé, pour ne pas rester tributaire des caprices du soleil, et limiter les pertes de chaleur du capteur. Un risque cependant, dans les pays tempérés : celui du gel, pendant les nuits d'hiver. Au lieu d'être obligé de vidanger le réservoir tous les soirs, mieux vaut prévoir un système indirect, séparant le générateur de chaleur du circuit de l'eau domestique. En circuit fermé, un mélange d'eau et d'antigel traverse le capteur, puis circule dans un serpentin où il vient réchauffer l'eau sanitaire. Ce fluide caloporteur circule automatiquement par thermo-siphon, la chaleur ayant tendance à monter : il suffit alors de placer le réservoir au-dessus du capteur. Sinon une petite pompe fait l'affaire.

La surface des capteurs dépend des régions. En France, on compte environ un mètre carré de capteur pour un réservoir de 60 litres. Une installation familiale comporte

4 à 5 m² de capteurs, un réservoir de 300 litres, et délivre une eau à 50 ou 60° C pour un prix de 4 000 à 8 000 F, selon les divers fabricants. Prix relativement modéré, qui pourrait encore être fortement réduit par une diffusion en série. En France, des installations pilotes sont actuellement montées, sous l'égide de la Délégation aux énergies nouvelles. Citons l'aéroport de Nice, le Centre social de Salon-de-Provence, la cantine interministérielle de la rue Barbet-de-Jouy à Paris... Même une usine, Le Peignage de Mazamet et Aussillon SA, dispose d'eau chaude « solaire » pour le peignage du lin. Toutes ces installations de grande taille comportent chacune une centaine de mètres carrés de capteurs, pour un prix de 2 000 F par mètre carré environ. Est-ce un nouveau départ pour les chauffe-eau solaires ? D'ores et déjà, leur prix concurrencie celui des installations classiques, en comptant un amortissement en 5 ans environ. Dans le Sud de la France, on en trouve aussi chez un certain nombre de particuliers. Au total, une dizaine de milliers, vraisemblablement, dès 1979. C'est au niveau du service après-vente que les problèmes se posent désormais. Comme l'explique M. Bloch, ingénieur chez Heurtey :

> Il ne suffit pas de dégager des crédits pour les grandes centrales solaires. Il faut penser aux plombiers. Une école de plomberie solaire devient indispensable.

5. Le chauffage des piscines

Multiplions les dimensions du baquet dessiné par Reiser. Il devient une piscine à l'eau délicieusement tiède. Mais ce n'est pas si simple : la profondeur de la piscine ainsi que les pertes de chaleur en surface empêchent l'eau d'atteindre la température considérée comme idéale en la circonstance : 22° C environ. Aussi a-t-on imaginé d'autres systèmes.

On pompe l'eau à un niveau légèrement supérieur à celui de la piscine, puis on la laisse couler sur une surface peinte en noir. Ou mieux, à l'intérieur d'un capteur plan.

Aux Etats-Unis, la firme Fafco de Menlo Park, en Californie, est spécialisée dans le chauffage solaire des piscines. Elle vend des panneaux en plastique noir, faciles à manier et bon marché. Cinq mille piscines en sont actuellement équipées, surtout dans le Sud-Ouest américain. Le marché californien s'ouvre à son tour, depuis que le chauffage au gaz des piscines est interdit par les autorités. La firme Fafco a quintuplé sa production en 2 ans, et produit 10 000 m² de collecteurs solaires par mois, ce qui lui vaut de devancer toutes les autres entreprises d'énergie solaire.

Si les Etats-Unis voient naître sur leur sol une quinzaine de milliers de piscines particulières chaque année, l'Europe se trouve de ce côté fort dépourvue. Du moins reste-t-il la piscine collective. Là encore, on trouve des réalisations promues par la Délégation aux énergies nouvelles. Piscines de Méjannes-le-Clap, Seyne-les-Alpes, Château-Arnoux, Antibes, Menton, Montpellier... Dans tous ces cas, le soleil vient chauffer l'eau des douches ou celle de la piscine, complètement ou partiellement. Les capteurs occupent une superficie comprise entre 100 et 300 m².

Chauffage de piscine, à Méjannes-le-Clap, dans le Gard. Réalisation Sofee. (Document Elf.)

Mais c'est en Belgique qu'une opération ambitieuse est en cours. Le « tout-solaire », grâce à 3 000 m² de capteurs, est prévu pour un ensemble sportif près de Namur. Celui-ci comporte une piscine olympique en plein air, de 50 m sur 21, une fosse à plongée, des pataugeoires pour enfants, des vestiaires, un hall de sport, une piscine couverte de 17 m sur 10, des bâtiments d'accueil. Au captage direct de la chaleur solaire s'ajoute un système de pompes à chaleur et un stockage thermique important.

C'est là qu'apparaît une nouvelle qualité de la piscine solaire : elle peut stocker la chaleur, pour peu qu'on la recouvre d'un toit de plastique transparent pour diminuer les pertes par évaporation. Tout autour, la terre sèche fait office d'isolant : la chaleur dissipée dans le sol est elle aussi stockée à la périphérie de la piscine. Ainsi, dans plusieurs maisons solaires américaines du type Thomason, la piscine est accolée à la maison, et sert de bassin de stockage, beaucoup mieux qu'une cuve dont les dimensions sont forcément limitées.

Malgré ces nouveaux atouts, la piscine solaire reste un signe de richesse. Alors, pour les déshérités, voici la cuisinière solaire.

6. Un gadget pour campeur

Retrouvons le héros hirsute de Reiser, au petit matin. Pour se faire un bon café sans bouger du lit douillet installé sous la tente, il suffit d'une ficelle, que l'on tire vers le bas. Celle-ci est reliée à l'anse de la bouilloire, elle-même posée au-dessus d'un miroir parabolique en aluminium. Au soleil levant, l'eau de la bouilloire se met à chanter, puis à bouillir. Le campeur n'a plus qu'à tirer sur la ficelle, pour faire couler l'eau dans une cafetière déjà prête. Et le tour est joué.

Au-delà de l'aspect humoristique, c'est là, exposée sommairement, toute la conception des cuisinières solaires. L'URSS et la Chine se sont lancées dans leur fabrication. En Europe, il en existe de plusieurs formes, généralement très *design*. Ce qui justifie un prix somme toute élevé, comparé à la simplicité de l'appareil. Durant l'été 1976, les Parisiens pouvaient s'en procurer au Bazar de l'Hôtel de Ville, le royaume des bricoleurs, pour 1 000 F environ. C'est cher et de plus peu pratique, dès que la pluie se met à tomber ou qu'un petit nuage couvre le soleil.

Mais n'est-ce pas là le charme du soleil, toujours prêt à mille métamorphoses ? D'un côté, le bricolage élémentaire de cuisinières solaires. De l'autre, les dessins visionnaires de l'architecture du soleil.

5

Soleil blanc.
L'électricité solaire

1. Branchez-vous sur le soleil, grâce aux photopiles

« BPX 47 A : module de base des cellules solaires au silicium [1]. » Par cette formule austère, nous entrons, de plain-pied, dans le royaume de la science et de la grande industrie. Ici, ni bricolage, ni utopie, mais le règne implacable des formules, la froide rigueur des courbes de rentabilité. Si les photopiles révolutionnent un jour notre vie quotidienne, elles le feront comme les transistors. Ce jour-là, la vie matérielle sera immensément facilitée, mais la science elle-même aura-t-elle changé ? Pour la science solaire, en tout cas, ce sera alors l'âge de raison.

Vingt ans d'histoire, pour les photopiles. Une naissance mystérieuse, dans le domaine exclusif des applications spatiales. Rien, alors, pour les accrocher aux besoins immédiats de l'humanité. Chargées de convertir directement la lumière en électricité, elles assurent l'autonomie de haut vol des satellites et des fusées. Plus d'une dizaine de millions d'entre elles quittent ainsi l'atmosphère, avant que les premières retombées humaines ne se manifestent.

En France, dans les années soixante, ce sont le CNRS, le LEP, le CNES [2], tous organismes publics, qui s'occupent des applications spatiales. A l'époque, seule l'industrie privée, précisons-le, commence à s'intéresser aux applications terrestres. Il en est de même aux Etats-Unis, bien que les premières photopiles terrestres soient réservées aux militaires. Les soldats américains au Vietnam en portent sur leur casque pour alimenter leur transistor.

1. Il s'agit des photopiles commercialisées en France par la société Compelec RTC (La Radiotechnique-Compelec).
2. CNRS : Centre national de la recherche scientifique ; LEP : Laboratoire d'électronique et de physique appliquée ; CNES : Centre national d'études spatiales.

Bien sûr, il est permis de rêver à un avenir plus sou-
riant. Des photopiles en pendentif, comme les dessine
Reiser, pour entendre le « gouzi-gouzi » du soleil. Elles
sont en effet à la lumière ce que les micros sont à la voix.
Et l'on retrouve l'idée antique de l' « harmonie des sphè-
res », qui voulait que les corps célestes en mouvement
jouent chacun une note de la gamme, et que leurs sons se
mêlent pour emplir l'univers d'harmonies délicates...

En France, la première évolution favorable est esquissée
en 1961 : la société RTC installe 5 000 photopiles à l'université d'Antofagasta, au Chili. La puissance de 100 W
obtenue sert au raffinage du cuivre par électrolyse. Aujour-
d'hui, cette installation symbolise la longévité des photopiles. Le deuxième acte, qui a lieu en 1965, les fait pénétrer dans le monde de la technique du quotidien. Une
balise radioélectrique en est en effet équipée, à l'aéroport
de Bordeaux-Mérignac. C'est le point de départ d'une multitude d'applications, encore marginales cependant.

Le grand changement a lieu en 1975. Pour la première
fois, les photopiles terrestres l'emportent en nombre sur
leurs homologues spatiales, à l'échelle mondiale. Dès 1974,
le CNRS et le CNES reconvertissent une partie de leurs
activités spatiales. La DGRST (Direction générale de la
recherche scientifique et technique) s'intéresse aussi à cette
filière. D'après M. Durand, ingénieur du LEP, 20 millions
de francs leur sont consacrés en 1976, dont les 2/3 proviennent du secteur public, le reste étant autofinancé par les
entreprises. C'est déjà deux fois plus qu'en 1975. On estime
que leur production représente en 1976 une puissance globale de 150 kW — une centaine aux Etats-Unis, une trentaine en France, et le reste au Japon et en Allemagne.
Au même moment, les photopiles spatiales ne produisent
qu'une centaine de kilowatts. Ces chiffres donnent à réfléchir. Parmi toutes les filières solaires, celle des photopiles,
pourtant peu spectaculaire, est actuellement la plus déve-
loppée au niveau des résultats globaux. Et les spécialistes
s'accordent à penser qu'on passera le cap du mégawatt
avant 1980. Actuellement, cinq constructeurs américains
et un français occupent ce marché prometteur. Notons
encore que les deux plus grosses sociétés pétrolières amé-

ricaines, Exxon et Mobil, ont privilégié cette filière au détriment des autres énergies nouvelles.

Le fonctionnement des photopiles

Pour comprendre comment la lumière se mue en électricité, pénétrons dans la structure intime de la matière. Plus précisément dans l'architecture tubulaire des cristaux de silicium. Rien, au départ, ne dérange leur strict ordonnancement. Les atomes, parfaitement rangés en lignes et en colonnes, sont liés les uns aux autres par leurs quatre électrons périphériques. Ces électrons n'ont pas la tentation de se déplacer, et l'ensemble se comporte comme un bon isolant électrique.

Mais introduisons une pincée de phosphore. La structure cristalline du silicium n'est pas modifiée. Seuls quelques atomes de phosphore viennent s'imbriquer dans l'ensemble, en prenant la place réservée à des atomes de silicium. Non sans mal, car ils possèdent, eux, cinq électrons périphériques. Voilà un électron de trop, qu'un rien suffit à arracher à son atome d'origine. Il est désormais mobile dans le cristal. Quant à l'atome de phosphore, dépouillé de cette petite charge électrique négative, il possède une charge positive. Cela s'appelle un « trou », en jargon électronique. Ainsi, le silicium « dopé » au phosphore contient des électrons libres de se déplacer et des trous fixes. Grâce à ces électrons mobiles, c'est maintenant un bon conducteur électrique : on dit de lui qu'il est du type N (négatif).

Fabriquons ensuite du silicium du type P (positif). Cette fois, les impuretés ajoutées sont des atomes de bore, possesseurs de trois électrons seulement. Nous voici avec des trous en trop. Il suffit alors d'un simple électron libéré quelque part pour que le trou soit comblé. L'électron est désormais accroché à un atome de silicium, tandis que le trou qu'il a lui-même créé devient une zone d'instabilité, qui peut se propager à travers la matière. Le silicium dopé au bore contient alors des charges négatives fixes et des trous mobiles, qui se comportent comme des charges électriques positives. On obtient à nouveau un bon conducteur électrique.

Accouplons enfin un cristal N et un cristal P, avec leurs électrons et leurs trous mobiles. Les rencontres sont inévitables : quelques électrons vont être neutralisés par des trous de l'autre bord. Le côté N se charge positivement et le côté P négativement. Entre les deux se crée un champ électrique qui exerce une répulsion : les charges mobiles sont maintenues dans leurs camps respectifs, comme si une barrière infranchissable était bâtie à la jonction P-N.

L'action de la lumière va tout bouleverser. Un photon, venu frapper la zone de transition, suffit à arracher un électron à un atome de silicium, en y laissant un trou. Sous l'effet du champ électrique, cet électron s'en va du côté N, et le trou du côté P. Autrement dit, grâce à ce photon, un mouvement de charges électriques se produit, et un courant se manifeste à l'intérieur de la matière cristalline. La lumière crée de l'électricité. Théoriquement, le rendement — rapport de l'énergie électrique à l'énergie lumineuse incidente — peut atteindre 20 %. En pratique, on ne dépasse guère 10 %.

La photopile est née. Elle se présente sous forme d'un disque de 5 à 7 cm de diamètre. La couche inférieure, épaisse de 5,3 mm, est constituée de silicium du type P. Elle est surmontée d'une couche très fine — quelques dixièmes de micron — de silicium du type N. Sur sa surface est plaquée une grille métallique où circule le courant. Plusieurs photopiles connectées entre elles forment ainsi le « module de base BPX 47 A », seul appareil photovoltaïque fabriqué en France et commercialisé. Il s'agit d'une plaque carrée de 0,17 m², qui délivre une puissance de 11 W crête, lorsque l'ensoleillement est maximal et égal à 1 kW par mètre carré[1]. Cette plaque coûte 1 800 F

1. Autrement dit, un mètre carré de modules délivre 65 W crête. Théoriquement, un mètre carré de photopiles, recevant 1 kW de lumière, devrait fournir, avec un rendement de 10 %, 100 W

l'unité, et environ 1 300 F si l'on en achète une centaine. Et maintenant place aux usagers.

Essayons de mettre des photopiles sur un véhicule. Une automobile réclame au moins 36 kW : avec des panneaux de photopiles correspondant à cette puissance, elle ressemblerait à un avion ! Et si l'on se contente d'alimenter la batterie, ce n'est pas intéressant : les véhicules à essence le font facilement grâce à leurs restes d'énergie mécanique, pour un coût très faible. De ce côté-là, l'avenir est plutôt sombre pour les photopiles. A moins d'envisager des voitures électriques alimentées par des batteries : des photopiles étalées sur le toit d'un garage, dans un pays ensoleillé, assureraient une autonomie journalière d'une quarantaine de kilomètres.

Exceptionnellement, un grand voilier a pu être équipé de photopiles et de batteries. C'est d'ailleurs le Centre national d'études spatiales qui fut chargé de l'étude préalable. Mais les automatismes obtenus n'étaient qu'un petit complément à l'énergie du vent.

Mieux vaut, pour les photopiles, s'orienter vers les petits équipements domestiques, fixes ou portatifs. Par exemple, une télévision. Avec environ un mètre carré de panneaux solaires, pour un prix de 10 000 F, elle pourra fonctionner 4 heures par jour. Pour un réfrigérateur, il faut compter environ 7 m^2 — les dimensions du plafond d'une cuisine — et 70 000 F pour le faire fonctionner en toute autonomie. Allons jusqu'au bout : pour couvrir les besoins électriques de 4 personnes vivant dans une maison en France, il faudrait une trentaine de mètres carrés de panneaux solaires, une batterie au plomb, et environ 300 000 F d'investissement initial [1]. Les photopiles peuvent

---

crête. La différence obtenue est due au fait que le module n'est pas complètement recouvert par les photopiles, à cause de leur forme circulaire, et à la place tenue par les fils et les armatures.

1. Le calcul se décompose ainsi : une télévision de 36 W, ne fonctionnant que 4 heures par jour, réclame une puissance moyenne de $4 \times 36/24 = 6$ W.

De son côté, un mètre carré de modules solaires délivre 65 W crête. Comme l'ensoleillement maximal n'est réalisé que 1 000 heures par an sous nos latitudes, et 2 000 heures dans le grand Sud,

facilement s'intégrer à l'architecture, et trouver une place sur la toiture d'un pavillon.

Ces exemples, même approximatifs, sont révélateurs. Les cellules solaires font merveille dans les petites installations décentralisées qui demandent une autonomie en énergie, la télévision éducative notamment. Au Niger, l'ORTF a fait installer dans la brousse des cases d'écoute. La diffusion des programmes scolaires est retransmise par satellite. La scolarisation pour 10 000 ou 20 000 F, voilà après tout un bon slogan publicitaire pour les photopiles. La seule autre solution, dans ces villages de brousse, aurait été l'usage d'une pile classique, beaucoup plus chère, et vite détériorée en climat chaud et humide.

Dans la province du Caroni, au Venezuela, des « senseurs » météorologiques à photopiles préviennent les techniciens du barrage de Gouri des changements de temps et de l'arrivée des crues. Installés dans des lieux où l'on n'accède qu'en pirogue ou en hélicoptère, ils disposent d'une autonomie d'un an, ce qu'aucune autre source d'énergie ne permettrait.

Actuellement, des photopiles alimentent aussi des balises marines dans la Manche ou des radio-balises près des aéroports. En Arabie Saoudite, les sept pitons rocheux qui encerclent l'aéroport de Médine sont éclairés la nuit par des balises solaires, qu'il a fallu amener par hélicoptère. Citons encore l'alimentation de stations de faisceaux hertziens, de réémetteurs de télévision en région montagneuse. Bientôt les bornes de secours, le long des auto-

---

le module délivre une puissance continue moyenne de 7,5 à 14 W. En tenant compte des pertes de la batterie, et du fait que la température en pays chaud diminue un peu le rendement, mieux vaut se placer dans la gamme 6 à 10 W selon les régions. Dans ce cas, il faudra bien un mètre carré de panneau solaire pour une télévision.

Pour un réfrigérateur de 100 W, dont le moteur travaille à mi-temps — nous sommes déjà en pays chaud —, il faut fournir une moyenne de 50 W. Un panneau de 5 à 6 m² devrait suffire.

Une maison, en France, réclame environ 2 000 kWh par an pour ses équipements électriques, soit une puissance moyenne de 0,23 kW, ce qui impose environ 35 m² de panneaux solaires.

Station Aerosolec du CNET à La Turbie, combinant photopiles et éolienne. (Document Délégation aux énergies nouvelles.)

routes en Italie, auront leur énergie solaire. La première borne solaire expérimentale a été installée près de Marseille, avec son panneau de cellules au sommet.

De l'électricité produite sur place, sans moteur, pendant longtemps, 20 ans ou plus ; une batterie au plomb qui assure le stockage, sans devoir être vérifiée ou changée trop souvent : les photopiles semblent pouvoir rivaliser avec les réseaux électriques classiques. On imagine des pays neufs évitant de se couvrir de la toile d'araignée des connexions électriques, mais où chaque installation fabriquerait elle-même son électricité. Utopie ? Tout, ici, est une question de prix. Dans les pays industrialisés, le prix du watt provenant d'une centrale thermique est de 1 F. L'électricité solaire coûte pour le moment cent cinquante fois plus cher [1].

1. Avec des nuances, cependant. L'électricité concentrée, à la sortie d'une grande centrale, n'a rien de commun avec l'électricité distribuée au terme d'une série de ramifications. Au prix de 40 000 F le kilomètre de ligne, le raccordement au réseau augmente

Rien n'impose cependant de se cantonner dans des applications très spéciales, en nombre limité. On entrevoit un vaste marché, celui de tous les appareils portatifs de grande diffusion : postes de radio, magnétophones, montres digitales, matériel de camping (des photopiles pour le caravaning), calculatrices de poche (la *Solar One* est commercialisée depuis 1977), signaux de chantier... Là encore, on bute sur les prix. Certes, les photopiles ont un prix d'achat initial plus élevé que celui des piles classiques. Mais elles n'ont pas à être renouvelées. Au bout du compte, on y gagne largement. L'acheteur éventuel sera-t-il sensible à ce type d'argument ? Il ne le fut visiblement pas en ce qui concerne les radios à accus rechargeables sur le secteur ; ces derniers coûtent finalement moins cher que les piles, et sont pourtant moins usités. La question de la place n'est pas non plus négligeable. Alors il faut attendre, et sonder le futur.

L'avenir des photopiles

Les prévisions américaines ou françaises sont stupéfiantes. Les prix des photopiles vont être divisés par cinq ou dix, d'ici 5 ou 10 ans, annonce M. Durand. Actuellement, le watt crête coûte 150 F en France et 100 F aux USA : il devrait être inférieur à 50 F en 1980. Les Américains font des prévisions encore plus étonnantes. Ils ont produit en 1976 un lot de photopiles équivalant à 100 kW, pour 100 F le watt. Ils annoncent sans sourciller une production de 500 MW en 1986, c'est-à-dire cinq mille fois plus dans 10 ans, à un prix divisé par 40 : 2,5 F le watt. Et en l'an 2000, ils pensent atteindre 50 000 MW à un prix de

singulièrement le coût moyen de 1 F le watt. Grâce à leur dispersion possible, les photopiles deviennent intéressantes, même pour EDF, dans tous les secteurs éloignés. Ceux-ci, rares en France, sont au contraire majoritaires dans les pays du tiers monde. Déjà, nous l'avons vu, les photopiles concurrencent le moteur Diesel, pour les petites puissances de quelques kilowatts.

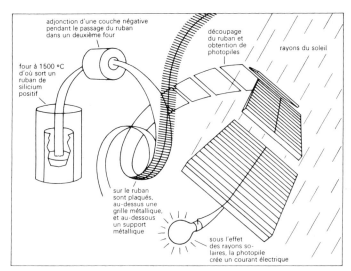

four à 1500 °C d'où sort un ruban de silicium positif

adjonction d'une couche négative pendant le passage du ruban dans un deuxième four

découpage du ruban et obtention de photopiles

rayons du soleil

sur le ruban sont plaqués, au-dessus une grille métallique, et au-dessous un support métallique

sous l'effet des rayons solaires, la photopile crée un courant électrique

Projet américain de machine fabriquant des rubans de photopiles. (D'après un dessin de W. H. Bond, document National Geographic.)

1 F le watt : une électricité qui viendrait concurrencer celle que fournissent les grandes centrales.

Ces extrapolations hardies, à mi-chemin entre la publicité et le calcul scientifique, visent avant tout l'effet psychologique. La prudence invite à invoquer des seuils critiques. Actuellement, le seul prix du silicium ultra-pur entrant dans la composition de la photopile est de 25 F le watt. Avec la production mondiale actuelle, on ne pourrait guère dépasser l'équivalent de 100 ou 200 MW. Mais tous les experts annoncent que la fabrication en grande série des photopiles diminuera le prix du silicium, et que la diminution de leur épaisseur réduira la consommation de silicium ultra-pur. De plus, d'autres matériaux que le silicium sont à l'étude, notamment les composés CdS Cu_2S...

Vers 1985, les photopiles seront peut-être étendues sur les murs comme une tapisserie. Aux Etats-Unis, la firme Mobil Tyco Solar Energy Corporation expérimente actuel-

lement une machine qui produit un long ruban de silicium.
Au lieu de faire grossir un cristal pour le découper et le
polir ensuite, ce qui cause de lourdes pertes, on obtient un
ruban qui a déjà l'épaisseur et la largeur désirées. Bientôt,
on saura fabriquer plusieurs rubans à la fois dans le même
appareil. Et on arrivera enfin à fabriquer des photopiles en
ruban en une seule étape : sur le ruban de silicum viendra
s'appliquer un autre ruban, celui des armatures métalliques.

Comme toujours, lorsqu'on fait des rêves sans grandes
assurances sur l'avenir, on invoque le shah d'Iran. Nous
allons lui fournir deux stations de pompage, annoncent
triomphalement les Français. Un architecte étudie le plan
d'une station solaire intégrée dans un centre nucléaire. En
même temps, la firme américaine Spectrolab, à Los Angeles,
annonce qu'elle étudie pour l'Iran un vaste programme de
fourniture d'électricité par photopiles : 70 000 villages
reculés disposeraient ainsi de pompes, de réfrigérateurs et
de télévisions scolaires — alimentées par un satellite que
payerait le shah.

D'hypothétiques contrats fabuleux ne doivent cependant
pas faire oublier un précédent : celui des transistors, qui
ont vu en une vingtaine d'années leur prix divisé par 100,
leur production multipliée par 100 000, et leurs circuits
miniaturisés. Rien ne permet de dire si les photopiles
connaîtront le même sort que les transistors. Si fin soit-il,
le rouleau de papier peint à photopiles aura besoin d'une
lourde batterie d'accumulateurs — toujours le problème
du stockage. Mais il pourra se poser partout, dans les pays
du soleil comme dans les pays tempérés. Car la photopile
fait preuve d'une grande sensibilité à la lumière diffuse, et
la fraîcheur du climat stimule son rendement [1]. Même le
pôle Nord, avec son soleil de minuit, attend les petits
ronds noirs qui viendront égayer le toit des igloos. Tandis que sur l'eau, entre l'Alaska et la mer du Nord, des
plates-formes hérissées d'échafaudages métalliques éten-
dront leurs panneaux solaires vers le ciel, tout en servant
à puiser le pétrole sous la mer.

1. Une cellule solaire délivre 20 % de puissance de plus à 20° C
qu'à 70° C. D'où l'intérêt des panneaux disposés à l'air libre et
soumis à une certaine aération qui les rafraîchit.

2. Les centrales solaires

Les colonies de l'espace

Fabriquer des soleils artificiels, en plaçant de grands miroirs en orbite autour de la Terre... Sans doute fallait-il l'imagination d'un Américain, Peter E. Glaser, pour envisager cette solution finale à la crise de l'énergie. Les miroirs, judicieusement orientés, renverraient les rayons solaires vers une région précise de la Terre, où la nuit n'existerait presque plus et où la chaleur serait intense — lieu idéal pour l'implantation de centrales électriques. Mais la lumière devrait traverser le rideau des nuages et de l'atmosphère, au risque de pertes multiples. Aussi Peter Glaser, directeur de recherches de la firme Arthur D. Little, a-t-il dû raffiner sa première idée.

Mieux vaut, s'est-il dit, placer en orbite une centrale solaire au complet. L'électricité sera fabriquée dans l'espace, grâce au Soleil, puis envoyée sur terre par un moyen capable de se jouer des obstacles. Projet futuriste, annoncé pour 1990, qui témoigne d'une inspiration fertile, et d'un concours de circonstances plus terre à terre. Les premières études datent en effet de 1971 : elles envisagent déjà des substituts du pétrole. Comme si l'univers fantasmagorique dessiné alors était destiné à exorciser avant l'heure les démons de la guerre du pétrole, qui ne fut pas une surprise pour tout le monde.

Ainsi sont nés d'étranges papillons cosmiques. Deux ailes de 5 km de long, tapissées de photopiles scintillantes, planent dans l'espace, à 36 000 km de la Terre. Sur cette orbite, dite géostationnaire, le papillon reste constamment au-dessus d'un point fixe de la Terre. Des flots de

Projet américain de centrale solaire dans l'espace. (Document Boeing Aerospace Company.)

lumière illuminent les 50 km² de photopiles [1], 24 heures sur 24. Ou presque : elles ne sont à l'ombre que pendant les courtes éclipses du Soleil par la Terre. On récupère ainsi une puissance continue de 1,4 kW par mètre carré, soit dix fois plus d'énergie que sur terre, à surface égale. L'espace ne connaît en effet ni la nuit, ni les nuages, ni le voile de l'atmosphère.

Puis il faut rapatrier les 5 000 MW d'électricité produits. Une transmission par rayon laser est dangereuse. Mieux vaut convertir l'électricité en micro-ondes. Sur le papillon,

1. Outre ce projet à photopiles, il existe un projet thermodynamique. Il faudrait alors satelliser des turbines, dont la source froide, dans les conditions du cosmos, serait déjà à 300 ou 400° C ! Sinon, le principe est identique à celui des centrales solaires à tour que nous étudions plus loin. Une centrale thermodynamique pèserait deux fois plus qu'une centrale à photopiles, mais son rendement serait meilleur (40 % au lieu de 15 %).

une antenne d'un kilomètre de diamètre, constamment pointée vers un point de la Terre, lui envoie un faisceau de micro-ondes qui traverse l'espace avec de faibles pertes. A son arrivée sur terre, il est capté par une antenne de 7 km de diamètre, car il s'est progressivement élargi sur sa route. A condition de bien viser ! Si par accident la flèche d'énergie tombait à côté de sa cible, une sécurité agissant sur le déphasage des ondes l'interromprait aussitôt. On s'arrange aussi pour diluer suffisamment le rayon d'énergie, afin qu'il ne grille pas tout ce qu'il traverse. Quant au papillon géant, il devra être stabilisé par des rétro-fusées, pour supporter sans bouger l'effet de recul du canon à micro-ondes.

Il reste à convertir ces micro-ondes venues du cosmos en vulgaire courant électrique. D'où ce piquant dialogue enregistré au Sénat américain qui débattait, en 1973 déjà, de ce projet : « C'est vraiment du courant ordinaire ? — Mais oui », répondit Glaser. Ce jour-là, le sénateur Goldwater lui-même avouait « être dans les nuages ».

Peter Glaser a baptisé son invention le SSPS *(Solar Satellite Power Station)*. Pour envoyer dans l'espace ce mastodonte de 12 000 tonnes, il faudra cinq cents vols de navettes spatiales, jusqu'à une orbite à basse altitude. C'est là que l'assemblage sera réalisé, sur un chantier de l'espace fourmillant de robots téléguidés et d'ouvriers munis de télémanipulateurs. Puis, un cargo de l'espace montera l'assemblage jusqu'à l'orbite géostationnaire définitive, où le papillon prendra place parmi ses congénères nains comme Intelsat (satellite de communications), Météosat, Marisat... Avec quelques centaines de satellites SSPS, toute l'énergie dont la planète a besoin pourrait être fournie pour un prix modique, d'après Glaser.

Gerard O'Neill, de l'université de Princeton, surenchérit en imaginant une colonie de l'espace vivant sur une planète artificielle, située entre la Terre et la Lune, au point de Lagrange, là où leurs attractions s'équilibrent. Ce Sarcelles en orbite s'appellera Lagrangea. Il aura la forme d'un long cylindre de 30 km de long, tapissé de parapluies-miroirs qui s'ouvriront ou se fermeront selon les besoins en énergie solaire, ou pour simuler le jour et la nuit. Des dizaines de milliers de personnes vivront là en permanence. La construction de Lagrangea réclamera, elle aussi, un gigantesque pont spatial de fusées-navettes. Grande nouveauté : pour faire des économies, on utilisera des matières premières provenant de la Lune, sur laquelle se trouveront des usines de métallurgie capables de fabriquer de l'aluminium ou de l'acier 100 % lunaire. A partir de Lagrangea, il sera alors beaucoup plus facile de construire les SSPS. Gerard O'Neill estime qu'un premier projet coûterait seulement quatre fois plus que le projet Apollo, et qu'il délivrerait une électricité quatre fois moins chère que celle fabriquée sur terre. Et de conclure :

> Le marché américain pouvant atteindre 100 milliards de dollars par an pour la construction de centrales électriques satellisées, tout cela milite en faveur des colonies de l'espace. Cela signifie que nous deviendrons une civilisation différente [1].

Une civilisation qu'O'Neill appelle de ses vœux pour l'horizon 2074. Alors, la majorité des humains habiteront dans l'espace, disposant à satiété d'une énergie solaire propre, ayant toute liberté de voyager dans les grands espaces du cosmos. Sans hommes, la Terre deviendra un « gigantesque parc, retrouvant peu à peu les couleurs qu'elle avait perdues pendant la civilisation industrielle ». Les taxis de l'espace y amèneront leurs cargaisons de vacanciers... C'est ainsi que Gerard O'Neill imagine le stade suprême de l'écologie.

Après ce voyage dans le ciel, il est réconfortant de redescendre sur terre, et de se pencher sur le minuscule.

---

1. Cf. *National Geographic,* mars 1976, interview réalisée par J. Wilhelm.

Projet Archimède

Juin 1976. Dans la petite cour de l'école des Beaux-Arts à Paris, une machine bizarre tourne en crachant des jets de vapeur. Tout autour, 12 miroirs plans, régulièrement manœuvrés à la main, concentrent le feu solaire sur la surface d'une chaudière. Les douze soleils ainsi superposés font bouillir, en une vingtaine de minutes, 30 litres d'eau, puis portent sa température à 250° C. La vapeur d'eau formée actionne par sa pression un petit moteur avant de gicler à l'air libre. On trouve là, grossièrement reproduit, le principe de toute centrale solaire.

Les promoteurs de cette machine — étudiants ou professionnels de l'architecture, comme Marie et Georges Alexandroff — ont ainsi voulu fêter le centenaire des inventions d'A. Mouchot, professeur de physique au collège de Tours. Ce premier « fou du Soleil » avait notamment installé un grand réflecteur de forme tronconique au Trocadéro, pendant l'Exposition universelle de 1878. L'appareil portait en son foyer une chaudière tubulaire en fer, dont l'énergie servait à faire marcher une petite imprimerie, pour la plus grande joie des visiteurs.

En 1976, les émules de Mouchot n'ont pas pu installer, comme ils l'auraient voulu, leur petite machine dans le jardin des Tuileries. Les organismes officiels, après s'être intéressés au projet initial, se sont prudemment retirés.

« C'est un projet Archimède », note l'architecte Alexandroff, évoquant le génial bricoleur antique qui, avec quelques centaines de boucliers-miroirs tenus par des soldats, incendia la flotte romaine assiégeant Syracuse. Aujourd'hui, ses héritiers rêvent aux multiples applications possibles dans les pays en voie de développement. Avec ses 20 m² de miroirs orientables, la micro-centrale des Beaux-Arts, légèrement améliorée, devrait dégager une puissance d'un kilowatt. Son prix atteindrait 10 000 F, équitablement partagés entre les orienteurs, la chaudière, le moteur. Une seule contrainte : la manipulation manuelle des miroirs. On peut aussi imaginer des modèles plus grands, de 50 ou 100 kW. Il suffirait de 3 ouvriers pour orienter tous les quarts d'heure la centaine de miroirs, en les époussetant au passage d'un coup de plumeau. En cas extrême de tempête, les miroirs seraient aussitôt allongés sur le sol. Techniques rustiques, assurément, mais qui, d'après G. Alexandroff, résoudraient « le problème majeur des pays du tiers monde, celui du pilotage des installations. Ici, le pilotage serait manuel ».

La micro-centrale ne remet pas pour autant en cause les grands projets de centrales solaires. En effet, pourquoi ne pas mobiliser aussi le Soleil pour produire quelques mégawatts électriques ? De tels projets ne sont rien en comparaison de leurs équivalents nucléaires, qui jonglent avec les milliers de mégawatts.

Petits et grands projets répondent aux mêmes principes et subissent la même fatalité : seul le rayonnement direct du soleil les met en marche. La machine des Beaux-Arts manifeste bien ce caractère fantasque : ardente par ciel clair et bleu, elle donne des signes de fatigue, même sous la canicule, dès que le ciel s'embrume. Mais l'atmosphère change singulièrement, lorsqu'on passe de la micro-centrale ayant pignon sur rue, quoique discret, à la grande centrale dessinée par le CNRS dans le plus grand secret, avec cependant une vaste publicité à l'appui.

Dans les couloirs du CNRS, on se croirait en plein « projet Apollo ». Le laboratoire d'Odeillo a fermé son four aux visiteurs. Les calculs sont faits... dans l'ombre. Mais la réalité n'est peut-être pas à la hauteur du mystère : le projet initial du CNRS s'est « dégonflé » en quelques années, passant de 25 MWé à quelques MWé [1]. Quant à la technologie, elle relève avant tout des astuces de l'optique et de la thermique classiques.

---

1. Il s'agit de mégawatts crête, mesurant la puissance du courant électrique. A ne pas confondre avec les mégawatts thermiques (MWth). Par exemple une centrale électrique ayant un rendement de 30 % demande une puissance calorifique de 3 MWth pour fournir 1 MWé (cf. p. 37).

La centrale à tour

Voici donc le monstre sacré : la centrale à tour, prête à délivrer sa provision de mégawatts électriques. Sur le sol s'étale un champ de miroirs géométriquement disposés autour d'une tour centrale, à l'intérieur d'un angle de 120° pour le projet français, ou circulairement dans le projet américain Honeywell. La batterie de miroirs suit le Soleil à la trace et renvoie ses rayons au sommet de la tour. Là se trouve la chaudière, tapissée intérieurement d'un assemblage de tuyaux où un fluide circule. Celui-ci est porté à une température de 300 à 500° C et entraîne une turbine située au bas de la tour. Un alternateur, couplé à la turbine, n'a plus qu'à fabriquer le courant électrique.

Plusieurs projets sont à l'étude. Aux Etats-Unis, la centrale projetée par la société Martin Marrietta Aerospace sera installée dans le Sud-Ouest, et fournira 10 MWé (crête) dès 1981. Elle comptera 1 700 miroirs placés devant une tour de 130 m de haut. Entre-temps, une centrale de 1,5 MWé est installée dans les Laboratoires Sandia d'Albuquerque, au Nouveau-Mexique. Terminée en 1978, elle doit servir à tester les composants des futures grandes centrales : un arrangement variable — circulaire ou angulaire — des 300 miroirs portera la température du fluide à 540° C au sommet de la tour de 70 m. Quant au projet initial du CNRS français, il devait fournir 25 MWé (crête) ou 5 MWé (continus) grâce à 3 000 miroirs occupant une trentaine d'hectares au sol, équivalant à un carré de 530 m de côté.

La conception d'ensemble est simple et connue. Elle s'apparente à celle de toute centrale électrique. Remplacez le fuel brûlé dans une centrale thermique traditionnelle par des rayons de soleil concentrés, et vous aurez une centrale solaire. Est-ce à dire que sa seule originalité réside dans le champ de miroirs ?

En fait, le changement du fuel en soleil n'est pas si simple. L'un est une fourniture continue et maîtrisable. L'autre est une énergie intermittente et soumise au hasard,

Centrale solaire à tour, projet Them. (Document CNRS, dessin Alexandroff.)

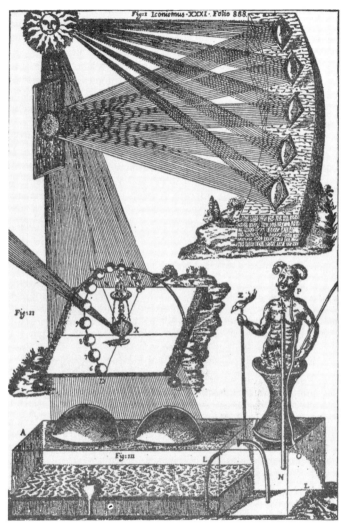

Statue magique, tirée de l'*Ars magna* de Kircher en 1645. Préfiguration des centrales solaires, avec la magie en plus... (Publié dans *Théories et Histoire de l'architecture,* par Manfredo Tafuri, éditions SADG.)

d'autant plus que les miroirs ne profitent guère de la lumière diffuse pour atténuer les à-coups des passages nuageux. L'adjonction d'une énergie nouvelle à des installations classiques impose donc des contraintes. La chaudière devra maintenant supporter des chocs thermiques. Et, en bout de chaîne, il faudra ajouter un stockage thermique, susceptible de tempérer les variations d'ombre et de lumière et d'assurer un fonctionnement plus harmonieux de la turbine.

Dès lors, les influences mutuelles des diverses parties de la centrale font intervenir une foule de paramètres. Les difficultés commencent avec le champ de miroirs.

Les miroirs orienteurs

Tout comme les spectateurs dans une salle de cinéma, les miroirs d'une centrale solaire ne souffrent pas de se faire de l'ombre, ou de voir leur champ de vision obstrué. Une tour élevée est nécessaire à la bonne vision d'ensemble. Plus la tour est haute, plus les miroirs peuvent être rapprochés, ce qui facilite aussi le pointage vers la chaudière au sommet. Dans certaines limites du moins : une tour trop haute devient vite un handicap, en termes de prix notamment.

La bonne hauteur se situe autour de 100 m. Au-delà, mieux vaut implanter deux centrales côte à côte plutôt qu'une seule. Les projets prévoyant une tour de 450 m et des miroirs dispersés sur 2 km se sont avérés impraticables.

Déjà, avec un miroir de 5 m sur 10, disposé à 500 m de la tour, le faisceau lumineux envoyé sur la chaudière couvre environ 10 m sur 10, ce qui impose à celle-ci des dimensions appréciables. Nouvelle astuce : cintrer légèrement les miroirs pour leur donner un pouvoir concentrateur, ce qui permet de diminuer la taille de la chaudière.

Ajoutons enfin l'influence du vent, qui perturbe le pointage en faisant osciller la tour — on peut cependant tolérer une vingtaine de centimètres. Pour les ingénieurs, le guidage des miroirs orienteurs devient vite un casse-tête.

Inutile d'essayer d'étendre le système d'Odeillo. On

avait cru un peu trop vite qu'il suffisait d'en conserver les miroirs, et de mettre une chaudière à la place du four, pour obtenir la centrale solaire modèle. Mais si l'on accepte à Odeillo une panne quotidienne de l'un des 63 miroirs, la même tolérance est impossible avec 1 000 miroirs. Sans compter les pannes de soleil, pendant lesquelles les miroirs d'Odeillo « décrochent » : il faut ensuite les remettre soi-même approximativement en position, avant qu'intervienne automatiquement la lunette de recherche, et enfin la lunette de guidage.

Les orienteurs des centrales solaires devront, eux, suivre le mouvement du Soleil par tous les temps. Souplesse d'une conduite centralisée, robustesse des mécanismes automatiques : tout cela coûte très cher. Et comment fera-t-on dans les pays où l'on veut exporter la centrale ? Dans les régions balayées par les vents de sable et les vents marins corrosifs, peut-être faudra-t-il enfermer chaque miroir dans un cockpit.

Sans doute les prix seront-ils loin de ce que prévoyait avec optimisme le CNRS en 1974 : 100 à 200 F par mètre carré, en production de série. Aujourd'hui, c'est tout juste le prix du verre. Même la peinture anticorrosion des supports pèsera lourd dans la facture. En 1977, le prix annoncé est de 1 000 F par mètre carré pour les premiers modèles.

En revanche, la superficie des centrales solaires n'est pas un inconvénient majeur. Le tapis de miroirs couvre beaucoup plus de place qu'une centrale nucléaire, mais beaucoup moins que la retenue d'eau d'une centrale hydro-électrique. Le prix du terrain intervient très peu dans le coût total. Il reste à trouver un site favorable : il n'en manque pas dans le Sud de la France. Une région vallonnée fera particulièrement bien l'affaire, avec un terrain en pente d'un côté pour les miroirs et un fort talus de l'autre, sur lequel serait perchée la chaudière. Des chercheurs américains ont même envisagé de placer les miroirs sur le talus d'un barrage en terre, combinant ainsi l'eau et le soleil pour produire l'électricité.

Le « tout-solaire » n'a rien d'impossible à l'échelle d'un pays : des centrales solaires fournissant à la **France**

toute son électricité couvriraient environ 0,4 % du territoire [1]. En comparaison, la vigne en occupe 2,5 %. Ou
encore, la production d'électricité demanderait 40 m² par
habitant, tandis que celle des cultures vivrières exige
1 000 m².

Peu de place, mais une main-d'œuvre relativement
importante. En supposant seulement une heure de travail
par an sur chaque miroir, on arrive à 15 millions d'heures
de travail. 7 500 personnes seraient employées uniquement
à l'entretien, dans cette perspective du tout-solaire. Or, les
effectifs globaux, toutes catégories, des centrales thermiques et hydrauliques sont actuellement de 15 000 personnes seulement. Des responsables d'EDF voient dans la
reconversion solaire un risque de régression. Jusqu'à présent, en effet, l'essor de l'automatisation avait permis de
fournir plus de kilowatts-heures avec moins de travail.

La chaudière

Nouvel obstacle : la chaudière. Les performances des
miroirs ont déjà fixé sa dimension. Il reste à améliorer
son rendement en la faisant travailler à une température
élevée. Les pièces métalliques risquent alors de souffrir
des fortes variations de température.

Des astuces s'imposent. Dans le projet américain éla-
boré par la firme Martin Marrietta, la chaudière a la

---

1. Le calcul est simple. Un héliostat de 50 m², à raison d'un
apport solaire de 0,8 kW par mètre carré, délivre 40 kW en période
d'ensoleillement. C'est la puissance dite de crête. Cette énergie
thermique est convertie par la centrale en électricité, avec un
rendement de 20 %. Il en ressort 8 kWé (crête). Cela se produit
pendant les 1 800 heures d'ensoleillement annuel. Soit une énergie
annuelle de 14 000 kWh. La puissance correspondante, ramenée à
la moyenne annuelle, est de 1,6 kWé (en continu). Or la consommation française d'électricité s'élève actuellement à 200.10⁹ kWh.
Pour couvrir cette demande, il faudrait environ 15 millions d'hélio-
stats. Nous admettons qu'un héliostat couvre au sol le double, voire
le triple de sa surface, soit 100 à 150 m². Les centrales solaires
qui alimenteraient toute la France en électricité couvriraient donc
2 000 km², soit 0,4 % du territoire national.

forme d'une bouteille d'encre. Le faisceau lumineux, très concentré, s'engouffre dans le trou de la chaudière [1]. Autour de l'entrée, des réflecteurs évasés viennent traquer les rayons marginaux pour les remettre dans le droit chemin. Ils attirent aussi dans leur piège des milliers d'insectes qui viennent s'y griller. A l'intérieur, tout est fait au contraire pour déconcentrer le rayonnement, afin que toutes les parois de la chaudière soient plus ou moins « tartinées » par la chaleur solaire. Chaque facette a sa spécialité. Les plus éloignées du rayonnement direct servent au préchauffage du fluide dans les tuyaux. Les plus exposées servent à la surchauffe — destinée à sécher complètement la vapeur qui part vers la turbine, évitant ainsi de la soumettre au mitraillage des gouttelettes d'eau. Tout le reste se passe sur les facettes intermédiaires, qui supportent les multiples tuyaux du bouilleur.

La turbine

La vapeur débouche enfin dans la dernière partie de la centrale, avec son turbo-alternateur, son condenseur, son stockage. Pour la turbine, l'expérience montre qu'un grand modèle vaut mieux que plusieurs petits. Les problèmes de frottements, de joints, de fuites, diminuent d'autant. Les Américains en ont tiré une leçon pour leur future centrale de 100 MW : dix centrales de 10 MW seront juxtaposées sur le sol, mais n'actionneront qu'une seule turbine.

Voilà qui remet en cause les principes établis. On croyait les centrales solaires insensibles à toute économie d'échelle, s'accommodant de la dispersion des installations, à l'image même de l'éparpillement de l'énergie solaire. Les contingences de la turbine donnent soudain un avantage aux

---

1. Comparé aux dimensions de la chaudière, le trou doit être petit, pour éviter les pertes. On peut encore diminuer les pertes en disposant à l'entrée une structure en nid d'abeilles, véritable piège qui empêche une réémission de chaleur vers l'extérieur. Ainsi fonctionne la petite centrale du Pr Francia, en Italie.

grandes centrales. Dans certaines limites, car un autre facteur vient imposer des compromis : le transport de l'électricité, qui joue en faveur de la dispersion des installations — ne serait-ce que pour limiter les pertes. Enfin, une contrainte géographique intervient : en France, la nécessité d'un bon ensoleillement impose de loger toutes les centrales dans la région méditerranéenne.

La turbine se trouve alors soumise à la rude épreuve des caprices du soleil, là où une centrale électrique classique tournerait sans interruption, quelles que soient les variations de charge. Une régulation s'impose : le stockage de la chaleur fera tampon entre la chaudière et la turbine, tel un barrage régularisant les crues d'une rivière.

La chaudière est alors irriguée par un thermofluide (eau pressurisée, fluide organique, ou même sodium fondu) qui reste liquide aux températures mises en jeu. Puis ce fluide va remplir un réservoir qui emmagasine sa chaleur. Le CNRS envisage, pour une centrale de 10 MWé (crête), un réservoir de 1 000 à 2 000 m³, permettant un stockage nébulaire de quelques heures — le temps que passent les nuages —, à défaut d'un stockage journalier, pour le moins illusoire dans l'immédiat.

Ce magasin de chaleur fait à son tour office de chaudière pour le circuit de vapeur d'eau sous pression qui s'en va actionner les pales de la turbine [1]. Disposant ainsi d'une source chaude relativement stable, il reste à trouver une source froide. Comme il n'est pas question de laisser se perdre à l'air libre les flots de vapeur chaude éjectés par la turbine, on s'en remet à la solution classique du circuit fermé et du condenseur à la sortie de la turbine : les canalisations d'eau chaude seront refroidies par un fleuve ou par la mer. On étudie aussi des systèmes de refroidissement par l'air ambiant, dans de vastes tours de réfrigération où la vapeur puisse se condenser. L'intérêt

1. Ce système utilise donc deux fluides, l'un caloporteur, l'autre gazeux, pour la turbine. Le préchauffage et le surchauffage se font alors dans le circuit secondaire, et non dans la chaudière, comme dans la version américaine Martin Marrietta. Dans ce dernier cas, un seul fluide est utilisé et doit être stocké sous forme de vapeur.

d'une telle méthode est évident, pour qui imagine déjà les merveilleuses centrales solaires fonctionnant doucement au fin fond des déserts... à bonne distance de tout point d'eau.

Objectif 1981, pour la centrale Them

Telle est donc la centrale à tour, fer de lance de la technologie solaire ; elle n'est plus un rêve hypothétique, mais pas encore une réalité concrète.

En 1974, lorsque le CNRS commence son étude, il s'agit d'un projet de 25 MWé, coûtant 40 millions de francs. Début 1976, le projet est réduit à 10 MWé, mais le prix atteint 80 millions. Milieu 1976 : on annonce un prix de 130 millions, dont 50 millions pour les miroirs. Et peut-être est-ce encore loin du compte... Les principaux délais sont maintenus : les études sont terminées en 1977, puis vient l'appel d'offres de la réalisation. La centrale de 10 MWé (crête), avec ses 1 250 miroirs, sa chaudière à 300° C, et son stockage nébulaire, fonctionnera-t-elle en 1980 ? En juin 1976, une nouvelle étape est soudain rajoutée : une centrale moyenne, dénommée Them 1 A, précédera la grande Them 2 [1]. Sa puissance : 3 MWé environ. Le projet final est retardé d'une année. En attendant, un prototype de miroir orienteur est testé au cours de l'année 1977. Et l'on envisage d'installer la centrale à Targassonne, dans le sud de la France.

Les prévisions scientifiques ont été, c'est le moins qu'on puisse dire, réajustées. Bon gré mal gré, on s'apprête maintenant à résoudre progressivement les derniers problèmes, en partant de la centrale moyenne Them 1 A.

Modeste début : le laboratoire d'Odeillo, après avoir testé la chaudière du projet américain Martin Marrietta, a construit fin 1976 une mini-centrale d'une cinquantaine de kilowatts. Cette installation, qui utilise les miroirs existants, a surtout pour but d'essayer des modèles réduits de chaudière et d'appareil de stockage.

---

1. Centrale Them : centrale thermo-hélio-électrique mégawatt.

3. Les centrales de moyenne puissance

Des tapis de capteurs plans pour les petites stations solaires de quelques dizaines de kilowatts. Des centrales à tour pour les grandes puissances, au-delà du mégawatt électrique. Le partage entre les deux procédés semble net. Il reste à explorer toute la gamme intermédiaire, située entre 100 et 1 000 kilowatts, et susceptible d'assurer l'autonomie énergétique à de gros villages.

C'est là encore tout un marché qui s'ouvre. On pense aux villages des plateaux d'Iran qui n'attendent que leur centrale de 500 kW. Pour l'Egypte, c'est un peu plus délicat, du moins le long du Nil, déjà bordé de deux grandes lignes électriques haute tension. Quant à la Côte-d'Ivoire, mieux vaut ne pas trop y songer pour une centrale à miroirs, à cause des brumes équatoriales. Mais les sites privilégiés sont innombrables de par le monde. D'où toute une floraison de projets...

D'abord on peut agrandir le tapis des capteurs plans, dans certaines limites cependant. Ou encore user d'artifices divers. Par exemple, un projet étudié par le CEA réalise une légère concentration du rayonnement solaire. Des calculs poussés sont faits sur ordinateur... mais le même modèle était déjà expérimenté en 1912 par M. Shuman à Philadelphie, avant d'être récemment mis en œuvre, le plus simplement du monde, sur les « gouttières solaires » installées en Afrique à côté des pompes Sofretes.

Inversement, on peut miniaturiser le système de la centrale à tour. C'est alors le projet mini-Them français, qui profite de l'acquis technique obtenu par la grande centrale Them. Les miroirs orienteurs seraient d'ailleurs identiques. Tentative analogue aux Etats-Unis : depuis avril 1977 fonctionne, à l'Institut de technologie d'Atlanta,

Petite centrale à tour d'Atlanta (400 kWth). (Document de l'Institut de technologie de Georgie.)

une petite centrale à tour de 400 kWth. Celle-ci, inspirée du modèle italien du Pr Francia, est équipée de 500 petits miroirs circulaires, et chauffe la vapeur d'eau jusqu'à 600° C dans la chaudière. Réalisation qui illustre l'avance déjà prise par les Etats-Unis dans le domaine du solaire.

Des systèmes nouveaux font encore leur apparition, usant d'une concentration moyenne de la lumière, grâce à des miroirs courbes. La courbe de référence est alors la parabole. On retrouve les capteurs cylindro-paraboliques tournants, tels que ceux montés à Méadi par M. Shuman en 1914. En France, c'est la société Bertin qui les remet au goût du jour dans un de ses projets. Le Laboratoire d'héliotechnique de Marseille collabore à l'expérience : il a réalisé un appareil formé de 7 miroirs courbes de 8 m sur 1 ; la chaudière, équipée d'un turbo-alternateur, produit environ 5 kWé. Précisons que les miroirs cylindro-paraboliques permettent de concentrer la lumière de vingt à cinquante fois.

Ailleurs, on imagine des « auges solaires ». Cette fois, les capteurs cylindro-paraboliques sont fixes, et le tube mobile : procédé mis en œuvre par le Dr Charles Backus à l'université d'Arizona et par le CEA en France.

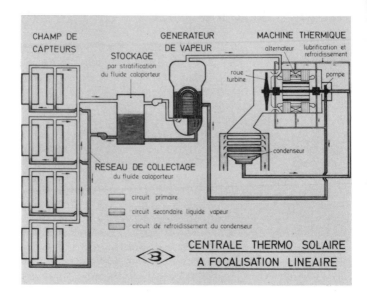

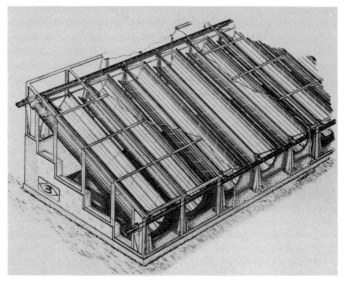

Capteur à miroirs cylindro-paraboliques. (Document société Bertin.)

Cuvette solaire, projet Thek français. (Document CNRS.)

Autre variante : un ensemble de « conques », avec une petite chaudière au foyer de chacune. C'est un projet Thek à l'étude en France[1]. Ajoutons-y une découverte expérimentée par la firme Lockheed aux Etats-Unis : l'héliotrope thermique. Le capteur est alors accroché au bout d'une grosse tige et suit la course du Soleil comme la corolle d'une fleur. Par divers effets de dilatation thermique des métaux constitutifs, la tige se tord automatiquement, et le capteur se présente toujours face au Soleil.

Dernière nouveauté : la « cuvette solaire », formée d'un grand miroir sphérique, surmonté d'une tige pendulaire accrochée à son centre. Cette tige pivote de façon à

1. Outre EDF et le CNRS, il faut citer le groupe industriel Cethel, association pour la construction de centrales thermo-hélioélectriques, qui regroupe Fives-Cail-Babcock, Heurtey, Saint-Gobain-Pont-à-Mousson, Seri-Renault. Ces divers organismes sont chargés du grand projet Them, aujourd'hui appelé Thémis, et de projets Thek, à l'échelle non plus de mégawatt, mais de kilowatts.

rester dans la ligne du soleil. Les rayons de soleil convergent alors, après réflexion, le long de sa partie inférieure. Une visière périphérique et coulissante est là pour capter un supplément de lumière quand le Soleil n'est plus au zénith. Plus simplement, on peut alors imaginer des cuvettes creusées dans le sol et tapissées d'une substance réfléchissante. Ou de grandes coupoles renversées appuyées en leur pourtour sur une haie de grands immeubles d'habitation.

Parmi cette multitude d'appareils, la Délégation aux énergies nouvelles française a accordé sa préférence, en décembre 1976, à deux types de projets : la mini-Them proposée par le groupe Cethel, et les systèmes cylindro-paraboliques proposés par le CEA et la société Bertin.

Cette décision indique bien l'état de la situation. Aucune filière solaire n'a encore manifesté de supériorité indiscutable. De nouvelles voies sont ouvertes. Le champ des recherches s'élargit, donnant du travail à des laboratoires divers. De plus en plus de moyens financiers, une émulation générale mais, comme aucune option définitive n'est prise, cela gêne les entreprises solaires qui n'attendent que de commercialiser largement leurs produits. Les maisons solaires à eau d'EDF font déjà concurrence à celles qui utilisent le système Trombe. La promotion des petites centrales à tour dérange l'essor de la société Sofretes...

Et un nouveau venu se profile déjà, qui peut encore tout changer demain : la centrale à photopiles, dans le domaine des grandes et moyennes puissances. Certains rêvent déjà aux photopiles à concentrateur : une photopile, placée au-dessous d'une loupe, ou située au foyer d'un miroir parabolique, voit en effet gonfler sa puissance. Mais elle risque de trop s'échauffer, ce qui nuit à son rendement. Pour la refroidir, on peut la faire baigner dans un fluide qui circule. Le panneau de photopiles, fabriquant de l'électricité, sert donc aussi de capteur thermique. Des expériences sont actuellement faites par la firme Tyco associée à Mobil Oil. Elles annoncent peut-être un recyclage inattendu des pétrodollars... le jour où l'on tapissera les déserts de photopiles.

6

Soleil bleu.
L'énergie solaire des océans

« Le Nil vient de la transpiration de tes mains », répétaient les Egyptiens au dieu Osiris. « Sueur de la terre : la mer ! », disait Empédocle, poète et mage d'Agrigente, en ces temps où l'on voyait encore la nature comme foisonnement de mystère et l'homme comme un fragment de la nature. Plus tard viendra Aristote, pour tourner en dérision les facéties d'Empédocle et faire de l'homme un « animal politique »...

La chaleur des rayons solaires fait transpirer la Terre, et provoque un mouvement ascendant de l'eau. Des vapeurs s'élèvent au-dessus des flots salés, telle une haleine qui s'en va grossir les nuages. Après être descendue le long des terres, l'eau monte au-dessus des mers, dans un gigantesque mouvement tournant, entre ciel et terre. Tout fleuve poursuit son cours dans le ciel... Mais on semblait l'avoir oublié. L'édification des barrages hydro-électriques supposait une région de montagnes. Aujourd'hui, on pense enfin en construire dans les déserts, grâce à l'évaporation de l'eau de mer.

Ici commence une nouvelle aventure.

1. Les mirages de Qattara

Quelque part au Nord-Ouest de l'Egypte, dans les années 1970. Des experts allemands, chargés d'une mystérieuse mission, parlent de faire exploser une série de bombes atomiques, du côté de Marsa-Matrouh et d'El Alamein. Des revanchards ? On se souvient de Rommel, quittant précipitamment son quartier général sous-marin creusé au large de Marsa-Matrouh, voici une trentaine d'années. Mais les experts d'aujourd'hui ont d'autres ambitions. Il s'agit d'exploiter la présence d'une vaste dépression, 300 km de long sur 150 de large, à 80 km de la Méditerranée, en plein désert libyque. Son point le plus bas se trouve à 135 m au-dessous du niveau de la mer.

Tel est le projet de Qattara : l'ouverture d'un canal depuis la côte ferait s'engouffrer l'eau de mer dans la dépression. Un lac artificiel serait créé dans les sables. Et l'eau ne serait pas emprisonnée dans le désert : grâce à l'évaporation, elle trouverait une sortie de secours par le ciel. Au bout d'un certain temps, un équilibre s'établirait, quand la quantité d'eau déversée par le canal serait égale à celle qui s'évaporerait au-dessus du lac [1].

Des calculs réalisés, il ressort que ce niveau d'équilibre serait atteint au bout d'une cinquantaine d'années. Le niveau de l'eau dans la dépression atteindrait alors la cote de 60 m au-dessous du niveau de la mer, et le lac s'étendrait sur 12 000 km² — plus du quart de la Suisse. Dans cette région chaude et sèche, l'évaporation est élevée : 20 milliards de mètres cubes d'eau s'envoleraient

---

1. Avant les Allemands, les Anglais avaient déjà en 1928 remarqué l'intérêt de la dépression de Qattara. Des stratèges anglais proposèrent même, pendant la Deuxième Guerre mondiale, d'ouvrir un canal pour engloutir l'Afrika Korps de Rommel.

dans le ciel chaque année. L'eau de mer, pour compenser ces pertes par évaporation, se déverserait dans le canal avec un débit de 650 m³ par seconde [1]. Par comparaison, le Nil a au Caire un débit de 150 m³/s. Et si le barrage d'Assouan développe une puissance de 2 100 MW, le projet hydrosolaire de Qattara délivrerait plus de 4 000 MWé, grâce à un barrage de turbines à travers le canal.

Les responsables égyptiens parlent du « miracle » de Qattara. Ils voient déjà cette région de sables mouvants, où seules quelques gazelles se sont aventurées jusqu'ici, transformée en centre industriel, touristique et pétrolier — la prospection pétrolière, interdite par les sables mouvants, devenant possible *offshore*.

En fait, les difficultés commencent avec la réalisation pratique. Comment creuser un canal de 80 km de long ? Depuis 1960, les propositions se succèdent. En 1965, un tunnel. En 1970, une excavation tracée à coup de bombes nucléaires : on est déjà prêt à utiliser l'arme atomique [2] — avec quelle légèreté — alors qu'on ne sait rien de ce qui se passera ensuite. Jamais l'homme ne s'est lancé dans de telles transformations du paysage. Créer un grand lac en plein désert, pourquoi pas ? Mais on ne connaît guère les effets que cela aurait sur le climat ou les mouvements du sol.

Déjà, l'implantation d'un simple barrage, avec sa retenue d'eau, modifie le climat local : les vents, les orages sont détournés de leur cours habituel. Avec le lac de Qattara, les perturbations seraient infiniment plus grandes. On entre dans l'inconnu. L'évaporation de l'eau risque de créer de la brume et des nuages au-dessus du lac, qui

1. En supposant 1,7 m de hauteur d'eau évaporée chaque année, on arrive à une perte de 12 000 km² $\times$ 1,7 m = 20.10[9] m³. En passant de l'année à la seconde, le débit de l'eau correspondant est : 20.10⁹/31.10⁶ = 650 m³/s.

2. En 1976, M. Abaza, secrétaire d'Etat égyptien à l'Electricité, déclarait au journaliste A. de Chalvron : « Nous avons l'intention d'utiliser pour le percement du canal une technique toute nouvelle, celle de l'énergie nucléaire propre. Elle présente l'avantage d'être trois fois moins chère que les techniques conventionnelles » (cf. *Actuel-Développement,* n° 16, 1976).

à leur tour vont freiner l'évaporation et, partant, la puissance délivrée par les turbines. Du moins à Qattara l'air est-il sec, ce qui devrait limiter la condensation de l'eau et la formation de nuages. Mais où iront se perdre les vapeurs d'eau évaporées ? On sait seulement que les pluies se produisent en moyenne à 2 000 km des lieux d'origine de l'eau évaporée, d'après les statistiques fournies par la météorologie. Autre problème : l'élimination du sel qui se concentrera dans le lac. Des nappes souterraines vont-elles se former, dont la forte salinité exclura définitivement toute forme d'agriculture dans la région ainsi polluée ? Ou encore, la pesanteur de la masse d'eau provoquera-t-elle de grands tassements de terrain, dont les répercussions se traduiront par des tremblements de terre ? Aucune théorie n'est ici efficace. Les réponses ne seront données que le jour où la réalisation sera faite, à supposer qu'on ose s'y lancer. En attendant, des projets plus modestes et moins périlleux sont apparus.

Tel le projet de Dawhat Salwah, dans le golfe Arabique. M. Ali Kettani, Marocain devenu Saoudien, propose de découper un bassin tout près de la côte. Un barrage d'une cinquantaine de kilomètres de long joindrait l'Arabie Saoudite à Qatar, en prenant appui sur l'île de Bahrein. Dans ce bassin, l'eau s'évaporerait rapidement : son niveau baisserait de 13 m en 3 ou 4 ans, d'après les calculs d'Ali Kettani. L'hydraulique prendrait alors le relais du soleil : les eaux du large se déverseraient dans le bassin, comblant ainsi les pertes par évaporation, tout en faisant tourner des turbines. Chaque année, 300 millions de kWh seraient produits. C'est peu, par comparaison avec l'usine marémotrice de la Rance, beaucoup plus modeste par ses dimensions mais capable de fournir 500 millions de kWh. A Dawhat Salwah, les turbines seraient cependant moins durement sollicitées. Et surtout, un véritable complexe agro-industriel serait mis en place autour du lac artificiel : usines de séparation de produits marins comme le magnésium, aquaculture... Le barrage permettrait enfin une liaison routière entre les trois pays concernés.

Auparavant, Ali Kettani avait déjà fait d'autres études théoriques sur des projets plus grandioses, mais irréalisables, tels que la fermeture de la Méditerranée par un barrage le long du détroit de Gibraltar, ou celle de la mer Rouge... Le projet de Dawhat Salwah paraît plus réaliste : pas de canal à creuser, pas de changement radical du paysage comme à Qattara. Un problème, cependant : dans une atmosphère marine humide, l'évaporation risque de diminuer rapidement, rendant caduques certaines prévisions d'Ali Kettani. *Inch Allah !* Du moins ce genre de projet a-t-il revalorisé l'évaporation. Jusque-là, celle-ci apparaissait comme un fléau du ciel, auquel on assistait impuissant.

Le barrage d'Assouan n'a pas échappé à cette calamité. Au départ, on avait prévu une baisse de niveau de 2 m par an dans la retenue, par évaporation. En réalité, celle-ci a atteint 2,5 m [1]. Gaspillage formidable de réserves d'eau — un quart du Nil part ainsi en vapeur —, alors que le barrage est censé faire l'inverse en favorisant l'irrigation. Autrefois, les crues du Nil ne pouvaient être maîtrisées, mais elles se déversaient si rapidement que l'eau n'avait pas le temps de s'évaporer, évitant ainsi tout gaspillage... Il faut alors chercher des solutions d'urgence. A Assouan, on envisage de recouvrir la surface du lac d'une mince pellicule d'un produit huileux biodégradable. Technique déjà expérimentée par les Américains pour freiner le mouvement des cyclones dans la mer : la zone dangereuse est arrosée avec un tel produit antiévaporation.

Ce qui est une catastrophe pour Assouan et son lac d'eau douce devient au contraire un bienfait providentiel pour l'eau de mer de Dawhat Salwah. Signe du progrès des inventions de l'homme, sans doute. Mais quelles nouvelles difficultés se présenteront alors, tout aussi inattendues que fut hier l'évaporation à Assouan ?

1. Du fait du dépôt important des couches de boue, la couche d'eau soumise à l'échauffement solaire est plus mince que prévu, ce qui accroit l'évaporation en surface.

2. Les usines marémotrices

Que ne peut la force supérieure du Soleil... Il suscite aussi ce mouvement sans fin de l'océan, qu'on appelle la marée. Ici, à vrai dire, la Lune joint ses effets à ceux du Soleil — elle a même deux fois plus d'influence que lui. Leur force d'attraction crée le balancement de la mer. Le reste est affaire de géographie. Selon la disposition des lieux, la mer vibre plus ou moins bien au rythme dicté par les astres, l'amplitude de la marée est plus ou moins prononcée : 20 cm seulement en Méditerranée, mais 12 m au Mont-Saint-Michel — où la baie joue le rôle de caisse de résonance. C'est en de tels lieux que l'énergie des marées devient intéressante.

Dès le Moyen Age, des moulins à marée fonctionnent en France le long des côtes bretonnes. Dans des bassins isolés de la mer par des digues, l'eau pénètre à marée montante. Ensuite, les vannes sont fermées. A marée descendante, l'eau des bassins se déverse vers le large, en actionnant au passage des roues à aubes. Ces moulins sont les ancêtres des usines marémotrices d'aujourd'hui.

Usines marémotrices... Le pluriel est presque de trop. A l'heure actuelle, il n'en existe que deux, celle de la Rance, en France, et une autre en URSS près de Mourmansk, de faible capacité (400 kW) et équipée de matériel français. Cependant, les projets sont nombreux. Projet américain en Alaska (1970), projet américano-canadien de Passamaquoddy (1935), projet canadien de la baie de Fundy (1966). Projet anglais sur la Severn, étudié dès 1918, puis abandonné, repris, abandonné à nouveau... Que de vicissitudes, face à la concurrence des autres sources d'énergie !

Encore faut-il trouver un site favorable. Les conditions sont multiples : une marée de grande amplitude (plus de

5 m), un bassin à ouverture assez étroite, sans risque d'en-sablement, une houle faible, une navigation restreinte alentour... Il n'existe qu'une douzaine de lieux privilégiés dans le monde. Leur exploitation permettrait de produire 400 milliards de kWh par an.

En France, l'énergie marémotrice qui serait potentiellement disponible sur le littoral fournirait environ 100 GW, soit 200 milliards de kWh par an (pour 2 000 heures de fonctionnement annuel). Cela équivaut à la consommation française d'électricité. Mais seule une partie de l'énergie des marées est réellement disponible, car on ne peut tout de même pas tracer une ligne continue de barrages le long des côtes. Le plus grand projet étudié jusqu'ici ne délivrerait que 12 GW, un dixième des besoins français en électricité.

Mais les techniques sont au point. Au Moyen Age, on utilisait la différence de niveau entre le bassin rempli à marée montante et le niveau de la mer descendue. Cycle à simple effet, qui ne fonctionne qu'à mi-temps, à l'heure du ressac. Aujourd'hui, le cycle est à double effet. Les vannes et les turbines marchent dans les deux sens. Le remplissage du bassin se fait avec retard, ainsi que sa vidange. Entre-temps, la cascade qui relie les deux niveaux d'eau change de sens. On introduit ainsi un simple déca-lage entre le mouvement de la marée au large et celui arti-ficiellement créé à l'intérieur du bassin, sans en modifier profondément l'amplitude. La production d'électricité est moins discontinue que dans le cycle à simple effet, mais il subsiste des temps morts, à marée haute et marée basse, le temps de changer de sens de marche [1].

---

1. Il existe encore un troisième procédé : le « cycle de Belidor » qui utilise deux bassins au lieu d'un, l'usine se trouvant entre les deux. Leurs niveaux sont toujours différents, l'un étant rempli à pleine mer, et l'autre vidé à basse mer. L'énergie est produite sans arrêt — avantage certain — mais la marée est presque supprimée le long des côtes — par exemple, 5 m d'amplitude au lieu de 13 m.
   Un projet géant a été proposé en 1971 au large du Mont-Saint-Michel, divisant la baie en deux bassins, et prenant appui sur les îles Minquiers. Avec des conséquences notables : plus de

L'usine de la Rance introduit encore une innovation. Pendant l'attente improductive, les turbines fonctionnent comme moteur pour pomper l'eau, amplifiant les différences de hauteur d'eau. La dépense d'énergie occasionnée est très largement récupérée lors du « turbinage ». Lourd travail pour les turbines en tout cas. Elles doivent tourner dans les deux sens, et sont de plus utilisées comme pompes. Sans compter les arrêts continuels. C'est beaucoup trop demander aux anciennes turbines à axe vertical : elles ne tournent que dans un sens. L'usine de la Rance a mis à profit, sinon même suscité, l'invention des groupes « bulbes », réversibles et susceptibles de fonctionner avec des différences de hauteur d'eau très faibles — quelques mètres seulement. L'alternateur électrique, logé dans le bulbe, est entièrement immergé. Sur la Rance, le diamètre de la roue atteint 5 m, pour une puissance de 10 MW.

Pour en arriver là, il aura fallu plus d'un demi-siècle d'atermoiements. Dès 1897, des ingénieurs se sont intéressés au site de la Rance, petit fleuve breton long de 100 km, au débit insignifiant... mais doté d'un long estuaire où la mer s'engouffre deux fois par jour, à l'heure de la marée. Il faudra attendre 1961, après une multitude d'études abandonnées en chemin, pour que les travaux commencent. En 1966 le général de Gaulle, président de la République, inaugure enfin la première usine marémotrice du monde.

Ce n'est pas pour autant la consécration. Des incidents récents, entraînant une diminution du rendement, ont à nouveau jeté la suspicion. Des barres de stator sur un groupe-bulbe se sont rompues, simple effet de la fatigue du matériel lors de la marche en moteur. Mais ce défaut doit être réparé sur tous les groupes : pendant 4 ans, ils seront à l'arrêt deux par deux. Entre-temps, le fonctionnement des turbines en moteur est supprimé, ce qui

marée au Mont-Saint-Michel, les pêcheurs d'huîtres de Cancale réduits au chômage...

Par contre le système de Belidor devient très intéressant pour de petites puissances (quelques mégawatts) car il garantit une puissance minimale continue, et donc une certaine autonomie en énergie.

diminue le rendement total de 10 %. Cela n'a rien cependant d'une catastrophe, malgré les bruits qui ont couru en 1976 sur la « panne » de la Rance et servi d'argument en faveur du nucléaire.

En fait, depuis 1966, tous les nouveaux projets d'usines marémotrices ont été abandonnés. Notamment, celui des îles Chausey, dans la baie du Mont-Saint-Michel [1]. Avec ses trois cents groupes-bulbes de 40 MW, il équivaudrait à lui seul à cinq « tranches nucléaires », ou à cinquante usines de la Rance ! La baie du Mont-Saint-Michel est en effet un lieu idéal. Des marées formidables... et un passé étrange. Là où se trouve aujourd'hui la mer était hier la terre ferme. Selon la légende, en 709, une grande marée d'équinoxe balaya l'immense forêt de Scissey, faisant largement reculer la côte. Un peu plus tard, les hommes reprirent à la mer une partie des terres, notamment le marais de Dol, et des polders furent aménagés. Pourquoi ce travail patient amorcé il y a plusieurs siècles ne serait-il pas couronné aujourd'hui par une usine marémotrice ?

Mais elle devrait être immense, à l'échelle du site : il faudrait construire 50 km de digues en pleine mer, dans une zone où les courants de marée sont violents, les tempêtes dures et les sols sous-marins mouvants. Il faudrait ensuite disposer un ensemble de machines dont la puissance installée serait de 12 000 MW, soit l'équivalent de la moitié de la puissance électrique de la France en 1960. On imagine l'ampleur des travaux : construire des centaines de machines, draguer des millions de mètres cubes de terrain, couler des millions de mètres cubes de béton, dérouler des milliers de kilomètres de fils d'acier... Entreprise de titans, qui demanderait « une dizaine d'années », précise M. Bonnefille, spécialiste d'EDF.

1. Le premier projet des îles Chausey date de 1942. Une quinzaine de projets voient ensuite le jour. Des études tous azimuts, sur la marée, la houle, le vent, la géologie... L'étude hydraulique est faite sur un modèle réduit de la Manche, à l'université de Grenoble : la plate-forme du modèle a 14 m de diamètre, et tourne pour tenir compte, à l'échelle des lieux, de la force de Coriolis due à la rotation de la Terre.

En attendant les hypothétiques 12 000 MW des îles Chausey, contentons-nous des 240 MW de l'usine de la Rance. Pour un coût initial de 850 millions de francs, elle délivre chaque année 500 millions de kilowatts-heures électriques, à 11 centimes le kilowatt-heure. Résultat économique moyen, mais qui lui permet de faire face à la concurrence des autres centrales électriques. Sans compter les retombées technologiques : le test des groupes-bulbes, les progrès dans la protection contre la corrosion marine notamment. Mais à l'échelle de la planète, quel bilan médiocre ! Un millième des possibilités marémotrices exploité à ce jour, alors que la technique est au point.

Quittons les marées et leur énergie potentielle, pour pénétrer dans le domaine de l'énergie cinétique, celui des courants et des vagues. Domaine resté quasi inexploré, où règne encore l'influence du Soleil...

Des ébauches de projets cependant : un brise-lames flottant à la surface des eaux, oscillant sous l'effet de la houle, et entraînant un moteur. Ou bien, placée au fond des océans, une batterie de turbines actionnées par les courants sous-marins. Car la mer possède aussi ses « fleuves », si invisibles soient-ils. Selon certaines estimations, le débit du Gulf Stream atteint cinquante fois celui de toutes les rivières du monde. D'où l'idée de créer un « barrage » sous-marin. Ou mieux encore... d'utiliser non plus le mouvement, mais la chaleur du Gulf Stream. Des experts américains ont proposé de pomper cette eau chaude pour l'amener jusqu'en Alaska, et réchauffer ainsi le climat.

Projets extravagants, mais une nouvelle richesse de la mer apparaît soudain : son énergie thermique.

3. Les ludions de la mer

Chaude en surface, grâce aux rayons du soleil, la mer refroidit en profondeur, là où le soleil ne pénètre plus. Les courants de convection font le reste : dans une masse fluide, le chaud tend à monter et le froid à descendre. Cette différence de température au sein de la mer, selon la profondeur, permet le fonctionnement de machines thermiques.

En zone équatoriale, ou le long du Gulf Stream, l'eau de surface atteint 27° C. Cinq cents mètres plus bas, elle n'est plus qu'à 7° C. Sachant que la zone située entre les tropiques reçoit la moitié de l'énergie solaire arrivant sur terre et qu'elle est formée à 90 % d'océans, on mesure tout l'intérêt qu'il y aurait à utiliser ces océans comme de gigantesques capteurs solaires. Les courants chauds offrent une facilité supplémentaire : ils apportent l'énergie solaire, qui a chauffé les eaux équatoriales, jusque dans les régions tempérées.

Aussi des chercheurs américains ont-ils proposé d'immerger au large de la Floride une machine en forme de long tube vertical. L'eau du Gulf Stream, chauffant la partie supérieure du tube, permettrait de vaporiser un fluide comme l'ammoniac, susceptible de faire tourner une turbine basse pression. Puis l'ammoniac serait condensé grâce à l'eau fraîche puisée à 450 m de profondeur. Avant d'être à nouveau vaporisé... comme cela se passe déjà en petit dans une pompe solaire Sofretes. La machine fournirait de l'électricité, transmise jusqu'à la côte par câbles sous-marins. Ce serait une des seules machines solaires fonctionnant en continu. On pourrait même utiliser l'électricité sur place pour faire l'électrolyse de l'eau et récupérer de l'hydrogène, source d'énergie propre et fiable, stockée sous pression dans l'eau avant d'être exportée par des tankers d'un nouveau style.

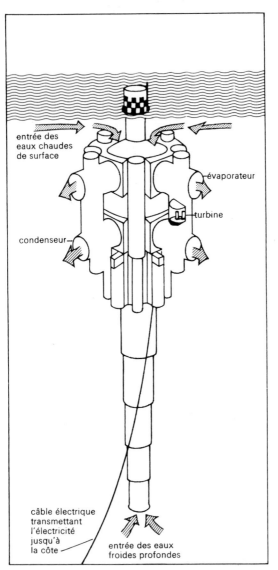

entrée des eaux chaudes
de surface

évaporateur

turbine

condenseur

câble électrique
transmettant
l'électricité
jusqu'à
la côte

entrée des eaux
froides profondes

Projet de cen‑
trale solaire o‑
céanique, dan‑
les eaux du Gul
Stram. (D'aprè
un dessin d
W.H. Bond, do
cument Natio
nal Geographic

Selon l'un des promoteurs de ces projets, le Pr Clarence Zener, du Carnegie-Mellon Institute, ce n'est pas de la science-fiction :

> Les chances de rentabiliser de telles centrales thermiques océaniques sont si favorables qu'on devrait pouvoir devancer la technologie nucléaire avant même que le développement des centrales nucléaires soit achevé[1].

Il y a un siècle, un physicien français, Jacques d'Arsonval, prédisait déjà l'emploi de la chaleur des océans. Mais les premières tentatives, vers 1930, restèrent sans lendemain : un petit essai à Cuba, un autre dans la baie d'Abidjan. Le promoteur de ces installations, Georges Claude, buta sur plusieurs problèmes techniques : corrosion, entartrage, mise en place de longs conduits sous-marins. L'installation étant montée sur la côte, il fallait en effet amener l'eau du large par des tuyaux de plusieurs kilomètres de long. La plate-forme flottante dessinée par les Américains évite justement ce problème. Toujours est-il que l'expérience française fut abandonnée. On ne sait trop si c'est à cause de difficultés techniques insurmontables ou parce que son promoteur fut suspecté, après guerre, de collaboration.

Passant outre, les Américains ont pris le relais avec un optimisme surprenant. Les techniques se sont affinées. On sait aujourd'hui, depuis la multiplication des gazoducs au fond des mers, longs tubes d'acier qui se tordent sans casser, poser des conduits sous-marins. Avec les pompes solaires, on a aussi appris à se contenter de faibles différences de température, même si le rendement du moteur est faible... La voie est libre pour les centrales thermiques marines, et l'océan n'attend plus que ses ludions[2].

1. Cf. revue *National Geographic,* mars 1976, interview par J. Wilhelm.
2. Du côté français, une préétude de centrale marine associée au pompage d'eau profonde pour l'aquaculture et l'élevage d'animaux marins est réalisée par le Centre océanologique du CNEXO (Centre national pour l'exploitation des océans) sur l'île de Tahiti.

Ou ses catamarans. Car le Pr Heronemus, de l'université du Massachusetts et ancien spécialiste de sous-marins, propose un autre type d'appareil. Son catamaran, formé de deux longs cylindres de 30 m de diamètre, voguerait à quelques mètres sous l'eau, dans le Gulf Stream, non loin de Miami. Deux grands radiateurs plats seraient disposés en travers pour capter la chaleur du courant. L'eau froide serait pompée à 400 m de profondeur. Ce projet, dénommé Mark I, délivrerait une puissance de 400 MW. Complètement immergé, il échapperait à la pollution de la surface de l'océan. Et W. E. Heronemus imagine déjà, autour de sa centrale thermique, une ville sous-marine, avec son centre touristique, ses zones de pêche et ses cultures d'algues : la remontée des eaux froides des profondeurs, riches en éléments nutritifs, fait proliférer les plantes et animaux marins.

Plus simplement, l'Israélien Tabor entend éviter la pose de longs pipe-lines sous-marins. Il propose d'utiliser la source froide et la source chaude côte à côte : l'une étant l'eau de mer de surface, l'autre celle d'un bassin de très faible profondeur, chauffé par le soleil. L'ennui est que la source chaude resterait plutôt tiède et serait soumise aux caprices journaliers du soleil. Plus fécond semble le projet des mares solaires, proposé par Tabor et Bloch.

4. Les mares solaires

Dans des bassins d'eau de mer, au fond noirci, d'une profondeur d'un mètre environ, deux mécanismes se déclenchent et s'affrontent. Le sel tend à descendre au fond, par gravité. Au contraire, la chaleur du fond, obtenue grâce à la surface noire captant le rayonnement solaire, a tendance à remonter par convection. Selon Tabor, un équilibre s'établit, dont le sel sort vainqueur : l'eau des profondeurs, alourdie par le sel, ne peut remonter. La chaleur reste donc bloquée au fond, et les couches d'eau superficielles servent de couverture. Théoriquement, on devrait atteindre une température de 100° C au fond de cette mare. A cette température, l'eau salée ne bout pas encore, mais de l'eau douce circulant au fond de la mare dans des tuyaux serait, elle, vaporisée.

En fait, aucun résultat concret ne semble avoir été obtenu depuis l'année 1950 où l'idée fut élaborée. D'abord, le sel rechigne à se laisser couler au fond de l'eau. Il faut l'y forcer. Pour construire la mare solaire, l'eau doit être étalée couche après couche, les plus salées d'abord puis les moins salées, jusqu'à l'eau douce en surface. Durée de l'opération : plusieurs mois. Ensuite, cet équilibre est sensible à la moindre perturbation. Un caillou qui tombe, une déjection d'oiseau, et les couches d'eau commencent à se mélanger. Enfin l'eau se trouble, à cause des poussières et des algues. Une feuille de plastique, posée à la surface, serait nécessaire.

Reste surtout le problème fondamental : la pesanteur du sel doit être assez forte pour s'opposer à l'irrésistible ascension de l'eau chaude. Mais à une température proche de 100° C, l'eau commence à danser, et le bel équilibre risque de se rompre comme dans une vulgaire casserole. C'est ce qu'ont constaté des chercheurs américains, après avoir tenté l'expérience. Pour améliorer le système, l'Américain Edlin propose de placer horizontalement des feuilles intercalaires de plastique, afin de supprimer le mouvement de l'eau. Mais la nuit, les pertes sont alors importantes. Edlin déclare n'avoir atteint que 65° C au fond. Un autre Américain, Dickinson, propose en plus de stocker l'eau chaude pendant la nuit dans un réservoir isolé. Il pense qu'une installation de deux mille mares de 200 m sur 4 chacune, dans le Sud-Ouest des Etats-Unis, délivrerait environ 100 MW électriques, suffisant à alimenter une communauté humaine [1].

Peut-être verra-t-on un jour, le long des côtes, ces marais salants d'un nouveau genre, tandis qu'au loin des ludions se balanceront mollement au gré des flots. De-ci, de-là, on apercevra le mince récif de béton d'une usine marémotrice, ou l'on entendra le discret clapotis d'un pédalo géant suivant la cadence des vagues. Etranges machines disséminées sur le vaste océan, enfin protégé des marées noires.

Car tel est le destin de toute nouveauté technologique. Pour s'imposer, elle doit s'implanter dans ce que la technologie précédente a négligé, sali, détruit. L'hydrosolaire devrait faire place nette dans une mer que le tout-pétrole, voire le nucléaire, considère comme un dépotoir. L'hydrosolaire dénaturera-t-il à son tour l'océan ? Non, pourvu qu'il ne cherche pas à le régenter. Les machines ne devraient être que de petits îlots perdus dans l'immensité des eaux. Toujours indomptable, l'océan garderait ses secrets et ses charmes. Rien ne viendrait plus alors démentir ces vers de Victor Hugo :

> Qu'est-ce que l'océan ?
> Une énorme force perdue...

1. La modestie des résultats n'a pas empêché une proposition extravagante : faire de la mer Morte, très salée, un véritable lac solaire. Pour que le sel s'accumule en profondeur, en même temps que la chaleur, il faudrait réduire au minimum le brassage de l'eau, c'est-à-dire supprimer l'influence du vent : des barrières antivent seraient disposées sous forme d'un gigantesque filet étalé sur l'eau, partiellement submergé et stabilisé par des ancres. Pour compenser les pertes par évaporation de la mer Morte ainsi emprisonnée, et toute chaude, il faudrait, comme à Qattara, amener de l'eau de mer depuis la Méditerranée...

7

Soleil vert.
Le soleil et les plantes

1. La machine infernale de la photosynthèse

Verte est la couleur du règne végétal renaissant, vertes sont les eaux quand le printemps revient, avec la fonte des neiges et la chute des pluies fertilisantes. Soleil vert, car il n'apporte pas seulement lumière et chaleur. Il est source de vie pour la plante, qui à son tour fait vivre l'animal et l'homme. Grâce aux rayons du soleil, la plante trouve la force de puiser autour d'elle puis de digérer les aliments simples dont elle a besoin : gaz carbonique, eau, éléments minéraux divers. Elle les transforme alors en substances organiques complexes. Transformation naturelle, immédiate, que ni l'animal ni l'homme ne sauraient réaliser.

Tandis que la plante rejette de l'oxygène, l'être humain exhale du gaz carbonique. Et celui-ci l'asphyxierait si les océans, et dans une moindre mesure les plantes, n'étaient en mesure de l'absorber, épurant ainsi l'atmosphère.

Pour respirer et se mouvoir, l'homme a besoin d'aliments organiques. Là où la plante se suffit à elle-même pour trouver sa nourriture, l'homme ne peut réaliser tout seul la synthèse des substances minérales les plus simples. Il a besoin de la plante pour obtenir les aliments qui lui conviennent. Et ainsi va le cycle de la vie :

Les végétaux deviennent la nourriture des animaux herbivores, ceux-ci la proie des carnivores, et c'est de la sorte que le soleil fait circuler dans un tourbillon la vie à la surface du globe,

comme le disait A. Mouchot voici un siècle.

Maillon essentiel de la chaîne alimentaire, la plante devient même, au-delà de la simple nourriture, une source d'énergie pour l'homme.

Les usines du silence

Au XIXe siècle, le bois est encore la principale source d'énergie. Ensuite, il doit céder la place au charbon, puis au pétrole. Un siècle a passé. Aujourd'hui, le bois de chauffage n'est presque plus utilisé dans les pays industriels. Ironie du sort : il est devenu un objet de luxe pour feux de cheminée. Même dans les pays en voie de développement, il semble voué à disparaître rapidement. Si toute la production mondiale actuelle de bois était brûlée, elle ne remplacerait que 500 millions de tonnes de pétrole. De plus, seule la moitié est réellement brûlée pour le chauffage et la cuisson des aliments, le reste servant à diverses industries comme la papeterie. Cette régression s'explique surtout par le faible pouvoir calorifique du bois. A quantité égale, il dégage deux fois moins de chaleur que le pétrole. Et sa manutention est plus difficile que celle des combustibles liquides ou gazeux.

Le déclin semblait inéluctable. Qui aurait alors imaginé qu'il réapparaisse aujourd'hui, entouré de sa ramure verte, comme une solution énergétique d'avenir, et peut-être la meilleure ? Retour spectaculaire, qui nous invite à pénétrer dans l'univers des plantes...

De gigantesques usines fonctionnent dans un silence à peine troublé par le bruissement des feuillages. Ce sont les forêts, les champs, la surface des océans. L'énergie solaire est captée sur d'immenses espaces. Les plantes fourmillent de cellules ultra-sensibles qui suivent à la trace le mouvement du Soleil, avant de s'alanguir au soir. Ainsi 100 milliards de tonnes de « matière verte » sont-elles produites annuellement sur les continents. Encore ne s'agit-il que du poids sec, une fois la végétation débarrassée de son humidité. Les océans sont un peu moins fertiles : ils s'étalent sur des superficies deux fois et demie plus grandes que les terres, mais ne produisent que 75 milliards de tonnes (poids sec) de phytoplancton et d'algues diverses.

Un mot nouveau a dû être inventé pour désigner cette masse verte aussi énorme qu'ignorée : la biomasse. Sachant qu'une tonne dégage en brûlant autant de calories que 0,4 tonne de pétrole, on arrive à ce résultat stupéfiant : utilisée comme énergie, toute la biomasse de la planète Terre fournirait environ dix fois ce que l'on consomme actuellement en énergie.

Le capital verdure

Depuis 3 milliards d'années, la « matière verte » est ainsi fabriquée. Tout part en effet de la photosynthèse, qui transforme l'énergie solaire en énergie chimique. Les algues ont été les premières à se développer, puis le mouvement s'est étendu, produisant peu à peu des stocks pour les temps futurs... Ainsi sont nés le charbon et le pétrole.

D'abord le plancton, nuage épais d'organismes marins microscopiques, voguant entre deux eaux, s'est lentement déposé au fond des océans. Puis, pourrissant sous l'action des bactéries, il est devenu une boue, le sapropel, donnant ensuite du protopétrole. Enfin, le pétrole s'est formé, par hydrogénation des boues putrides.

Après quelques millénaires de macération, le flux vert a légué aux générations présentes tout ce qui est énergie fossile : houille, pétrole, gaz naturel. Tel du soleil concentré emmagasiné dans des poches souterraines. Mais à la surface de la terre, la photosynthèse continue, relais vivant du rayonnement solaire. La végétation fonctionne comme une machinerie délicate, mais avec une efficacité redoutable dont on cherche toujours à percer les secrets.

Avec une implacable régularité, la végétation s'insinue, envahissante, indifférente aux aléas humains. On pense à l'image des ruines d'Angkor envahies par la jungle, symboles de la précarité humaine devant la pérennité des phénomènes naturels.

Plus près de nous, les Anglais ont récemment souffert de la prolifération encombrante, le long de leurs côtes, d'une algue : le *Sargassum multicum*. Pour éviter pareille mésaventure, les autorités françaises ont refusé, en 1976, l'introduction de la culture des algues Macrocystis, proposée par la société américaine Kelco Company. Ces espèces d'algues, d'origine californienne, peuvent croître en filaments longs de 300 m. Transplantées hors de leur milieu d'origine, elles risquent de se répandre anarchiquement au-delà de leurs sites de culture, bouleversant la flore et la faune sous-marines, allant jusqu'à boucher les ports...

Cependant, bien plus que l'envahissement incontrôlable d'une végétation prolifique, c'est le phénomène inverse qui est à craindre. Au cours des dernières années, les destructions humaines l'ont largement emporté. Dans les pays tropicaux, qui recèlent la moitié des forêts du monde, la régression est rapide. Défrichements à grande échelle, pour mettre à la place des *cash crops,* cultures à rentabilité immédiate mais provisoire. Tout l'équilibre naturel risque d'être perturbé. Jusque dans certains détails... Les moustiques vecteurs de la malaria et de la fièvre jaune sont expulsés de leur territoire au sommet des arbres désormais détruits et viennent alors voleter dans l'environnement humain, multipliant les maladies.

A partir du moment où la destruction l'emporte sur le renouvellement naturel, le bois devient à son tour une énergie fossile. Les grandes saignées dans la forêt épuisent le stock de matière verte. On est loin de l'économie de cueillette qui prévalait au siècle dernier. La récolte du bois pour le chauffage n'était alors qu'une infime ponction dans la biomasse. Celle-ci continuait de se reproduire, dans une anarchie tempérée par le milieu ambiant.

Faudrait-il revenir aujourd'hui à l'économie de cueillette, pour éviter une destruction irréparable ? Là encore, une tierce solution se profile. L'idée de départ est simple : il s'agit de recréer un équilibre naturel, qui serait maintenant maîtrisé par l'homme. Ni dégradation massive, ni gaspillage du surplus. Le « capital verdure » est préservé. Seule la « plus-value » de la biomasse est régulièrement ramassée. Puis on attend qu'elle repousse. C'est déjà le principe de l'agriculture ; il resterait à l'étendre à toute la végétation. Bien exploités dans l'espace et dans le temps, le bois et la verdure deviennent inépuisables, comme le soleil lui-même.

Ce surplus de biomasse est gigantesque. Mais il faut connaître son « taux d'intérêt », c'est-à-dire le rendement de la photosynthèse.

Les mécanismes de la plante

La photosynthèse : on vivait au milieu d'elle sans la connaître. La chlorophylle est plus connue par les réclames des marques de dentifrice que par les retombées de la recherche scientifique. Aujourd'hui, les chercheurs mettent les bouchées doubles pour tenter d'approcher les mécanismes sensibles de la plante.

La première découverte date de deux siècles : le savant anglais Priestley constate que les plantes purifient l'atmosphère en dégageant de l'oxygène. Plus tard, Robert Mayer, dont le nom reste associé au principe de conservation de l'énergie, note en 1845 :

> Les plantes prennent une force, la lumière, et en font une autre, l'énergie chimique.

Sans passer par une quelconque forme d'énergie thermique.

On sait maintenant que les photons de lumière sont collectés par les antennes des molécules de chlorophylle. L'énergie lumineuse est alors transformée en énergie électronique, puis en énergie chimique. En résumé, la plante convertit, grâce à la lumière, le gaz carbonique et l'eau en oxygène et en glucides. La dissociation de la molécule d'eau, si difficile à réaliser à l'échelle industrielle, s'opère ici avec le plus grand naturel.

Les substances organiques complexes obtenues — les glucides — sont des sucres, ou des polysaccharoses tels que la cellulose du bois ou l'amidon. L'énergie qu'elles recèlent (environ 4 700 kcal/kg de matière sèche) peut être dégagée par combustion. Elle ne représente cependant qu'une fraction de l'énergie solaire reçue par la plante. Le rapport de ces deux énergies constitue le rendement de la photosynthèse.

Tout dépend alors des conditions d'expérience. En laboratoire, pour une algue microscopique irradiée pendant un temps très court par une lumière monochromatique de faible intensité, le rendement est d'environ 30 %. Les cellules ultra-sensibles de la plante ont le même rendement qu'une machine à vapeur transformant la chaleur en énergie mécanique. Mais il faut ensuite déchanter. A l'échelle de la feuille, puis de la plante, dans les conditions naturelles, les pertes sont beaucoup plus grandes.

Considérons une feuille au soleil. Des pertes se produisent par réflexion et par transmission au sol d'une partie de la chaleur solaire. De plus, la feuille refuse d'absorber les radiations de couleur verte, ce qui lui donne d'ailleurs sa couleur. Mais surtout, seule la partie visible du rayonnement solaire engendre la photosynthèse — soit 45 % de l'énergie lumineuse. Ajoutons que la plante respire comme tout être vivant, consommant ainsi une partie de sa propre énergie. De même, pour assurer sa survie, elle est à l'affût du moindre rayon de lumière, donc très sensible à une faible intensité lumineuse ; au contraire, elle est peu avide de fortes intensités, ce qui augmente encore les pertes. Finalement, seuls 6 % de l'énergie solaire incidente sont emmagasinés par la feuille. C'est le rendement théorique maximal.

La situation se dégrade encore lorsqu'on tient compte des rythmes de la plante. Pendant la nuit, elle consomme une partie des réserves du jour. Pour pouvoir disposer de stocks, elle doit fabriquer ses propres silos, et dépenser pour cela de l'énergie. Puis, au cours de sa longue croissance, elle connaît deux étapes difficiles. Dans sa période juvénile, elle n'a pas de bonnes performances, et doit même se nourrir des substances complexes que lui fournit **la** graine. Dans sa vieillesse, elle consomme plus d'énergie qu'elle n'en emmagasine ; en effet, les produits ont tendance à migrer vers l'épi qui grossit, consommant de plus en plus tandis que les feuilles se mettent à jaunir.

Plaçons enfin la plante dans son milieu naturel : le champ. Les feuilles se font ombrage, ce qui diminue encore le rendement. Mais surtout, la période de culture est limitée dans le temps. Ainsi le maïs : si son rendement est bon en période de croissance active (2,5 %), il n'est plus, ramené à l'année, que de 0,5 %. Comme pour la plupart des cultures, sauf celles des plantes « pérennes » qui occupent le sol toute l'année, permettant plusieurs récoltes.

A l'échelle, non plus du champ cultivé, mais de la superficie d'un pays comme la France, le rendement atteint le chiffre dérisoire de 0,2 %.

Cette chute en cascade, qui fait passer des 30 % au niveau infinitésimal au 0,5 % à l'échelle des champs et des années, est la hantise des chercheurs agronomiques. La machine végétale fuit de toutes parts. Quant à colmater la brèche... encore faudrait-il savoir où elle se trouve. Les chercheurs travaillent à de nombreux niveaux : molécules, stomates, feuilles, plantes, champs. Chaque groupe cherche dans son domaine la faille du système végétal. Mais la concertation des différents niveaux commence à peine en France, ce qui ne facilite pas le travail.

Devant un aussi faible taux d'intérêt, l'ardeur des « capitalistes » de la verdure serait vite refroidie si la biomasse ne disposait d'une qualité cachée, extrêmement rare. En effet, le rendement de 0,5 %, si infime soit-il, ne correspond pas seulement à de l'énergie captée, mais à de l'énergie stockée par la plante. Par comparaison, les photopiles réussissent le score de 10 % pour convertir le soleil en électricité ; encore faut-il ensuite stocker cette électricité — problème des plus difficiles à résoudre. Dispersée et étalée sur le sol, la biomasse capte le moindre rayon solaire sur de vastes étendues. Un faible éclairement lui suffit pour vivre, quand tous les autres appareils solaires seraient en panne. Il ne reste qu'à la collecter et à l'engranger, en attendant de la consommer. Deux problèmes sont ainsi résolus : la concentration de l'énergie solaire, et son stockage.

Alors, au lieu d'installer des tapis de miroirs pour une centrale solaire, on peut tout aussi bien gérer une forêt, qui tiendra dix ou cinquante fois plus de place [1], mais ô combien plus agréable. Le seul risque, dans ce cas, est l'incendie de forêt.

Le pétrole vert

Nouvelle métamorphose de la biomasse, pour postuler au titre d'énergie du futur... sa transformation en hydrocarbures.

Comprimez fortement de l'herbe, sous une pression de 200 atmosphères. Puis chauffez cette « brique » d'herbe vers 300° C. Il en sortira des huiles lourdes. Tel pourrait être le mode d'emploi d'une machine qui réaliserait cette gageure : faire jaillir du pétrole dans son jardin. L'action conjuguée de la pression et de la température réalise, dans des conditions industrielles, ce que la nature a mis des millénaires à fabriquer sous terre. La boucle est fermée : la photosynthèse vivante est capable de fournir de l'énergie fossile. Les procédés de pyrolyse ou d'hydrogénation commencent à être mis en place industriellement dans quelques pays.

Ce pétrole « vert » coûte cher. Mais il est rassurant de penser qu'il existe, alors que les stocks fossiles diminuent progressivement, l'homme consommant chaque année ce que la nature a mis un million d'années à fabriquer dans des poches souterraines. Le pétrole vert est l'avenir. Et déjà, son homologue semble relégué dans le passé. D'ailleurs, il relève d'une économie de cueillette, au

1. Une centrale solaire de 5 MWé (continus) occupe au sol environ 30 hectares. Une plantation énergétique fournissant l'équivalent, soit 75 tonnes de matières sèches à l'hectare chaque année, occuperait 300 hectares.

même titre que la chasse ou la pêche. Certes, la disparition des puits de pétrole n'est pas à l'ordre du jour, au
contraire. Mais il semble qu'un déplacement stratégique
soit déjà en train de s'opérer en direction de la biomasse :
phénomène radicalement nouveau. La biomasse est déjà
l'arme de la lutte contre la faim. A la fin du siècle, elle
sera peut-être l'arme de l'énergie.

En 1973, lors de la « guerre du pétrole », il n'en est
point question. Cependant, on cherche fébrilement des
substituts au pétrole ; tout est envisagé, jusqu'aux schistes
bitumineux et aux sables asphaltiques, considérés alors
comme compétitifs, et qu'on se hâtera d'oublier ensuite.
Aujourd'hui, force est de constater que le meilleur concurrent du pétrole est toujours le pétrole. Nouvelle venue,
la biomasse joue-t-elle en 1977 le même rôle que les sables
asphaltiques en 1974 ? On peut heureusement en douter,
car elle possède un avantage incontestable : elle existe
partout, à portée de la main, et sa vocation agricole peut
s'accompagner d'une multitude d'applications énergétiques.

Aux Etats-Unis, les crédits du nucléaire ont singulièrement baissé, tandis que de gigantesques projets de « plantations énergétiques » sont envisagés. Dans les pays tropicaux humides, on imagine les potentialités formidables de la
luxuriance végétale. Dans les pays désertiques, des carrés
verts commencent à s'insérer dans l'immensité ocre du
désert. Pourtant, il ne suffit pas de savoir que la biomasse
peut remplacer le pétrole pour que cela se produise... Ainsi
en est-il de la paille, par exemple. On s'émeut de la voir
partir en fumée dans les champs après la moisson. Alors,
quelle satisfaction que d'apprendre que des centres de
recherche se préoccupent de l'énergie de la paille ! On
rêve déjà aux bienfaits qu'en retireront les pays de la
pauvreté. Mais il se peut que rien ne change : la paille
continuera d'être brûlée ; simplement on saura désormais
qu'elle peut servir d'énergie. La technologie est prête...
Annuellement éliminée mais aussi annuellement repro-
duite, la paille constitue une réserve formidable, immédiatement utilisable en cas de « guerre des céréales » ou de
« bataille de l'énergie ». Arme de chantage, selon une
tactique déjà expérimentée par les Etats-Unis dans le cas

du pétrole : en cas de crise, leurs réserves intérieures sont potentiellement disponibles, alors qu'ils se servent à l'extérieur en temps normal. Ce qui fait partie de la panoplie du parfait écologiste peut être demain une épée de Damoclès sur les peuples. Il a suffi de la sécheresse de 1976 en France, pour que la paille, vite reconvertie en fourrage, se vende au marché noir.

Au même titre que le nucléaire, la matière verte est un instrument de la guerre économique. Mais du moins tout le monde est prévenu, et chaque pays a ses chances. A chacun son pétrole vert. Même le désert peut l'emporter.

Enfin, les pays pauvres peuvent profiter du faible avancement général des recherches à l'heure actuelle pour combler leur retard. La voie de la biomasse réserverait alors bien des surprises. Prometteuse mais mal desservie, elle constitue un raccourci idéal pour accéder au niveau de la science occidentale. La course est ouverte.

Des agronomes méconnus à la recherche de l'amélioration des semences

La végétation, partout présente, ne recueille pas, sous nos latitudes, le prestige des techniques sophistiquées, ni l'autorité des sciences pures. Courant 1976, au cours d'une visite au centre de l'INRA [1] de Versailles, situé dans le prolongement des jardins du Château, un agronome, M. de Parcevaux, montre quelques serres climatisées. A peine construites, elles avaient été détruites par un orage de grêle en octobre 1975 ; il fallut les réparer, puis ce fut au tour du constructeur de faire faillite ; tout le système de régulation électrique a dû être mis au point avec les moyens du bord... Images de la recherche agronomique française, qui donnent à réfléchir.

Mais peut-être la science retrouve-t-elle ici ses vertus

---

1. Institut national de la recherche agronomique.

premières... Dans des bacs, de jeunes pousses de lin pointent sous le soleil artificiel de lampes au sodium. Le croisement des espèces, qui demande douze générations pour se stabiliser, est réalisé beaucoup plus vite en serre que dans les champs. Le lin lui doit la vie. Sa production à l'hectare a pu augmenter au même rythme que l'inflation, ce qui lui a permis de conserver un prix constant depuis 15 ans. Sans cela, le lin aurait disparu devant la concurrence mortelle des nylons. M. de Parcevaux découvre, en raclant une tige, les fibres incassables qui servent à l'industrie textile.

Grâce à un travail patient, la productivité des champs ne cesse d'augmenter. En moins de 20 ans, le rendement du blé a doublé en France. Sa croissance annuelle atteint 3 % [1], et rien n'indique un fléchissement de cette progression. Encore faut-il maintenir la tendance.

La course à la quantité et au rendement intéresse tout autant les pionniers de la biomasse énergétique. L'agronome est alors tenté de choisir les espèces les plus favorables. Ainsi les plantes dites en C4 [2] sont considérées comme les meilleures : elles fixent mieux le gaz carbonique, respirent moins, sont plus réceptives aux flux lumineux élevés ; bref, leur rendement photosynthétique est plus élevé. L'idéal est la plante C4 pérenne, qui occupe le sol toute l'année. C'est le triomphe de la canne à sucre, du sorgho... Le rendement de la photosynthèse dépasse alors 1,5 %.

Bien sûr, il ne s'agit pas de choisir la meilleure espèce, et d'éliminer toutes les autres. Mais une vision énergétique conduit à privilégier certaines plantations. Et l'agronome peut se laisser aller aux rêves les plus fous. Il dis-

1. L'augmentation de la part d'engrais est secondaire dans cette progression continue. Précisons d'autre part que les fluctuations annuelles autour de la progression constante sont grandes, l'écart dépassant parfois 20 %. Le développement en dents de scie est une caractéristique essentielle de l'agriculture, avec lequel il faut composer.

2. Les agronomes distinguent les génotypes C3 et les génotypes C4, selon la disposition du carbone dans les structures moléculaires de la plante.

pose d'une marge de manœuvre immense : celle qui sépare
les rendements réels de 0,5 % des rendements théoriques
de 6 %, voire même plus dans des conditions artificielles.
Déjà, il explore la gamme des 2 ou 3 %.

Et il tente quelques hybridations entre C3 et C4. Les
Américains en ont fait l'expérience sur l'*Amarantus,* une
plante qui présente des amorces de C4, dont on profite
pour améliorer sa qualité. Mais cette recherche de mutations n'a pas donné les résultats escomptés. Plus modestement, avoue M. Chartier, agronome de l'INRA, « mieux
vaut améliorer le C3 en tant que C3, et le C4 en tant que
C4 ».

L'agronome devient vite apprenti sorcier. Tel ce chercheur soviétique qui annonce triomphalement que « des
impulsions lumineuses peuvent influer sur la génétique
végétale [1] ». De brèves « averses » de lumière concentrée modifieraient-elles l'hérédité des plantes, en créant
des photomutants ? A la lecture des résultats, il ne s'agit
apparemment que d'une amélioration des semences sous
l'effet des rayons lumineux. Phénomène très classique, dans
ce cas mais qui, monté en épingle, laisse sous-entendre que
le milieu ambiant agirait sur le génome de la plante, transformant son hérédité, comme l'annonçait Lyssenko en son
temps.

En fait, pour modifier le génome, un traitement de
choc s'impose. Comme l'irradiation radioactive d'une multitude de semences, expérience menée par l'INRA de
Dijon. Ici, la loi des grands nombres joue, autrement dit
le hasard. Parmi les plantes « monstrueuses » obtenues,
apparaissent quelques individus améliorés. Ces expériences
maléfiques opérées en laboratoire nous emmènent loin des
travaux méticuleux des agronomes de plein air. Mais l'objectif est le même : l'amélioration des semences.

Obtenir le maximum de biomasse ; c'est là un choix
quantitatif. Ensuite, d'autres choix concernant son utilisation se posent. La biomasse peut devenir un aliment, une
source d'énergie, une matière première pour l'industrie.

1. Cf. l'article d'Alexandre Chakhov, revue *Courrier de l'Unesco,*
janvier 1974.

Jusqu'à présent, une seule filière est simple et irréprochable : c'est la moisson des grains destinés à l'alimentation. Aujourd'hui s'ouvre une nouvelle voie, tout aussi dégagée que la précédente : celle des « plantations solaires » destinées à fournir uniquement de l'énergie. La biomasse une fois séchée est brûlée et dégage son énergie.

Les plantations solaires et les résidus agricoles

Sur les terres marginales non cultivées, la place est libre pour la plantation solaire. Celle-ci s'ajoute au paysage naturel, sans empiéter sur ce qui existe déjà. Encore faut-il disposer de vastes territoires à faible densité humaine, ce qui n'est pas le cas des petits pays très peuplés.

Le plus souvent, les zones qui bénéficient de bonnes terres et de pluies sont très largement pénétrées par l'agriculture et l'habitat humain. La végétation naturelle s'y trouve morcelée, voire détruite. La gestion des îlots forestiers, pour des usages énergétiques, serait délicate. Faire tous azimuts des moissons sauvages de forêts est peu compatible avec une gestion industrielle planifiée. Mieux vaut donc aller ailleurs, où la place est disponible, et réaliser des plantations artificielles.

Il reste à sélectionner des espèces à bon rendement, adaptées à des conditions climatiques assez frustes et à des sols pauvres. Des chercheurs australiens préconisent l'eucalyptus, le manioc, l'hibiscus, la canne à sucre. Les Américains font des essais sur les peupliers hybrides qui repoussent quand ils sont coupés à la base. Plusieurs récoltes annuelles peuvent être envisagées pour certaines espèces (comme le tournesol), voire même des cultures à étages.

Optimistes, les chercheurs américains pensent atteindre des quantités annuelles de biomasse sèche égales à 75 tonnes par hectare. En les brûlant, la chaleur dégagée permet de fabriquer de l'électricité ; avec un taux de conversion de

30 %, la biomasse fournit alors une puissance de 16 kWé (continus) à l'hectare [1]. Une plantation de 60 000 ha assurerait le fonctionnement régulier d'une centrale électrique de 1 000 MWé continus [2].

Un calcul pessimiste, sur la base de 15 tonnes à l'hectare et de 25 % de conversion électrique, conduit à une puissance de 2,5 kWé continus à l'hectare. Toujours est-il qu'un hectare de plantation solaire se comporte comme un petit puits de pétrole inépuisable fournissant, bon an mal an, au moins 6 tonnes de fuel. Certains pays en ont tiré des conclusions immédiates. Le Brésil pourrait couvrir tous ses besoins en énergie avec des plantations de manioc sur 1 % de son territoire. L'Irlande, pays agricole à faible population, ferait de même en couvrant 11 % de ses terres de plantations énergétiques.

La plantation solaire ne nécessite qu'un apport annexe d'eau et des fertilisants. La technologie est au point, les prix raisonnables, elle ne demande pas un gros capital initial. Cette technique peut s'implanter en une dizaine d'années, bien plus facilement que le nucléaire.

Mais, en Europe, la place manque. Seuls les Irlandais ont des chances. Ils ont l'intention d'exploiter les terres marécageuses qui occupent 6 % de leur territoire. Déjà, ils en extraient la tourbe, pour servir de combustible. Mais celle-ci tend à s'épuiser. Ils ont maintenant l'intention de récolter régulièrement les taillis et les arbustes : c'est là une plantation solaire mal dégrossie, mais prête à fonctionner.

Les pays d'Europe seraient-ils condamnés à subir éternellement la crise de l'énergie ? A défaut de plantations

1. Une tonne de biomasse dégage en brûlant $4,7.10^6$ kcal, soit $5,5.10^3$ kWh. Cela équivaut à une puissance continue de 0,63 kWth. La puissance électrique correspondante, avec un rendement de 33 %, est de 0,21 kWé. Pour 75 tonnes de biomasse annuelles, on obtient donc 16 kWé continus.

2. Pour le moment, seule la canne à sucre cultivée en Californie fournit une biomasse sèche de 75 tonnes à l'hectare. Les eucalyptus sont au-dessous de 50 tonnes à l'hectare, et les peupliers hybrides à 20 tonnes à l'hectare. Dans les forêts tempérées, on recueille normalement 12,5 à 15 tonnes de bois sec à l'hectare.

solaires, une autre idée a germé : l'utilisation des résidus agricoles. Les champs coupés pendant la moisson ne livrent à l'alimentation que leurs produits riches. Il reste les résidus agricoles : pailles de céréales, tiges de maïs, fanes de pommes de terre ou de lentilles... Déchets multiples, déconsidérés et gaspillés. Ils constituent cependant plus de la moitié de la biomasse des champs. Le point de vue énergétique bouleverse tout. Il fait des résidus une énergie potentielle formidable. A raison de 0,4 tonne de pétrole par tonne de matière première végétale, la récolte annuelle, en France, de 30 millions de tonnes de paille et de 10 millions de tonnes de tiges de maïs équivaudrait à 16 millions de tonnes de pétrole.

Transformés en énergie, les résidus n'en sont plus. L'agriculture devient une culture à étages, avec sa partie haute alimentaire, et sa partie basse énergétique. La coupure est nette : l'énergie n'empiète pas sur l'aliment.

Tiendrait-on la solution à la crise de l'énergie ? Sans rien déranger de l'ordonnancement initial, par la simple récupération des déchets agricoles, ou par l'adjonction de plantations énergétiques sur les terres vierges, l'énergie devient une des cent fleurs de la biomasse. Tout semble simple... Mais le concept idéal de culture d'énergie doit souvent affronter une réalité complexe. Il faut en effet choisir parmi plusieurs utilisations possibles. Par exemple, l'usage de la canne à sucre dans une plantation solaire risque d'usurper sa vocation alimentaire. Ou encore, les résidus agricoles peuvent être convertis en énergie, mais aussi en aliments, comme nous le verrons plus loin.

La question fondamentale est posée, plus proche de l'éthique que de l'économie. Faut-il cultiver de l'énergie dans un monde qui souffre encore de la famine ? Certains spécialistes sont si choqués qu'ils refusent d'admettre l'existence du pétrole vert. D'autres répliquent que seul 0,5 % de la biomasse globale est actuellement consommé comme nourriture, et qu'il serait temps d'élargir ses usages. D'ailleurs, les risques sont minimes de voir le pétrole remplacer le blé : la fabrication de nourriture est plus rentable que celle de l'énergie.

Dans la jungle de la biomasse, le « créneau » énergétique n'a rien d'une hérésie. Mais il demande des choix subtils, selon les conditions locales. Une seule tendance générale : celle qui consiste à augmenter la production de la biomasse. Dans une situation d'abondance, il est plus facile de diversifier les usages ; et la concurrence devient positive. Des projets grandioses peuvent alors germer. Des chercheurs de l'université de Stanford préparent déjà un plan biomasse pour les îles Hawaii : exploitation des forêts, mise en culture des céréales énergétiques, récupération des bagasses de canne à sucre, etc.

2. Les multiples usages de la biomasse

Que faire de la récolte de biomasse ? Pour en récupérer l'énergie, le plus simple est de la brûler. Le feu de bois est une technique bien connue — depuis la découverte du feu lui-même. Mais ira-t-on jusqu'à faire tourner les centrales électriques avec du bois ? Il est à craindre que celui-ci, comme le charbon, autre combustible solide, ne corrode les parois des chaudières. Sans compter la difficulté de manutention.

Aussi essaie-t-on plutôt d'obtenir, à partir des matières végétales, des combustibles liquides ou gazeux. Plusieurs procédés sont possibles. La pyrolyse consiste à chauffer, à l'abri de l'air, les matières organiques pour obtenir du gaz, de l'huile et des charbons [1]. La vitesse de la réaction est bonne, et le rendement dépasse 80 %. Plusieurs installations pyrolytiques sont en construction aux Etats-Unis, surtout pour le traitement des déchets urbains.

Les procédés d'hydrogazéification et d'hydrogénation permettent d'obtenir des hydrocarbures. L'hydrogénation notamment demande des pressions élevées, une température de 300° C, et la présence de monoxyde de carbone. Aux Etats-Unis, une usine pilote de ce type, due au Worcester Polytechnical Institute, traite les déchets cellulosiques de la pâte à papier : on récupère ainsi 78 % du carbone des journaux.

Autre solution astucieuse : la fermentation à l'abri de l'air (anaérobie). Celle-ci traite des produits humides, alors

---

1. En particulier, la carbonisation du bois — méthode ancestrale toujours utilisée en Afrique — produit du charbon de bois et des produits de distillation volatils, notamment du « gaz de synthèse », mélange d'oxyde de carbone et d'hydrogène.

que les procédés précédents exigent un séchage préalable. Elle dégage du méthane, et laisse un résidu riche en azote — engrais de première qualité. Son inconvénient est d'agir lentement, et d'avoir un rendement moyen : 25 à 40 % [1].

La fermentation traite aussi bien les matières végétales que ses sous-produits prédigérés par les animaux. Son histoire commence avec le fumier...

En France, on n'a pas de pétrole mais on a du gaz de fumier

Prenez une vache. Enfoncez-lui par la bouche un tuyau jusqu'à l'estomac. Allumez à l'extrémité. Vous obtiendrez une torchère. Le « pétrole du pauvre » est né. Il n'y a plus qu'à rééditer l'opération dans des cuves de fermentation — au nom évocateur de digesteurs. Cette invention est française et commence, comme il se doit, avec du vin. Deux jeunes Français d'Algérie, installés à Maison-Carrée, bricolent un appareil de vinification original. Poursuivant leur étude, ils tentent alors de produire du gaz de fumier dans une vieille cuve à vin. Des gaz s'échappent à l'air libre, nauséabonds. Et les voisins de s'enfuir précipitamment... Nos deux compères, Ducellier et Isman, n'abandonnent pas pour autant.

1941, date historique : la première cuve de production fonctionne, dans le jardin de Ducellier. Construite en briques, recouverte d'une cloche de tôle. Le gaz de fumier qu'elle fournit suffit à subvenir aux besoins domestiques de la villa. Puis les installations se multiplient. A Nîmes d'abord. Ensuite à Cuzieu (Loire), dans le domaine du général Bouchery, délégué en zone libre de la Commission des carburants de remplacement. Le fermier de ce domaine

1. Une tonne de paille a une capacité calorifique de 4 500 kcal par kilo. Fermentée, elle délivre 200 m³ de gaz, à 5 500 kcal par mètre cube, soit un rendement de 25 %.

Digesteur à gaz de fumier, à l'école d'agriculture de Masseube, dans le Gers, vers 1950. (Photo APRE, Montargis.)

ne disposait jusqu'alors que d'un litre de pétrole par mois, pour son éclairage, la ferme n'étant pas raccordée au réseau électrique. *1946* : naissance dans l'Indre du premier tracteur fonctionnant au gaz de fumier. Celui-ci, comprimé en longues bouteilles, qui donnent au tracteur une allure de « porte-torpilles », sert aussi aux besoins domestiques de la ferme. *1949* : la première voiture au gaz de fumier fait son apparition.

M. Isman continue ses expériences à l'Institut agricole de Maison-Carrée. Huit cuves de 40 m³ installées derrière l'étable et l'écurie sont chargées à tour de rôle de fumier. Le gaz combustible dégagé assure en continu les besoins énergétiques de l'internat de 200 élèves — notamment ceux de la cuisine, ainsi que des laboratoires et de deux tracteurs. Dans les années cinquante à soixante, on compte plus d'un millier de petites installations en France et à l'étranger.

Tracteur au gaz de fumier, à Maison-Carrée (El Harrach), Algérie.
(Photo Isman.)

Mais l'agriculture se modernise, s'électrifie, le pétrole
envahit le marché. En même temps, le travail de la terre
devient moins pénible. Les familles découvrent les joies du
week-end, et les enfants quittent la terre. Les vieux maté-
riels se démodent. Les cuves à gaz, nécessitant une sur-
veillance régulière et une lourde manutention, sont jugées
superflues. Un produit n'est-il pas classé comme déchet
lorsqu'on juge trop fatigant de s'en servir ? Aujourd'hui,
sur le sol français, il n'existe plus qu'un seul digesteur en
fonctionnement, dans une ferme de l'Est.

Rentré en France en 1962, M. Isman ne dispose d'aucun
moyen de travail dans sa spécialité pendant 12 longues
années... Jusqu'à la crise du pétrole. Aujourd'hui on lui
téléphone de partout. Des particuliers lui demandent
conseil, et même le ministère de la Recherche. Une installation expérimentale est en construction [1]. Mais déjà, les

1. Par ailleurs la société Bertin, collaborant avec l'INRA, expérimente depuis 1975 plusieurs digesteurs de type assez sophistiqué.

retards se sont accumulés en 1976 : « Ce que la Société des poudres et explosifs a tant de mal à faire, un bon artisan l'aurait déjà réalisé, et cela marcherait ! », ironise M. Isman, vieux monsieur tranquille de 70 ans, qui vit au milieu des fleurs, dans sa villa de banlieue parisienne.

Ainsi resurgit le gaz de fumier, ou le bio-gaz — pour user de termes plus châtiés. Le fumier n'est d'ailleurs pas sa seule source possible. Tous les produits végétaux à matières cellulosiques fermentent selon la même réaction [1], pour donner un mélange de méthane et de gaz carbonique. Mais les résultats sont très variables, selon les conditions d'expérience [2]. Et l'on connaît mal les mécanismes profonds de la fermentation anaérobie, due à des populations microbiennes diverses. Pourtant, il s'agit d'un phénomène naturel courant. Il suffit d'observer les nappes de gaz au-dessus de la vase des étangs : elles sont produites par la dilution et la fermentation des déchets végétaux. Les digesteurs à alimentation continue s'inspirent de ce principe, et traitent des boues très fluides [3].

M. Isman, lui, s'est inspiré d'un autre processus naturel : dans les tas de fumier, la matière fraîche subit d'abord en surface une fermentation chaude, avant d'être soumise à l'abri de l'air, sous la couverture des couches superficielles, à une fermentation productrice de méthane. Par analogie, le digesteur à alimentation discontinue est inventé. Une préfermentation à l'air permet de chauffer la cuve : elle dure une semaine, le temps du remplissage. Puis le fumier, arrosé de purin, est enfermé dans la cuve et fermente pendant un mois. Grâce à la chaleur accumulée initialement, la température reste suffisamment élevée pour que la réaction se poursuive. Pour plus de sécurité, des

---

1. $C_6 H_{10} O_5 + H_2O \rightarrow 3\ CH_4 + 3\ CO_2$.
2. Divers facteurs peuvent intervenir pour modifier les résultats. Ainsi la distribution d'antibiotiques aux animaux perturbe la fermentation.
3. De nombreuses usines traitent ainsi les boues d'égouts. Elles en retirent l'énergie nécessaire à leur propre fonctionnement, et produisent des engrais. Grâce à la fermentation, les éléments pathogènes contenus dans les boues sont détruits. Celles-ci, épurées, deviennent un engrais efficace.

systèmes de réchauffement extérieurs doivent être prévus (couche de fumier sur la cuve, ou serre solaire, ou eau chaude...). Le gaz vient finalement remplir une cloche mobile au-dessus de la cuve, ou un gazomètre placé à côté.

Avec une tonne de fumier (matière fraîche), on obtient 60 m³ de bio-gaz. Avec une tonne de paille, 200 à 250 m³. Le méthane représente environ 60 % du bio-gaz. Il a la même qualité thermique que le gaz de Lacq (9 000 kcal par mètre cube). Le reste est du gaz carbonique qu'on peut éliminer par un lavage à l'eau [1]. En d'autres termes, un mètre cube de digesteur dégage chaque année 300 m³ environ de gaz de fumier. Avis aux amateurs...

Cette méthanisation, à la différence des techniques sophistiquées de la pyrolyse et de l'hydrogénation, s'harmonise aisément au cycle de la nature. Ses résidus boueux sont riches en produits fertilisants nitrés, qui peuvent être restitués aux sols d'où ils proviennent. La consommation en eau qu'elle exige n'est pas négligeable, mais elle est vingt fois plus faible que dans la fermentation par dilution appliquée aux boues d'égout. Voyons-en les applications actuelles.

Des centrales nucléaires
à la bouse de vache

L'Inde s'est lancée dans cette aventure, pressée par une situation dramatique. L'électrification rurale est bloquée : 4 villages sur 5 ne sont pas raccordés au réseau électrique, et les bénéficiaires sont rationnés. La ponction de bois a été si forte que les zones forestières reculent rapidement. On a alors fait usage de bouse de vache séchée, qui par simple combustion fournit aujourd'hui 20 % des besoins en énergie. Mais elle brûle mal, et dégage d'âcres fumées.

---

1. Un mètre cube d'eau absorbe en moyenne un demi-mètre cube de CO_2.

Pourquoi ne pas essayer la fermentation, beaucoup plus fiable dans cet environnement ?

Des calculs ont été faits. Un village de 500 habitants possédant 250 têtes de bétail pourrait ainsi obtenir, avec de simples digesteurs de déjections, 130 m³ de gaz par jour, soit une énergie de 700 kWh par jour ou une puissance thermique continue d'une trentaine de kilowatts [1]. Ce chiffre dépasse d'un tiers la consommation actuelle d'un tel village. D'autre part, les boues résiduelles constituent 300 tonnes d'engrais chaque année (la part d'azote est de 4,5 tonnes). Des latrines collectives peuvent être couplées à la filière animale, améliorant ainsi l'hygiène locale. A l'échelle de tout le pays, les résultats sont impressionnants. Le parc bovin de l'Inde est de 226 millions de têtes. La seule fermentation des bouses dégagerait 40 milliards de m³ de gaz, équivalant à une puissance thermique de 25 000 MW. Sans compter les 4 millions de tonnes d'azote, qui reviendraient fertiliser la terre au lieu de partir en fumée. Quand la bouse de vache rivalise avec une douzaine d'installations nucléaires de 1 000 MWé chacune, on peut s'interroger à juste titre sur les stratégies énergétiques d'aujourd'hui. Ces perspectives encourageantes ont incité le gouvernement indien à prévoir dans son plan quinquennal 1974-1979 le financement de 50 000 installations de village. Il en existerait actuellement une dizaine de milliers.

Mais les programmes, si généreux soient-ils, ne peuvent outrepasser les limites des conditions réelles. La « communauté de village » est en Inde une vue de l'esprit, même si elle évoque les grandes idées de Gandhi. Bien plus que l'électricité, le bio-gaz exige, selon le mot de Lénine, des soviets... Une famille, même grande, ne peut y suffire. Pour construire une petite unité de fermentation, il faut au moins 4 bovins. Moins de 5 % des familles indiennes

---

1. Des hypothèses modestes ont été prises. Une vache est supposée produire annuellement une tonne de bouse (poids sec) qui peut être convertie en 200 m³ de gaz. Les 250 vaches fourniraient 50 000 m³. A raison de 5 000 kcal par mètre cube, ou 5 kWh par mètre cube, on obtiendrait 250 000 kWh/an, soit 700 kWh/jour.

en possèdent autant... Ne serait-ce que pour construire des latrines collectives, il serait nécessaire de rompre avec le système des castes.

La bouse de vache n'est donc pas la panacée. Les chercheurs indiens pensent cependant améliorer le système. L'adjonction des litières de paille à la bouse permettrait de doubler la production de gaz. Et si la bouse ne suffit pas, on pourrait encore utiliser tous les déchets végétaux, notamment la jacinthe d'eau qui prolifère dans les cours d'eau.

Des champs qui suent le pétrole

De la paille, faire de l'or noir... Les sorciers de la fermentation ne manquent pas d'arguments. Brûler la paille est une hérésie, proclament-ils. En France, un tiers de la production de paille est brûlée ou laissée sur les champs. Ces 10 millions de tonnes, si on les faisait fermenter, pourraient produire 2 milliards de mètres cubes de gaz annuellement : c'est déjà le quart de ce que consomme en énergie le secteur agricole dans son ensemble. A fortiori, tous les pays pauvres importateurs de pétrole sont concernés. Dans l'Ouest africain, sur des dizaines de kilomètres, le long des rizières, flambent les monticules de paille de riz, tandis qu'alentour les sols s'épuisent. Une gestion rationnelle permettrait, à partir de la récupération de la paille, de libérer du fuel et de l'engrais [1].

Quand les champs sueront le pétrole... Cette vision idyllique du futur rejoint paradoxalement un passé déjà oublié. Ce temps, pas si lointain, où la paille avait une valeur. Il y a 50 ans, dans les campagnes françaises, on ramassait aussi le petit bois et les branches d'arbres pour la cuisson du pain et l'alimentation des animaux. La revalo-

---

1. Ainsi un hectare équivaut, en énergie, à plus d'une tonne de fuel annuellement (c'est-à-dire l'équivalent pétrolier de 2 000 m³ de bio-gaz récupérés à partir de 8 tonnes de paille sur un hectare).

risation actuelle des résidus agricoles ne serait-elle qu'un retour en arrière ?

La fameuse période de sécheresse de juin 1976 a réactualisé le problème dans les campagnes françaises. D'abord, les pouvoirs publics ont interdit de brûler la paille. D'autre part, bien des évidences ont été remises en cause. Pour l'alimentation des animaux, on croyait acquis que l'importation des tourteaux de soja valait mieux que la paille traitée. Le calcul économique semblait définitif. Mais en un mois, les cours de tourteaux de soja ont doublé, sous l'effet du monopole américain des protéines pour l'alimentation animale. Une conclusion devrait s'imposer : faire des stocks de paille, pour ne pas être tributaire du soja... Et peut-être en profitera-t-on pour valoriser durablement la paille. Les notions de rentabilité économique sont toutes relatives. Le gaz des digesteurs ne doit pas souffrir de la comparaison avec ses concurrents modernes. Dans les pays en voie de développement, il est immédiatement compétitif. Dans un pays comme la France, face au raz de marée électrique, il a encore des atouts. En effet, si l'on intègre, dans le coût actuel de l'électricité, le prix du réseau de distribution rurale financé par l'Etat, les prix grimpent singulièrement. Par comparaison, le méthane biologique gagne des points.

De nouveaux types de cuves sont aujourd'hui expérimentés. Grâce à des panneaux mobiles en plastique, la vidange peut être faite avec un tracteur. L'argument de la simplicité et de la robustesse donnera peut-être, sait-on jamais, une seconde vie aux digesteurs.

Du whisky dans votre moteur

En attendant l'hypothétique essor des digesteurs français, le Brésil ouvre le carnaval énergétique. Il possède d'ailleurs une longue expérience : pendant longtemps, depuis le début du siècle, le train à vapeur de São Paulo a été alimenté par les plantations d'eucalyptus qui bordaient

la voie. Maintenant, les Brésiliens veulent fabriquer de
l'alcool à partir de la canne à sucre et du manioc. Cet
alcool sera mélangé à l'essence, dans une proportion qui
devrait atteindre 20 % d'ici une dizaine d'années. Les voitures devront s'accommoder de ce mélange : elles seront
un peu moins nerveuses. Le Brésil compte économiser ainsi
un dixième de ses importations de pétrole.

En Angleterre aussi, voici un demi-siècle, quelques
voitures avaient marché avec de l'alcool de fermentation,
dérivé des pommes de terre. Les Brésiliens voient beaucoup plus grand : leur plan alcool, décidé en 1975, néces-
sitera un million d'hectares de cultures énergétiques, qui
produiront 3 milliards de litres d'alcool chaque année.

Opération sacrilège, à plusieurs titres. Pour la première
fois, on ose dégrader des produits alimentaires en énergie.
Depuis des siècles, on sait fabriquer de l'alcool à partir
des végétaux, grâce à une fermentation à l'air. Le whisky
ou l'alcool de riz en sont le produit. Mais de là à mélanger
ce produit noble à l'essence... La fermentation à l'air est
bien connue : le sucre est attaqué par divers micro-organismes — levures, bactéries, champignons. L'alcool est
finalement obtenu par distillation dans un alambic. La
canne à sucre et la betterave se prêtent particulièrement
bien à ce traitement. Mais même les céréales et le bois
peuvent servir de matière première, à condition toutefois
de casser dans un premier temps les chaînes moléculaires
des polysaccharoses. Une fois les molécules d'amidon ou
de cellulose dégradées en sucre, grâce à des enzymes, la
fermentation peut avoir lieu.

Tout cela coûte cher. Les mauvaises langues assurent
qu'on dépense autant d'énergie pour chauffer l'alambic
qu'on en récupère finalement sous forme d'alcool. En
France, l'action concertée engagée par les pouvoirs publics
autour des résidus agricoles n'a pas retenu ce type de
procédés. Un champ de betterave à sucre pouvant délivrer
10 tonnes de sucre à l'hectare, ou une tonne d'alcool, il
faudrait que l'alcool atteigne un prix dix fois plus élevé
que celui du sucre pour devenir rentable. On en est loin...
Cependant, l'alcool végétal est compétitif, si on le compare à l'alcool fabriqué industriellement à partir du pétrole.

Les Brésiliens ont un atout supplémentaire dans leur jeu : celui de ne pas consommer, dans cette opération, d'énergie extérieure. En effet, la bagasse, sous-produit de la canne à sucre, sert de combustible pour la fermentation. Un hectare de canne à sucre, avec un rendement de 50 tonnes de matières sèches, délivre 3 000 litres d'alcool annuellement.

L'arbre à essence

On redécouvre aussi l'hévéa — l'arbre à caoutchouc. Le caoutchouc peut être facilement transformé en alcool. L'hévéa rivalise alors avec la canne à sucre, mais son rendement reste faible : 3 tonnes de matières brutes sont seulement disponibles à l'hectare. On s'est donc orienté vers d'autres espèces de la même famille que l'hévéa. Les euphorbes produisent tous ce jus laiteux appelé latex, qui est un hydrocarbure complexe. Si l'hévéa fournit un hydrocarbure aux molécules très lourdes, vite coagulé, certaines espèces sauvages d'euphorbes, comme le ricin, ou l'arbuste *Lathyrus* en Californie, produisent un hydrocarbure léger, proche de l'essence. Inutile dans ce cas de passer par la chimie industrielle pour convertir la plante en pétrole. Si l'on arrive à domestiquer ces espèces sauvages, à les rendre capables de supporter les conditions agronomiques de production, on disposera alors de véritables arbres à essence.

Une nouvelle géographie agricole pour la France ?

Pour valoriser la biomasse disponible en larges quantités à la surface du globe, une solution est d'en récupérer l'énergie, par divers procédés, comme nous venons de le voir. Une autre voie consiste simplement à fabriquer des aliments. Solution classique, mais qui réserve encore bien des surprises. Comme le montrent diverses études faites en France...

Certes, loin des aventures indiennes ou brésiliennes, la France paraît bien étriquée et timide. Pas de grand projet de plantation solaire. Un coup d'œil assez sceptique sur les résidus agricoles... La DGRST a cependant créé un groupe de travail sur le sujet [1]. Car la France est véritablement tapissée d'énergie. « Les feuilles mortes se ramassent à la pelle... » Avec ses 14 millions d'hectares de forêts, produisant un excès annuel de 5 tonnes de biomasse à l'hectare, et ses 40 millions de tonnes de résidus agricoles, la France pourrait économiser 50 millions de tonnes de pétrole chaque année, soit la moitié de ses importations.

Mais une forêt ne peut être « tondue » comme une prairie. D'énormes problèmes de ramassage et de transport se posent. La forêt française a encore un long avenir dans l'ébénisterie et la papeterie, avant d'être reconvertie dans la production d'énergie. Quant aux résidus agricoles, une partie doit en être laissée dans les champs pour conserver l'humus. Seul projet de construction énergétique : celui d'EDF-GDF, pour la réalisation d'une usine traitant 100 000 tonnes de paille.

Les prospectivistes ont eu une autre idée, fondée sur l'évolution de l'agriculture française. Ils ont en effet constaté que les cultures se concentrent peu à peu sur les terres riches. Tout autour, le reste est délaissé. Les terres appauvries couvrent aujourd'hui le tiers des surfaces cultivables [2], et demain la moitié... Une idée simple a germé : la remise en culture des terres appauvries. Cela multiplierait leur rendement agricole par deux, tandis que sur les bonnes terres où la productivité est élevée, on ne peut guère escompter des gains de plus de 3 % annuels. Un

1. C'est l'action concertée VEDA (valorisation énergétique des déchets agricoles).
2. Les terres cultivables couvrent en France 50 millions d'hectares.

bond en avant de la production de biomasse serait ainsi obtenu par simple redistribution agricole.

L'installation de pâturages sur ces terres appauvries pourrait suffire — technique « douce » par excellence, qui économise le travail humain et conserve les sols. En même temps, les poches de pâturages sur les terres riches seraient reconverties en cultures plus rentables. Un tel transfert a déjà eu lieu spontanément en Normandie. Elargi à toute la France, il entraînerait une profonde mutation de l'agriculture, rééquilibrant lentement et en douceur ce que l'exode rural détruit jour après jour.

La chasse aux protéines

Et si ce mouvement de rééquilibrage agricole s'étendait à l'échelle planétaire ? La question n'est pas irréaliste. Un déséquilibre immense s'est creusé entre pays riches et pays pauvres concernant la répartition des protéines indispensables au développement humain. Aux Etats-Unis par exemple, chaque habitant dispose annuellement de l'équivalent d'une tonne de céréales, dont les 9/10e servent à l'alimentation du bétail, et donc à la production de viande. Au contraire, certains pays sous-développés ne disposent que de 190 kg de céréales par habitant, avec un taux minime de conversion en viande. Comment résorber ce grand déséquilibre mondial ?

D'abord, il faut trouver des protéines animales. Certains spécialistes invoquent des coutumes ancestrales : Indiens du Mexique qui mangent des papillons de nuit, ou Africains qui se nourrissent de sauterelles grillées... Solutions difficilement généralisables, qui portent trop les stigmates du sous-développement.

Une idée nouvelle suit son cours : remplacer les protéines animales défaillantes par des protéines végétales extraites des surplus et des résidus de biomasse. Au lieu d'en faire de l'énergie, on les reconvertirait en aliments. On entre ici dans le domaine ambigu des *ersatz*. Car la plante n'est pas

seulement une machine à fabriquer des glucides. Elle
stocke aussi des substances plus nutritives : protéines,
lipides. Pour les extraire, il faut presser le jus de la
plante, puis faire la séparation des composants par coagu-
lation. Dans les feuilles et les racines, on peut ainsi trouver jusqu'à 2 ou 3 tonnes de protéines à l'hectare.

Bien des transmutations sont alors possibles, qui mènent
aux aliments de remplacement. Ce n'est pas le moindre des
paradoxes que de voir, au même moment, la canne à
sucre transformée en énergie, comme au Brésil, et le bois
transformé en aliment pour l'homme.

Les avatars de la cellulose

Manger de la paille ou du bois... C'est la spécialité des
termites. L'homme au contraire digère très mal la cellulose, et pas du tout la lignine.

Un exemple nous en est donné par Jean Pasqualini dans
Prisonnier de Mao [1]. Pour améliorer l'alimentation dans
les prisons chinoises, pendant une période difficile, vers
1960, de la pâte à papier pulvérisée est mélangée à la
farine. Sans valeur nutritive, elle fait cependant gonfler les
petits pains. Une aubaine pour les prisonniers qui ont
l'impression de se remplir l'estomac. Mais quelque temps
plus tard, note le témoin :

> La ferme entière souffrait les douleurs de l'agonie :
> c'était probablement le cas le plus grave de constipa-
> tion collective de toute l'histoire de la médecine... La
> pâte à papier absorbait l'humidité de notre système
> digestif, rendant la défécation chaque jour plus diffi-
> cile...

Des précautions s'imposent donc, lors de la traversée
de l'appareil digestif. Pour franchir la barrière intestinale,

1. Gallimard, 1975.

les aliments absorbés doivent avoir des molécules suffisamment petites. La cellulose est bloquée, sauf chez certaines espèces animales qui l'hydrolysent dans leur estomac. Ainsi les ruminants possèdent-ils une flore intestinale qui arrive à casser la grosse molécule de cellulose.

Pour rendre la cellulose digestible par l'homme, le premier moyen consisterait, on l'a vu, à la transformer préalablement en sucre (ou glucose), grâce à des enzymes extraites de champignons comme le *Trichoderma*. Le procédé peut être étendu à la pâte à papier, elle-même contenue dans les déchets urbains [1]. Il est même possible d'en extraire des antibiotiques, par fermentation microbienne.

L'aspect extérieur et la qualité digestive sont une chose. Les vertus nutritives en sont une autre. Dans ce cas, rien ne vaut les protéines. Elles contiennent les dix acides aminés indispensables à l'organisme humain. Justement, on sait tirer des protéines de déchets agricoles. Sur un substrat de paille arrosé d'azote ammoniacal, des micro-organismes — champignons, levures, bactéries — passent à l'attaque. Ils vont hydrolyser l'amidon de la paille pour donner des protéines [2]. Les levures boulangères sont produites ainsi, à partir des déchets laitiers. Il existe d'ores et déjà des usines prototypes traitant 100 000 tonnes de levures par an. Et on essaie même le manioc...

Dernière étape : donner aux protéines végétales un air de famille avec les protéines animales.

Le beefsteak au soja

Nous voici en pleine chirurgie plastique. Passons sur d'aimables fantaisies, tels ces biscuits d'apéritif au bacon vendus dans le commerce, et vierges de toute substance animale. Plus sérieux est le « beefsteak végétal ». Curieuse

---

1. Une tonne de papier libère une demi-tonne de glucose.
2. On peut aussi utiliser un substrat purement chimique, fait de dérivés pétroliers. C'est devenu fort coûteux, depuis la crise du pétrole...

recette de cuisine : donnez aux protéines végétales la
structure des fibres de viande. Passez les fibres dans des
sortes de machines à tisser. Glissez du gras de viande
dans les mailles. Ajoutez l'arôme de votre choix. L'imitation finale est assez réussie. Ce beefsteak coûte deux ou
trois fois moins cher que celui du boucher. Mais c'est
encore trop pour un *ersatz*. Lors d'un essai, le marché
américain s'est montré réfractaire. Le débouché essentiel
se situe dans les produits intermédiaires : hachis, pâtés,
saucissons auxquels on ajoute déjà des protéines laitières.
Aux Etats-Unis, les cantines scolaires ont le droit d'incor-
porer jusqu'à 30 % de soja dans le steak haché.

Du végétal à l'animal : cette opération de maquillage
n'a rien de futile. Elle réalise sans perte ce que tout
animal vivant fait au prix d'un lourd gaspillage : la viande
de bœuf ne contient qu'un cinquième des protéines consommées en fourrage. Mauvais convertisseur de protéines,
l'animal livre par contre un produit de bonne qualité en
matière nutritive. Les aliments doivent en effet favoriser
l'entretien du corps humain et la construction des tissus
sanguins ou graisseux. Les protéines à texture musculaire
sont recommandées : ce qui justifie le tissage des viandes
végétales.

De plus, la viande contient les divers acides aminés dans
les meilleures proportions. Pour améliorer la qualité des
viandes végétales, on est conduit à réaliser de subtils
mélanges, en combinant les acides aminés fournis par
plusieurs plantes. Dans les légumineuses se trouve la lysine,
acide aminé qui fait le plus défaut dans le pain. Un autre
acide aminé, la méthionine, lorsqu'il est ajouté à une légu-
mineuse, lui confère une qualité nutritive semblable à
celle de l'œuf. Dosages raffinés, réalisés en laboratoire,
qui donnent aux mélanges végétaux la consistance d'une
viande.

Nous avions déjà vu l'herbe se transformer en pétrole.
Maintenant, le végétal se rapproche de l'animal. Transmutations multiples qui émerveillent les alchimistes de la
plante et laissent indécis les stratèges de l'économie. Et
ce n'est pas fini. Bien d'autres paramètres vont encore
influencer la biomasse, et ouvrir de nouveaux horizons...

3. L'eau et les cultures solaires

Un monstre hydropique

Quel est l'organisme vivant qui boit chaque jour son propre poids en eau ? pourrait demander le Sphinx à quelque moderne Œdipe. Il s'agit de l'être le plus répandu qui soit : la plante...

La plante est « aquivore ». Elle fonctionne comme une mèche imbibée d'eau. Celle-ci, aspirée par les racines, s'en va irriguer la tige, avant d'être rejetée par transpiration. En France, un hectare de blé consomme environ 50 tonnes d'eau par jour. Or le blé, à sa maturité, pèse environ 50 tonnes à l'hectare (soit 15 tonnes de matière sèche). Comme si l'homme, avec ses 70 kg, absorbait journellement 70 litres d'eau ! Autre comparaison : un champ cultivé évapore autant d'eau que la surface d'un océan...

Les plantes ressemblent à de minuscules bouts de pipelines dressés vers le ciel et ouverts à tous vents. Une idée vient aussitôt à l'esprit : mettons ces tuyaux bout à bout, verticalement. L'eau va monter d'une plante à la suivante. La transpiration de l'une sert à humidifier l'autre, et ainsi de suite. On ne s'étonnera pas de voir cette technique « pétrolière » inaugurée au Moyen-Orient.

Au Koweit, dans une ferme expérimentale, on visite une serre peuplée d'une forêt de troncs en plastique, hauts de 6 m et percés de trous à différentes hauteurs. Dans les trous sont fichées les boutures. Les racines « trempent » dans l'air, à l'intérieur des tuyaux. Toutes les 20 minutes, une douche d'eau, additionnée d'éléments nutritifs, vient nourrir les semis. Dans l'enveloppe de la serre, une quantité modeste d'eau suffit à humidifier et à climatiser l'environnement des plantes.

On peut même faire mieux. Par une disposition des

plantes en quinconce, la transpiration de l'une peut servir à alimenter les racines de celle du dessus, et ainsi de suite. La quantité d'eau nécessaire à une seule plante est retransmise aux autres, de bas en haut, au lieu de se perdre aussitôt à l'air libre ; elle alimente alors les sillons verticaux sur toute leur longueur. Ce genre de culture sophistiquée, demandant des soins méticuleux, a le mérite inestimable, en pays désertique, d'économiser l'eau.

Le problème de l'eau, ainsi résolu dans cette micro-agriculture de pointe, se pose au contraire avec beaucoup d'acuité dans les cultures extensives, sur les vastes étendues de terres. La plante, on l'a vu, vaut son pesant d'eau. Au cours de toute sa vie, elle en boit 500 tonnes par tonne de sa matière finale, cela en pays tempéré : ce chiffre doit être multiplié par deux ou par trois en pays chaud [1].

Ecueil redoutable pour les plantations solaires. Celles-ci, peu regardantes sur la qualité des sols, réclament cependant leurs 60 tonnes d'eau journalières à l'hectare. Les zones tropicales humides sont évidemment avantagées. Dans d'autres pays, au contraire, les régions pluvieuses sont déjà occupées par l'agriculture. Les plantations solaires doivent s'exiler en terrain sec, où leur croissance se trouve ralentie. Seule compensation : la facilité du séchage de la moisson de biomasse.

Le problème se pose très concrètement aux Etats-Unis. Les régions susceptibles d'accueillir des plantations énergétiques sont situées dans le Sud-Ouest, en Arizona et en Californie, où le climat est clément et favorise la croissance des végétations. Plus défavorisé est le Sud du Texas, où les places libres sont peu nombreuses. Quant au Nouveau-Mexique, les rigueurs de l'hiver y sont gênantes... Mais où trouver l'eau ? Dans le Sud-Ouest américain, elle n'est déjà pas suffisante pour couvrir les besoins actuels ; on envisage de l'amener de l'Est. Dans ces

1. Les plantes C4 transpirent autant que les plantes C3, mais leur croissance est plus rapide, ce qui permet une économie d'eau. Signalons encore la technique du *dry farming* : les eaux du sol sont conservées grâce à la présence d'une croûte sèche de couleur claire à la surface du sol, le *mulch*. On peut ainsi développer certaines formes d'agriculture dans les pays arides, sans irrigation.

conditions, le Texas voit ses chances augmenter : le géant Mississippi le traverse.

Une autre solution apparaît alors : utiliser l'eau là où elle se trouve, en cultivant les océans et les étangs. Les nouvelles plantations solaires, affleurant discrètement à la surface des eaux, seront faites d'algues et de plantes aquatiques.

Mangez des algues !

Depuis des siècles, dans l'Etat de Sonora, au Mexique, les Indiens seri mangent des algues. Ils cultivent en bordure de mer une plante aquatique, l'herbe aux anguilles, que les savants dénomment *Zostera Marina L.* Au Tchad aussi, la même tradition culinaire existe. On se demande aujourd'hui si ce genre d'alimentation, venu des profondeurs du temps, ne serait pas une solution d'avenir pour nourrir la planète, ou du moins assurer la survie des pays pauvres.

Déjà, les algues sont utilisées comme ingrédients un peu partout, dans des produits gélifiants, épaississants, tels que l'agar-agar. Le Japon fournit à lui seul la moitié de la production mondiale : 350 000 tonnes en 1972. Des cultures expérimentales d'algues rouges *Porphyra* sont faites dans des baies bien abritées, sur des filets étendus. Elles jouent déjà un rôle dans l'alimentation des Japonais.

Certains voient beaucoup plus loin. Un spécialiste américain, Howard A. Wilcox, affirme qu'un hectare de mer, planté d'algues, pourrait nourrir une dizaine de personnes. Par suite, la culture des surfaces « arables » de la mer — la moitié de la surface totale — pourrait nourrir de 20 à 200 milliards d'hommes, selon les appétits. Serait-ce la solution finale au problème de la faim dans le monde ?

Les algues ont l'avantage d'avoir une croissance plus rapide que les plantes terrestres. Le rendement de la photosynthèse atteint 2 %. Les Spirulines livrent annuellement une quarantaine de tonnes de matière sèche à l'hectare, les *Macrocystis* une centaine de tonnes, les plantes aquatiques jusqu'à 210 tonnes.

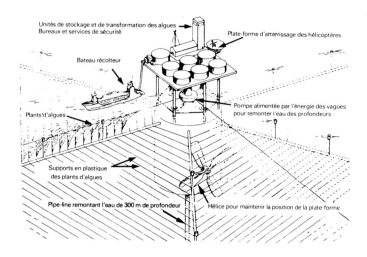

Ferme marine de 400 ha pour la fourniture d'alimentation et d'énergie, projet américain. (Document Mitre Corporation.)

Cette floraison exubérante peut avoir de multiples
usages : production d'aliments, de fuel, de produits chimiques. Les algues côtières fournissent déjà des substances
telles que l'iode, la potasse ; elles interviennent dans la
fabrication des colloïdes naturels : c'est justement pour
produire des alginates que la Kelco Company a tenté
d'implanter en France la culture des *Macrocystis*.

Certaines algues sont riches en protéines. Les Spirulines,
algues bleues unicellulaires qui croissent naturellement
dans les mares de certaines régions subtropicales, en
contiennent une proportion de 64 % (par rapport à leur
poids sec). Les Chlorelles en possèdent 50 %, ainsi que
diverses vitamines, constituant ainsi des aliments de choix,
au moins pour les animaux avant de l'être pour l'homme.

Sans doute verra-t-on bientôt proliférer les fermes aquatiques, comme cela semble se dessiner aux Etats-Unis.

Un champ d'algues de 750 km de côté, au large des
côtes californiennes : cela suffirait, d'après le Dr Wilcox,
pour desservir en nourriture et en gaz naturel tous les

Etats-Unis. Pour le moment, seule une petite ferme marine existe, sur 3 hectares, au large de l'île de San Clemente, dans la Californie du Sud. Les laboureurs de la mer ont des tenues d'hommes-grenouilles. A 12 m sous l'eau, un filet horizontal est tendu, retenu par des ancres accrochées aux fonds marins. C'est là que les algues sont plantées. Des *Macrocystis Pyrifera*, qui poussent de 60 cm par jour et dont la taille moyenne dépasse 20 m.

Après ce premier essai, si tout va bien, deux fermes de 400 hectares seront installées dans les eaux profondes de l'Atlantique et du Pacifique, vers 1985. Déjà, des maquettes en ont été réalisées.

Au centre, une bouée à plate-forme, telle une bouteille géante flottant sur la mer, insensible à la houle. Tout autour rayonnent des filets submergés en plastique, portant les semis d'algues. Un pipe-line va chercher l'eau froide et riche en éléments nutritifs à quelque 300 m de fond. Ce fertilisant, qu'on ne trouve qu'en profondeur [1], est indispensable à la croissance des algues. La pompe aspirante, de faible puissance, pourrait éventuellement être alimentée par l'énergie des vagues. Puis des tuyaux distribuent cette eau pour irriguer la plantation. Ainsi nourries, les algues n'ont plus qu'à aspirer le gaz carbonique de la mer, et à dévorer les rayons de soleil. Enfin vient la récolte. Le bateau récolteur est équipé de grandes tondeuses qui coupent les plantes à la base. Un râteau et des courroies remontent ensuite les longues lianes jusqu'au bateau. Une technique au point, mais coûteuse...

Il reste le plus délicat : le séchage des algues, avant la conversion en énergie. Certains prétendent que cette opération consommera plus d'énergie que la récolte n'en contient. Le Dr Wilcox répond que le séchage n'a pas besoin d'être intégral pour certaines utilisations comme la méthanisation. De plus, un pas en avant jugé décisif

---

1. Il est très rare que des remontées abondantes d'eau profonde aient lieu spontanément : ces zones dites d'*upwelling,* très poissonneuses, n'occupent que 0,1 % de la surface des mers ; elles sont particulièrement encombrées : c'est là que la moitié de la pêche mondiale se pratique.

aurait été fait : grâce à un trempage dans un bain acide suivi d'un passage dans une presse, le séchage ne gaspillerait pas plus de 6 % de l'énergie de la récolte.

Une récolte et un séchage difficiles, mais un avantage essentiel : les fermes marines sont extensibles à l'infini sous les grands espaces de la mer. Aussi les spécialistes américains envisagent-ils déjà, avant l'an 2000, une ferme géante de 40 000 hectares. Son coût : 10 milliards de francs. Elle fournirait l'équivalent de 500 millions de kWh en nourriture, ou 5 milliards de kWh en méthane, chaque année [1]. La fabrication de nourriture répond d'ailleurs à un souci de rentabilité : elle rapporte beaucoup plus que la production de gaz naturel. L'idéal, sur le plan économique, serait alors de ne fabriquer que des aliments, mais il est à craindre que les consommateurs ne soient guère enchantés par la perspective du ragoût d'algues, futur plat unique.

Plus que de calculs, l'avenir des fermes marines dépend directement de la pollution et de la circulation maritime. Sur un champ d'algues, un déversement de pétrole comme celui du *Torrey Canyon* serait pire que du napalm sur une forêt. Bien entendu, en rêvant un peu, le problème ne se poserait plus : si le pétrole fossile venu d'outre-mer était remplacé par le gaz naturel des algues à domicile, alors les carcasses des tankers devenus superflus seraient reconverties en récolteurs d'algues...

On entrevoit déjà le lent glissement des cultures de la terre vers la mer... Les prévisions pourtant futuristes des chercheurs américains nous ramènent à la réalité. Pour une seule ferme marine, celle de 40 000 hectares, en l'an 2000, ils annoncent sans frémir cinq cents fois plus de plantations énergétiques continentales !

---

1. Le soleil apporte 0,17 kW par mètre carré en continu, ou 1 700 kW à l'hectare. Avec un rendement photosynthétique de 2 %, l'algue emmagasine 35 kW à l'hectare. En supposant un rendement de conversion en méthane de 40 %, la plantation délivre 14 kW à l'hectare, ou 120 000 kWh thermiques par an. 40 000 hectares fournissent donc, par an, 5 miliards de kWh thermiques. Avec un rendement de conversion de 4 % en nourriture, on trouve bien l'équivalent de 500 millions de kWh.

Si les plantations marines ont l'avantage incomparable d'être libérées des contraintes du milieu — sol, eau —, elles ne bénéficient pas pour autant de la longue expérience acquise par l'homme dans l'agriculture terrestre, à ciel ouvert.

Les prévisions américaines

Stupéfiants sont les pronostics de la Mitre Corporation (McLean, Virginia), agissant officiellement pour le compte de l'ERDA [1]. En 1985, la biomasse énergétique récoltée

1. Prévisions de la Mitre Corporation :

Provenance de la biomasse	Horizon 1985	Horizon 2000	Remarques
Déchets urbains	36	75	75 % des déchets recyclés en l'an 2000
Résidus agricoles (3,8 tonnes à l'hectare, taux de conversion en énergie : 30 %)	6	204	30 % des résidus utilisés en l'an 2000
Résidus des forêts (3,8 tonnes à l'hectare, taux de conversion : 30 %)	129	186	30 % des résidus utilisés en l'an 2000
Biomasse terrestre et aquatique (rendement atteignant progressivement 75 tonnes à l'hectare vers 2010. 30 % sont convertis en énergie)	720	1515	20 millions d'hectares occupés en l'an 2000
Biomasse marine	0	6	Une ferme de 40 000 hectares en l'an 2000 (et peut-être 10 fermes semblables en 2020)
Total	*891*	*1986*	

(Chiffres en milliards de KWhth par an.)

Rappelons, par comparaison, que la consommation française d'électricité actuelle est de 200 milliards de kWhé par an.

aux Etats-Unis devrait atteindre l'équivalent de 100 000
MWth (continus), et le double en l'an 2000. Sur ce total,
les plantations énergétiques terrestres fourniraient à elles
seules 160 000 MW. Ce coin de verdure, étalé sur un carré
de 450 km de côté, équivaudrait à une centaine de centrales nucléaires de 1 000 MWé.

Des plantations d'arbres, peut-être monotones d'aspect,
régulièrement attaquées par les *scrapers* et les scies, mais
aussi lieux de loisirs et d'évasion, pour peu qu'on s'en
donne les moyens... et aussi puissantes qu'une batterie de
centrales nucléaires. Est-ce l'approche de la civilisation
des loisirs, de ce temps où le paysage pourra servir à
fabriquer de l'énergie ?   A moins que ce ne soit l'inverse,
l'énergie venant une fois encore dégrader le paysage...

Et les Américains ne sont pas les seuls à travailler sur
la biomasse. Citons encore le Brésil, la Chine...

Les plantes aquatiques

Entre mer et terre, il est une solution intermédiaire :
la plante aquatique. Les eaux dormantes cachent une
agitation grouillante en profondeur. Des records de luxuriance végétale sont atteints. Même les poissons prolifèrent [1].

Ici, la jacinthe d'eau est reine. Sa croissance débordante
la fait enfler démesurément, de 3 000 tonnes chaque
année par hectare (soit 150 tonnes en poids sec, après
essorage). Véritable fléau en Inde, où elle obstrue les

---

1. Par rapport aux plantigrades, soumis à la marche, les poissons bénéficient de leur symbiose avec l'eau, et de leur aérody-
namisme. Ils sont donc de meilleurs convertisseurs d'énergie pri-
maire — leur nourriture — que les ruminants, les porcs ou la
volaille. C'est autant de gagné, pour l'alimentation humaine. Faudrait-il pour autant s'orienter vers le plat unique de poisson ?
Au Portugal, pendant la floraison des œillets de 1974, des écologistes avaient proposé, par affiche, de tout miser sur la morue,
pour sortir de la crise alimentaire et économique !

Récolte d'algues spirulines à Antibes. (Document Institut français du pétrole, Paris.)

canaux d'irrigation, elle sera peut-être une bénédiction du ciel, demain. Récoltée puis enfournée dans des digesteurs, elle délivrerait, à partir d'un hectare de plan d'eau, 30 000 m³ de bio-gaz. On économiserait ainsi l'équivalent de 15 000 litres de fuel chaque année. Sans compter la récupération des protéines, faite avant la mise en fermentation (900 kg à l'hectare).

Autre possibilité : les bassins artificiels de culture d'algues. Les Spirulines, notamment, se récoltent facilement et sèchent rapidement [1]. Curieusement, c'est le pétrole qui les a fait découvrir. En 1963, l'Institut français du pétrole eut en effet l'idée de les cultiver industriellement, pour utiliser le gaz carbonique provenant de la combustion des résidus pétroliers.

Des algues minuscules rivalisant avec le pétrole polluant... D'ores et déjà, elles déploient des facultés prodigieuses : elles oxygènent l'eau et la purifient. Les eaux d'égouts sont leur milieu idéal. Elles mangent la saleté, et peuvent ensuite servir à de multiples applications [2]. De la déjection à l'aliment : l'algue devient alors un maillon essentiel de la chaîne alimentaire et du cycle de la nature. Aubaine qui mérite d'être exploitée.. et qui vaut bien qu'on réfrène certaines répulsions. Quitte à s'inspirer du cynisme de Diogène ; celui-ci avait en effet répondu, lorsqu'on lui reprochait de fréquenter les maisons closes : « Le soleil va bien dans les latrines, et pourtant il ne s'y souille pas... »

Dans les années 1950, une rumeur arrive de Malaisie. Une expérience est en cours qui associe, par le biais de l'algue, l'élevage des porcs, des poissons, de la volaille, à la culture potagère et fruitière. Dans leur ferme de Balayan Lepas, des paysans malais d'origine chinoise s'inspirent de traditions millénaires. La porcherie d'embouche est traversée dans sa partie inférieure par une rivière, qui

1. La récolte des Chlorelles est plus délicate : elle se fait par centrifugation.
2. Dans la baie de Humboldt, en Californie, on tente d'utiliser les eaux d'égouts pour la production d'aliments destinés aux premiers juvéniles du saumon. Au Bengale occidental, on expérimente l'élevage de carpes dans des étangs alimentés par des eaux d'égouts. En Tchécoslovaquie, à Vodvany, on se sert des résidus d'une usine d'amidon et des eaux usées provenant des poulaillers pour fertiliser des étangs à poissons. On peut même imaginer un projet de cultures d'algues et de coquillages, en combinant l'apport du soleil, les gaz de cheminées d'usines (riches en gaz carbonique), les eaux chaudes provenant d'installations industrielles, les eaux usées apportant les sels nutritifs supplémentaires.

entraîne les déchets dans huit bassins. Là, une intense vie planctonique fait croître et se multiplier les poissons, tilapias et carpes. Une plante aquatique est introduite, le *Kangkong* — en latin : *Ipomoea reptans*. Florissante elle aussi, elle sert de fourrage pour les porcs. Enfin l'eau, chargée d'éléments fertilisants, est acheminée vers les jardins.. D'après les paysans, les bénéfices de la pisciculture ont été supérieurs à ceux des porcs, dès la deuxième année d'exploitation. Un seul contretemps : la présence de loutres, dévoreuses de poissons, qu'il a fallu éliminer. Par contre, les tilapias ont la délicate attention de gober les moustiques.

Aujourd'hui, on fait mieux encore, du côté des îles paradisiaques du Pacifique Sud...

Fermes intégrées, en Papouasie

Près de Port-Moresby, en Nouvelle-Guinée-Papouasie, fonctionne une ferme curieuse, l' « unité intégrée de Laloki ». Dans la porcherie de forme octogonale, le sol cimenté est incliné vers le centre, où sont placés un digesteur et un réservoir de décantation. Au-dessus se trouve le poulailler ; les déchets des poulets sont aussi envoyés dans le digesteur. Cette paillote à animaux, entourée d'une palissade, délivre du méthane biologique qui sert à la cuisine, à l'éclairage, et même à un moteur pour le pompage de l'eau.

Le digesteur, alimenté chaque jour, assure une bonne propreté à l'étable, sans trop d'odeurs ni de mouches. Le résidu liquide est ensuite envoyé vers les bassins d'algues peu profonds, où se produit l'oxygénation au soleil. Les algues achèvent de détruire les éléments pathogènes qui auraient survécu. Elles sont récoltées tous les après-midi ; riches en protéines, elles servent à l'alimentation du bétail.

L'eau sortant des bassins d'algues est alors conduite aux bassins à poissons, suffisamment étroits pour faciliter la pêche. Le traitement biologique des déchets s'y achève.

De fines algues, des protozoaires et des herbes y croissent naturellement, nourrissant selon leur grosseur les poissons ou les canards. De plus, les poissons limitent la croissance des moustiques, et les canards celle des herbes.

Ces poissons, des tilapias et des carpes, nourrissent à leur tour les porcs et les humains. Pour éviter que la viande de porc ait un goût de poisson, on arrête l'alimentation en poisson 2 semaines avant l'abattage. L'eau issue de ces bassins à poissons comporte encore une certaine quantité de fines algues. Elle est envoyée à travers plusieurs bassins de coquillages. Enfin, chargée uniquement d'éléments minéraux fertilisants, elle sert à irriguer les cultures, grâce à des tuyaux souterrains perforés en plastique.

Georges L. Chan, d'origine mauricienne, est l'initiateur de cette exploitation agricole intégrée. Spécialiste de génie civil sanitaire, il a construit en 1971 un premier digesteur à Fidji. Depuis, on en compte des dizaines en Papouasie-Nouvelle-Guinée, et dans les îles Gilbert, Guam, Samoa, Cook... Chan achève actuellement, avec une communauté villageoise, la construction d'une petite unité intégrée. Avec des matériaux locaux et le travail des villageois, il espère assurer au village son autonomie en nourriture et en énergie. Et grâce au méthane, il est possible d'envisager une micro-industrie (réfrigération pour conserver les poissons, abattoir, huilerie...). Ingénieux, diront les sceptiques, mais l'installation demeure fort rustique, tout juste adaptée à un pays déshérité.

Peut-être... Retenons-en cependant l'essentiel. Le soleil délivre ses *flashes* sur chaque élément du circuit intégré : algues, plancton, légumes. Une dynamique s'enclenche, un lent mouvement tournant libère à tour de rôle du méthane, des poissons, des légumes. Cycle naturel qui reproduit le mouvement perpétuel du Soleil. Fini le casse-tête du choix de l'usage de la biomasse. Le soleil retrouve ici sa vocation plurielle.

Cette vision futuriste qui, par un paradoxe surprenant, nous arrive d'une ferme papoue, inspire aussi les jeunes chercheurs américains du New Alchemy Institute. Dans leur « Arche miniature », le soleil fournit la chaleur, le vent fait circuler l'eau à travers un chauffe-eau solaire et des bassins où des algues et des poissons sont élevés. Les bassins stockent aussi la chaleur, permettant une régulation du climat dans des serres...

Combinaison subtile des quatre éléments essentiels, tels que l'Antiquité grecque les avait définis : le soleil, la terre, l'eau, le vent. Et peut-être est-ce là justement un avant-goût de la quintessence, ce cinquième élément dont parlaient les disciples d'Empédocle...

Les serres du désert

Jeux infinis de l'eau et de la plante. Eau dormante où baignent les plantes aquatiques. Eau courante qui anime la chaîne alimentaire dans les unités agricoles intégrées. Eau souterraine qui imprègne les racines des plantes dans les champs. Eau aérienne enfin — la vapeur d'eau, qui flotte au-dessus du sol.

L'humidité de l'air influence la vie des plantes. Elle leur permet de moins transpirer pour une même dépense d'énergie. Autrement dit, elle active leur croissance. D'autres facteurs interviennent encore dans les mécanismes internes de la végétation : la température ambiante, l'intensité de la lumière, la teneur en gaz carbonique de l'air. Toutes choses déterminées par le climat local. Pour les modifier, il faut créer un climat artificiel. On entre alors dans le royaume des serres.

Là tout est possible, ou presque. En forçant la dose de gaz carbonique jusqu'à 0,2 % dans la serre, au lieu des 0,03 % de l'air ambiant, les rendements doublent. On peut encore agir sur la lumière, en plaçant des lampes au sodium... Mais la fonction traditionnelle de la serre est plus simple : elle échauffe l'atmosphère pendant les mois d'hiver. Le reste importe peu. Et en été, elle ne sert à rien. Parfois on blanchit le toit, pour éviter la surchauffe. Cela est valable en pays tempéré. Mais une serre peut aussi apporter la fraîcheur. Une antiserre, en quelque sorte, et désormais valable pour les pays désertiques. Grâce au procédé du froid par évaporation.

A Baalbek déjà, dans l'Antiquité, on savait rafraîchir. Un courant d'air circulait dans un couloir en chicane, à travers de hautes herbes du désert mouillées. L'eau s'évaporait alors, produisant la fraîcheur. Aujourd'hui, les serres du désert appliquent le même principe. Un ventilateur situé à l'extrémité du tunnel en plastique aspire l'air depuis l'autre extrémité, voilée par un tapis d'alfa mouillé, dénommé *pad*. L'air qui traverse la serre est à la fois rafraîchi et humide — deux avantages à la fois, que sait apprécier la plante [1].

En pays sec et chaud, la température à l'intérieur de la serre peut ainsi être abaissée d'une dizaine de degrés, évitant à la plante de griller sous la canicule. A Abou Dhabi, une modeste réalisation fonctionne depuis 5 ans : la ferme de Maziad, près d'El Aïn... Un carré de verdure planté au milieu des sables, comme un défi aux éléments. Un climat impossible, sous le tropique du Cancer, avec des pointes de 50° C à l'ombre. Pas de pluie. Les vents raclent le sol, entraînant le sable qui vient enliser les plantes, ou mettant leurs racines à l'air. Aujourd'hui, 25 hectares de cultures se sont agrippées au décor. On y accède par une voie royale de 200 km d'autoroute jalonnée de 300 000 arbres. A l'entrée du centre agricole de Maziad-El Aïn, les lauriers-roses accueillent le visiteur. Des haies d'eucalyptus et de hautes légumineuses clôturent les champs, pour briser l'assaut du vent. L'eau est puisée dans quatre puits, à une soixantaine de mètres sous terre [2].

Ici commence un mélange hardi de techniques sophistiquées et de méthodes antiques. Pour les serres, c'est l'*evaporative cooling,* comme nous l'avons vu, facilité par la sécheresse de l'air. A côté d'elles s'étalent des « ombrières » — grillages plastiques à claire-voie installés au-dessus des plantations. Elles ressemblent aux couvertures des ruelles

1. Ce qui est apprécié par la plante ne le serait pas par l'homme. Notre physiologie supporte de la même façon un climat très humide à 25°C et un climat sec à 35°C.

2. 1 200 m³ sont puisés quotidiennement. La nappe phréatique est alimentée par les pluies des queues de mousson qui s'abattent sur les monts d'Oman, qu'on aperçoit à l'horizon depuis le centre d'El Aïn.

de souks, et permettent d'appliquer artificiellement un des principes de l'agriculture oasienne : la culture à étages. Dans ce système traditionnel, en effet, les palmiers forment des ombrières naturelles sous lesquelles poussent les arbres fruitiers, ceux-ci faisant à leur tour de l'ombre sur les cultures maraîchères et fourragères. Quant à l'irrigation, elle s'inspire des réseaux de *falaj* — conduites souterraines en terre cuite qui depuis un millénaire servent à distribuer l'eau jusqu'aux cultures en évitant les pertes par évaporation. Aujourd'hui triomphe le système miniaturisé du goutte-à-goutte : un réseau de petits tuyaux parcourt le sol, percé de trous à la hauteur de chaque plant ; là, un appareil appelé *dripper* distribue l'eau avec parcimonie, ce qui crée une auréole humide autour des racines de chaque plante. Perfusion méticuleuse qui permet d'économiser les deux tiers de l'eau nécessaire à la classique irrigation par canaux. Sans compter l'économie de travail humain... Et au lieu de cultiver les sols pendant 4 mois seulement, entre janvier et avril, on peut dorénavant étaler la période des cultures sur 9 mois au-dessous des ombrières, et toute l'année dans les serres.

Sous la tonnelle des serres, trois récoltes sont faites annuellement, avec des rendements records de 600 tonnes de concombres à l'hectare, ou de 400 tonnes de tomates. D'après les promoteurs, les prix des produits, à la sortie de cette usine agricole, sont de 3,20 F le kilo de tomates, 3,60 F pour les concombres. Deux fois plus élevés que ceux des produits importés, ils correspondent cependant à une production continue, disponible toute l'année sur le marché local [1].

1. Les promoteurs de l'opération ont fait un calcul économique qui se décompose ainsi : un hectare de concombres sous serre rapporte annuellement 600 000 × 3,60 = 2 160 000 F. Le coût de production est estimé à 630 000 F (désinfection du sol, main-d'œuvre, semences, engrais, eau, produits de traitement, emballages). L'amortissement de l'investissement est de 115 000 F, et les frais généraux atteignent 95 000 F. Il reste une marge brute, sans compter les charges d'encadrement, de 1 300 000 F. Pour les tomates, la marge serait nettement moins forte. Il n'en demeure pas moins qu'au bout de 30 mois d'exploitation l'investissement initial est pratiquement récupéré, grâce à de simples tomates et concombres.

Les « ombrières » constituent, elles, une solution très économique : il suffit d'un investissement de 100 000 F à l'hectare. Un procédé de brumisation, pulvérisant des gouttelettes d'eau autour des plantes, établit une atmosphère humide favorable à la croissance.

Ces résultats encourageants appellent de nouveaux développements. Aux 2 hectares d'ombrières et aux 2 000 m² de serres d'El Aïn vont bientôt s'ajouter 5 hectares de serres, construites par la société orléanaise Les Serres fleuries. Les dirigeants d'Abou Dhabi ont l'espoir de couvrir rapidement tous les besoins alimentaires du pays. Ils envisagent même un jour d'exporter une partie de leur production vers d'autres pays arabes et, pourquoi pas, vers l'Europe. L'œillet du Koweit et la tomate d'Abou Dhabi rejoignant sur le marché l'orange du Maroc... On peut rêver à cette nouvelle agriculture des sables, à mi-chemin entre l'industrie et le jardinage, et à ces nouveaux paysans, ni archaïques ni technocrates [1]...

En tout cas, le centre pilote d'El Aïn est d'ores et déjà le prototype de la technologie douce. Il en a tous les caractères : utilisation du soleil, harmonie avec l'environnement, faibles capitaux, travail intelligent et limité... Ce qui ne va pas sans paradoxes étonnants. Cette ferme est en effet l'œuvre d'une société spécialisée en technologie dure : la Compagnie française des pétroles. Un cadeau au cheikh Zayed, pour emporter un marché pétrolier ? La technique douce d'El Aïn revient de loin.

Cependant, cette technique des serres n'est pas sans failles. La serre et le froid par évaporation ont des effets inverses : la première chauffe, le second refroidit. Pour

---

1. D'autres projets sont encore envisagés. Tel celui qui s'étendrait sur une vallée désertique, entre Dubaï et Koweit. Chaque mois, 5 000 tonnes de fumier, mélangées à du bois, seraient épandues sur le sol, où l'on aurait d'abord semé de l'herbe, pour créer une couche d'humus de 30 cm d'épaisseur... Ce tapis végétal tombé du ciel se greffera-t-il sur l'étendue désertique, modifiant le climat et le paysage ? Ou au contraire, constituera-t-il l'avatar suprême de la « Révolution verte », placage dérisoire d'une « agriculture clés en main », où sont fournies non seulement les graines et les engrais, mais aussi le sol ?

détourner la serre de son rôle naturel, et neutraliser la chaleur qu'elle emmagasine, il faut gaspiller une partie de l'énergie du froid par évaporation. Faire fonctionner une serre comme antiserre n'est pas sans contrepartie. La dépense en eau est très forte : le simple refroidissement intérieur demande cinq fois plus d'eau que n'en consomment les plantes. Grave handicap en pays aride. Alors on imagine diverses améliorations.

On peut envisager d'utiliser de l'eau de mer pour humidifier les *pads*. Seule l'eau douce s'évaporerait vers la serre, et la saumure serait récupérée en grattant régulièrement les *pads*. D'autre part, derrière le ventilateur qui crache à l'air libre la vapeur d'eau, on pourrait essayer d'en récupérer une partie — un cinquième suffirait à nourrir les plantes. La serre fonctionnerait alors en toute autonomie, avec une simple alimentation en eau de mer. Solution idéale, mais qui pose de multiples problèmes techniques non résolus...

Autre innovation : la serre à paroi filtrante. La paroi de la serre est conçue pour arrêter la partie infrarouge du rayonnement solaire, puisque la photosynthèse ne réclame que les radiations visibles. On empêche ainsi la chaleur solaire de pénétrer dans la serre : les plantes transpirent moins, et consomment moins d'eau. Pour réaliser le filtre, il suffit de faire couler de l'eau entre deux couches de plexiglas formant le toit de la serre. L'eau chaude recueillie peut même être stockée ; en pays méditerranéen, elle servira à faire tourner des moteurs solaires divers. Le prix de la serre à paroi filtrante n'est pas beaucoup plus élevé que celui d'une serre normale. Les essais faits à Montfavet par la station d'Avignon de l'INRA permettent d'envisager une réduction de 65 % de la consommation d'eau par les plantes, sans nécessiter de ventilation. Un pas en avant substantiel est accompli : celui de l'économie de l'eau.

Et si l'on créait un système hermétique saturé en eau, où la plante serait enfermée ? propose un autre agronome de l'INRA, M. de Parcevaux. Une tranchée dans le sable, recouverte d'une feuille de plastique. Par-dessus, une couche de bonne terre. Puis la tranchée est couverte d'une autre feuille de plastique. Dans l'enceinte ainsi constituée, l'atmosphère est rendue aussi humide que possible, et du gaz carbonique est régulièrement injecté. De grands ventilateurs brassent l'air pour maintenir la température homogène partout. Avec une température de 40° C à l'extérieur, on devrait monter jusqu'à 70° C à l'intérieur ; mais l'eau et la ventilation limitent l'échauffement, et la température ne dépasse pas 50° C. A une telle température, avec de l'air sec, les plantes grilleraient. Là, au contraire, elles baignent dans un air saturé d'eau. Dans ce milieu fermé, la croissance de la matière verte peut se produire sans consommer d'eau ou presque. Le danger est qu'en milieu humide les parasites ont tendance à se multiplier de façon explosive ; le brassage de l'air est alors d'autant plus décisif qu'il empêche la formation des gouttelettes de condensation, vecteurs de maladies foudroyantes...

On imagine déjà les futures villes du désert, avec leurs tranchées profondes tout autour, où pousserait une végétation luxuriante, tandis que les boyaux vitrés des serres pénétreraient dans le labyrinthe des rues. Dans le clair-obscur des tonnelles, on n'entendrait plus que le ruissellement de l'eau et le bruissement des feuillages.

8

Et pour quelques soleils de plus

1. La chimie du soleil

Nous savons modifier le climat environnant la plante : c'est tout l'art de la serre. On peut intervenir plus profondément encore, au cœur même de la plante. Dans le secret des laboratoires, quelques chercheurs tentent de détourner le cours de la photosynthèse. Véritable plongée dans les mécanismes intimes de la vie. Il s'agit de démêler l'écheveau des multiples opérations qui se déroulent à l'intérieur des végétaux, et d'isoler celles qui intéressent l'industrie humaine.

L'économie d'engrais

La plante a besoin d'engrais, on le sait, plus précisément de fertilisants azotés. L'idéal, bien sûr, serait d'en faire l'économie. Encore ne faudrait-il pas oublier qu'on leur doit le prodigieux bond en avant de l'agriculture. C'est en partie grâce à eux que les rendements agricoles ont quadruplé en un siècle.

Mais il a fallu y mettre le prix : ils interviennent pour moitié dans le coût de la récolte du maïs, en France. De plus, seule la moitié de leur masse est véritablement digérée par les plantes ; le reste est emporté par les eaux de pluie, polluant les rivières et les lacs... La question de leur économie se pose d'autant plus dans les pays du tiers monde : les espèces extraordinaires apportées par la Révolution verte, déjà mal adaptées dans un climat hostile, réclament des quantités massives d'engrais qui se perdent en grande partie dans le sol. Le riz miracle des Philippines est en train d'atteindre des rendements très

élevés, mais les poissons meurent dans les rizières, et le
régime alimentaire des paysans s'en ressent.

Pour un pays du tiers monde qui doit importer ses
engrais en totalité, la note à payer est énorme. De plus, il
est souvent prématuré d'imaginer le montage de grandes
usines sur place. La synthèse industrielle des engrais est
en effet complexe : elle nécessite de très fortes pressions
(200 atmosphères), des températures élevées, une grande
quantité d'hydrocarbures, sans compter le conditionnement,
le transport, l'épandage... Ne pourrait-on pas tourner la
difficulté, en limitant l'usage des engrais ?

Déjà, nous avons entrevu une solution : la fermentation
anaérobie de la biomasse, qui permet de restituer au sol
une partie de sa substance azotée. C'est un bon recyclage
naturel [1]. Mais on peut aller plus loin, en essayant de remplacer l'azote coûteux des fertilisants par celui, gratuit,
que contient l'air ambiant. Justement, certaines plantes ont
résolu la question d'elles-mêmes. Elles absorbent l'azote
de l'air, dans des conditions mystérieuses que les chercheurs tentent d'élucider.

Dans de petites nodosités présentes au niveau des racines
de la plante, des pléiades de bactéries du genre *Rhizobium*
ont élu domicile, vivant en symbiose avec les tissus de
la plante. Ce sont elles qui ont la propriété d'absorber
l'azote atmosphérique. Les plantes qui leur offrent l'hos-

---

1. Dans ce cas, la fabrication de méthane biologique n'est pas
une nécessité. On sait aussi transformer très rapidement des déchets
végétaux en engrais. Un projet pilote a été réalisé au Sénégal par
le CIDR (Centre international de développement et de recherche)
associé à l'IRCHA (Institut national de recherche chimique appliquée) et à l'INRA. Les déchets sont traités dans des fermenteurs
avec un appoint de produits chimiques. En France, on peut aussi
transformer la paille de blé en terreau, en 5 jours. Au Sénégal, on
fait de même avec les pailles de mil, les pailles de sorgho et les
coques d'arachide. La performance tient dans la rapidité de l'opération ainsi que dans l'utilisation des coques d'arachide qu'on voyait
jusqu'à présent s'accumuler en immenses terrils. De nombreux
experts affirmaient qu'on ne pouvait rien en faire : dorénavant,
elles pourront retourner à la terre, après avoir été transformées en
engrais.

pitalité sont les légumineuses. On le vérifie aux résultats : en France, la luzerne demande quatre fois moins d'engrais que le blé. Quant au soja, il fixe spontanément un quart de l'azote dont il a besoin, le reste provenant du fertilisant [1]. En le cultivant sous serre, dans une atmosphère enrichie en gaz carbonique, il satisfait même 80 % de ses besoins à partir de l'air, ont constaté des agronomes anglais.

On aimerait faire profiter d'autres plantes des mêmes avantages. Les recherches se poursuivent. Il y a quelques années, une découverte est arrivée du Brésil, troublant les connaissances établies. Outre les légumineuses, une herbe des sables fixe elle aussi l'azote de l'air, ce qui lui promet un bel avenir d' « engrais vert ». Et cela est vrai aussi du maïs, grâce à une autre bactérie du genre *Spirillum*. Les multiples essais donnent des résultats très dispersés. On cherche maintenant à isoler les variétés les plus intéressantes. Peut-être le riz lui-même en fera-t-il bientôt partie.

Quelques chercheurs se font apprentis sorciers. Ils ont l'intention d'inoculer les bactéries miracles à n'importe quelle plante. On entre ici dans le domaine de la manipulation génétique. Il faut d'abord isoler les gènes des procaryotes (bactéries et algues bleu-vert microscopiques) — les seules à pouvoir fixer l'azote de l'air. Jusque-là, c'est relativement simple. Il s'agit ensuite de les injecter dans une plante. Mais celle-ci va-t-elle accepter ce corps étranger et l'intégrer d'une façon stable à son patrimoine héréditaire ? Bien des chercheurs restent sceptiques, encore que les rumeurs annoncent régulièrement des succès. Aux dernières nouvelles, des Canadiens y seraient parvenus... Bruits incontrôlables, car les recherches se font dans le plus grand secret. Du moins une voie est-elle ouverte. Au-delà de la recherche agronomique, la biologie molécu-

---

1. Modérons cependant les optimismes prématurés : pour pouvoir digérer l'azote de l'air, la plante doit dépenser une partie de son énergie. Un sixième environ des produits photosynthétiques sont consommés par les nodosités : économie d'engrais d'un côté, mais petite perte d'énergie de l'autre...

laire trouve ainsi un second souffle, après s'être trop longtemps limitée à l'étude d'une seule bactérie *(Escherichia Coli [1])*. Les travaux sur la fixation de l'azote ont ouvert une brèche où s'engouffre maintenant tout un courant de la recherche biologique.

L'hydrogène des algues

La décomposition de la molécule d'eau, avec dégagement d'oxygène et d'hydrogène, constitue la première phase de la photosynthèse. Mais comment isoler ce phénomène, alors que le mécanisme interne de la plante se poursuit par la formation de glucides ?

Des chercheurs ont imaginé de reconstituer la plante. Ils ont fabriqué des robots végétaux, purs produits de laboratoire, ou des systèmes semi-synthétiques, à mi-chemin entre la biologie et la chimie. Le plus souvent, des extraits de plantes sont utilisés, comme la chlorophylle ou l'hydrogénase, mais on essaye aussi la rhodopsine — pigment des yeux d'animaux — et même des produits chimiques artificiels comme le métaruthénium. Des membranes ainsi constituées arrivent à reproduire *in vitro* le milieu que forme la plante au moment où les molécules d'eau sont brisées sous le feu du soleil.

Mais le meilleur modèle est peut-être la plante elle-même. Comme le dit M. Isman :

> Plutôt que d'imiter, mieux vaut partir de ce que fait la nature et l'améliorer en perfectionnant l'outil, c'est-à-dire la plante.

1. Hormis cette bactérie qui sert de modèle, certains phénomènes microbiologiques sont très mal connus, notamment ceux qui conduisent à la fabrication du bio-gaz. C'est cependant ce phénomène qui se produit constamment dans le tube digestif de tout homme ou animal.

Précisément, certaines algues dégagent de l'hydrogène, le phénomène est constaté depuis une trentaine d'années. Le *deus ex machina* de cette opération est encore une enzyme, l'hydrogénase, qui catalyse la dissociation de la molécule d'eau et permet le dégagement d'hydrogène. Mais son action est rapidement inhibée par la présence d'oxygène. Sauf dans quelques cas précis... Une algue a été découverte, l'*Arabeena,* qui semble prédisposée au dégagement d'hydrogène. Sa structure est en effet formée de deux types de cellules : les cellules normales, qui fixent le gaz carbonique et dégagent de l'oxygène ; et d'autres, les cellules hétérocystes, dont les enzymes permettent l'émanation d'hydrogène. Il suffit de séparer les deux types de cellules, et les hétérocystes, ainsi isolées, libéreront le gaz sans aucune inhibition.

Mais à vouloir ainsi déformer la structure interne d'une plante, on risque de mettre en danger sa vie même. Jusqu'à présent, on n'a guère pu produire de l'hydrogène de cette manière pendant plus de 10 minutes. La voie est ouverte, mais des résultats concluants ne peuvent être attendus qu'à terme. Ce serait alors une solution idéale : l'hydrogène, combustible stockable et non polluant, serait doucement fabriqué sur un tapis de verdure, à partir de soleil et d'eau fraîche, substances inépuisables s'il en est. Une perspective aussi vaste mériterait bien, pour reprendre les termes de M. Chartier, agronome de l'INRA, « un effort de recherche comparable, du moins en moyens humains, à celui qui est fait pour la fusion nucléaire ».

On se prend à rêver d'une chimie naturelle qui remplacerait les usines de pétrochimie et d'engrais. On obtiendrait des plastiques, du nylon, du caoutchouc... Par exemple, le furfural, obtenu à partir du son, pourrait avantageusement remplacer les produits pétroliers dans la fabrication des matières plastiques. Actuellement, ce n'est qu'un produit marginal, fourni par les usines qui traitent les sous-produits du maïs. Peut-être est-ce là que la concurrence entre le pétrole et le soleil sera, dans un proche avenir, la plus explosive.

Pétrole ou plantes ?

« Il nous faudrait Mességué comme conseiller scientifique. » Surprenant propos, dans la bouche d'un responsable de Technip, une société d'ingénierie ayant vingt complexes pétrochimiques à son actif. Pour avoir accordé aux plantes des vertus curatives, Maurice Mességué fut pendant longtemps au ban de la science. On le redécouvre aujourd'hui. Après la toute-puissance du pétrole, est-ce la revanche des plantes ?

Dès maintenant, le regain végétal se manifeste, tandis que la crise du pétrole vient assombrir les perspectives triomphantes de la pétrochimie. Deux usines de « protéines de pétrole » ont dû fermer, l'une en France, l'autre en Italie. Du côté des sucres chimiques, les cyclamates ont été interdits, la saccharine n'est pas très recommandée. Rien ne vaut le sucre de canne ou celui de betterave. Leur seul concurrent est aussi d'origine végétale : c'est l'isosirop, un sucre liquide tiré du maïs, et produit par un procédé biochimique, grâce à des enzymes. Déjà, l'isosirop est largement fabriqué aux Etats-Unis. On redécouvre que les produits de synthèse ne sont souvent que de grossières imitations des produits de la nature. L'essor de la chimie verte commence là, et se manifeste partout.

Ainsi le caoutchouc naturel. Il y a dix ans, on prévoyait sa fin. Non seulement il se maintient, mais des pays africains veulent acclimater l'hévéa. Les Etats-Unis cherchent aussi à produire leur propre caoutchouc, à partir du guayule, un arbuste sauvage du désert mexicain. Good Year a aménagé une plantation expérimentale. C'est ce même guayule qui produisait, en 1910, le dixième du caoutchouc mondial, avant d'être totalement éclipsé par l'hévéa. Ensuite passa le rouleau compresseur de la pétrochimie : pendant la guerre, vingt usines de caoutchouc synthétique furent montées aux Etat-Unis, en onze mois seulement. La résurgence actuelle du guayule manifeste un curieux retour aux sources...

La chimie verte est en effet une invention du XIXe siècle. Elle fut balayée par la carbochimie, elle-même supplantée par la pétrochimie... Aujourd'hui, des pays neufs reviennent au charbon de bois de nos ancêtres, en exploitant les ressources gigantesques de la forêt vierge, ou tirent de l'alcool à partir de canne à sucre ou de manioc. Ainsi, dans cinq ans, le Brésil disposera de 150 distilleries utilisant la canne à sucre.

Ce renouveau de l'alcool végétal satisfait les planteurs de betterave français. « Après la traversée du désert, nous apercevons l'oasis », note Jean-Pierre Leroudier, un de leurs représentants, qui estime que la France va enfin retrouver sa « vocation alcoolière ». On se souvient des années cinquante, où l'alcool de betterave était ajouté à l'essence. Il servit aussi à l'industrie chimique, jusqu'en 1970, où une usine d'alcool de synthèse, implantée sur les bords de Seine, couvrit tous les besoins. Mais le triomphe de celle-ci fut provisoire : avec la crise du pétrole, l'usine n'a pas doublé sa capacité, comme il était prévu. En Allemagne et en Grande-Bretagne, l'alcool végétal redevient compétitif. En France, on cherche surtout à exporter des technologies qui sont connues depuis des années. Un procédé de transformation de cet alcool végétal en éthylène, développé dans les années cinquante par Rhône-Poulenc, puis abandonné, est aujourd'hui à l'œuvre au Brésil, dans l'usine Salgema Industrias Quimicas — l'éthylène obtenu servant ensuite dans toute une chimie des plastiques.

A leur tour, l'Inde et les Philippines suivent l'exemple brésilien. De son côté, une firme américaine d'ingénierie, Lummus, propose un autre procédé. Les Hollandais étudient même la production d'alcool à partir du petit-lait ! Quant à Corning Glass, la société qui inventa le pyrex, elle étudie la transformation du petit-lait en glucose et galactose. Retrouvera-t-on alors, la galalithe, la « pierre de lait », qui fut la première matière plastique fabriquée en 1879 ?

La chimie verte de demain ne sera pas celle d'hier. Mais heureux ceux qui n'ont pas cessé d'y croire : ils disposent aujourd'hui d'un savoir-faire sans égal. Tandis qu'en France les usines transformant la cellulose du bois en sucres fermaient une à une leurs portes, elles furent maintenues en URSS. Aussi ce pays dispose-t-il actuellement de 35 usines transformant les déchets des scieries et les tiges de maïs en aliments pour bétail. Ce genre de techniques est à la pointe du progrès, même si le procédé remonte à Pasteur. Il a aussi l'énorme avantage d'être favorable à l'écologie.

Car le cheval de bataille de la chimie verte est la valorisation des déchets, ceux des champs ou ceux des forêts. Le seul fait de les brûler en usine, au lieu de les perdre, est un grand pas en avant. En brûlant la bagasse, un sous-produit de la canne à sucre, les sucreries et les distilleries brésiliennes fonctionnent en toute autonomie. En brûlant la liqueur noire, un résidu du bois qui auparavant polluait les rivières, quelques usines de pâte à papier françaises, dans les Landes, trouvent un supplément d'énergie. On peut même aller plus loin : en Inde, c'est la bagasse elle-même qui sert à produire la pâte à papier, et l'on pense pouvoir en tirer bientôt des produits nobles : des protéines par fermentation, ou du furfural, un produit carrefour de la chimie des plastiques. En Finlande et aux Etats-Unis, on extrait de la cellulose le xylytol, un sucre qu'on donne parfois aux diabétiques, mais qu'on ajoute surtout aux pâtes dentifrice, comme élément anticarie... Après des utilisations multiples, le seul résidu inemployé est la lignine. Celle-ci peut à son tour servir de combustible, en attendant d'être mieux valorisée.

Tout cela, mis bout à bout, préfigure les futurs complexes agrochimiques. Dans les bureaux d'étude, on trace des plans, où la sucrerie côtoie les usines de pâte à papier, d'aliments, de matières plastiques, de produits pharmaceutiques... au milieu des champs ratissés par des machines géantes ou par des nuées d'ouvriers agricoles. Si la chimie verte n'est pas partilculièrement bucolique, et bien loin de la chimie douce, du moins le recyclage des déchets sera-t-il un important facteur antipollution.

En France, pour le moment, on se contente d'exploiter, très modestement, les rafles de maïs — ces parties oblongues des épis qui servent de support aux grains. Hier, les « carbeilh », comme on les appelle en gascon, servaient au chauffage des habitations. C'était le « charbon blanc » du Sud-Ouest, qu'on laissa ensuite s'accumuler en « terrils » après les récoltes... Aujourd'hui, six entreprises — c'est bien peu — donnent l'exemple. Les rafles sont soit brûlées afin de sécher les semences, soit réduites en poudre pour servir à l'alimentation animale ou comme support pour les colles et les pesticides, soit traitées chimiquement pour donner du furfural, un produit qui sert de solvant dans les raffineries, mais qu'en laboratoire on sait facilement transformer en nylon.

Le plus difficile, c'est la collecte des rafles. Les moissonneuses les laissent dans les champs. Seuls les *corn-pickers* les récupèrent, mais on les retrouve alors dispersées dans des coopératives ou des usines de conditionnement de semences. Il faut faire la tournée — le transport est coûteux, car les rafles ont un poids faible pour un volume élevé —, puis les sécher... Toutefois, dans la seule région du Sud-Ouest, on pourrait facilement valoriser deux fois plus de rafles.

Autre source de matières premières : les sous-produits de la forêt. Là encore tout se joue à la collecte, un problème que connaît bien la société DRT installée dans les pinèdes des Landes, qui traite la résine du pin. Mais le ramassage est laborieux : il faut entailler le tronc des pins, puis recueillir la résine dans des pots. Faute de main-d'œuvre, ce travail a été abandonné en France et en Espagne ; il ne subsiste qu'au Portugal. Aujourd'hui, la société DRT utilise comme matières premières des sous-produits de la pâte à papier.

A proximité, l'entreprise CECA, située à Parentis, carbonise du bois pour en faire du charbon actif — un produit qui sert dans les systèmes d'épuration. Pour assister à d'autres expériences de transformation de sciure de bois en aliments pour bétail, il faut aller en URSS ainsi qu'aux Etats-Unis où une vingtaine d'installations sont en construction. Une entreprise analogue va toutefois être montée à Aurillac, dans le Cantal : des protéines seront fabriquées en faisant pousser des champignons sur divers déchets végétaux.

Dans un proche futur, sans doute une chimie des liqueurs résiduaires se greffera-t-elle sur l'industrie papetière, afin d'obtenir des protéines, du furfural... et divers produits comme la vanilline, un arôme qui remplace la vanille du vanillier, de plus en plus rare.

Au-delà, la nouvelle chimie verte est dans les limbes. Saura-t-elle sortir des carcans anciens ? Déjà, grâce au traitement par des enzymes, on évite les fortes pressions et les températures élevées de la chimie classique. Mais après ? La tentation sera grande de fabriquer du méthane par simple fermentation ou pyrolyse de la matière végétale, celui-ci servant ensuite de base à toute la chimie organique. On retrouverait alors, sans grand changement, le schéma de la pétrochimie actuelle. Comme pour le *cracking* du pétrole, on cassera les molécules très élaborées que fabriquent les plantes, pour en refabriquer d'autres par synthèse.

Ou bien, on fera preuve d'imagination, en jouant sur la richesse multiple des plantes, sans la détruire au préalable. On commence à peine à découvrir que la lignine, produit du bois, jusqu'ici gaspillé, contient une variété immense de molécules très complexes. Peut-être obtiendra-t-on à partir d'elle des produits inconnus à ce jour, comme le fut hier le caoutchouc...

La thermochimie solaire

Remplaçons maintenant la plante par des capteurs tels que l'homme sait les fabriquer, des miroirs par exemple. Procédé ô combien plus grossier, mais qui permet des artifices que les plantes ne sauraient réaliser. Cette chimie solaire est plus classique : le Soleil intervient directement par sa chaleur ou sa lumière. Une centrale solaire peut, par son électricité, servir à fabriquer de l'hydrogène. Sur une île flottante par exemple, où l'électrolyse de l'eau de mer permettrait de dissocier l'oxygène et l'hydrogène. Mais le rendement final est assez faible.

On sait aussi décomposer l'eau par cycle thermochimique, au terme d'une série de cycles d'oxydoréduction, avec l'apport de divers corps chimiques. Plus la température est élevée, plus le rendement de la réaction est bon, tandis que le nombre des étapes intermédiaires de la décomposition diminue. Cette méthode, longuement étudiée par les chercheurs du nucléaire, s'adapte à l'énergie solaire. Avec un avantage certain : la température à la sortie d'un réacteur nucléaire ne peut excéder 800° C, celle d'un four solaire peut être beaucoup plus élevée, ce qui favorise le rendement de la décomposition et le dégagement d'hydrogène. Et même, à 3 000° C, comme dans le four d'Odeillo, c'est directement la dissociation thermique de l'eau qui se produirait, non certes sans quelques difficultés ensuite pour récupérer l'hydrogène...

Le soleil peut encore intéresser la chimie du carbone, dont on cherche de nouvelles sources alors que les réserves fossiles sont limitées. Les miracles de la photosynthèse font rêver à une récupération spontanée du carbone à partir du gaz carbonique de l'air. Une autre solution existe, qui part des carbonates qu'on trouve en grandes quantités dans les couches superficielles de la planète, sous forme de roches calcaires et dolomitiques : jusqu'à présent, on s'en sert surtout comme matériaux de construction ; mais on sait aussi convertir les carbonates en monoxyde de carbone, en méthane et en hydrocarbures. Ce procédé a déjà subi l'épreuve de l'application industrielle, mais devait pour l'instant végéter. En effet, le chauffage nécessaire à la réaction provient jusqu'ici de dérivés carbonés comme le pétrole. Brûler pour produire ce qu'on vient de brûler... Pour sortir de ce cercle vicieux, la chaleur solaire est sans doute le meilleur substitut au pétrole.

La photochimie

La lumière provoque certaines réactions chimiques. Avec les lampes à incandescence aujourd'hui utilisées, cette photochimie est cependant onéreuse. Mais l'énergie solaire, plus ou moins concentrée, peut aussi intervenir par son rayonnement visible, entre l'ultraviolet et l'infrarouge. Déjà, la lumière du soleil intervient dans quelques synthèses industrielles, comme celles de l'hexachlorocyclohexane ou de certains médicaments. Mais c'est peut-être dans la fabrication du nylon 12 à partir du caprolactame que la synthèse photochimique est la plus prometteuse. Ce procédé, étudié notamment par des chercheurs de l'IUT de Marseille, pourrait être mis en œuvre dans les pays en voie de développement, où l'abondante énergie solaire serait une source d'économie.

Il reste enfin le plus simple, du moins en théorie : la photo-électrolyse de l'eau. Dans une solution aqueuse, sont immergées deux électrodes dont l'une est constituée d'un métal semi-conducteur. Celle-ci est alors capable d'absorber les photons de lumière solaire en expulsant des électrons. Un petit courant électrique se crée entre les électrodes, qui dégagent alors l'une de l'oxygène, l'autre de l'hydrogène. De nombreuses études ont déjà été faites aux Etats-Unis et au Japon, même si l'on est encore fort loin du rendement théorique de 30 %.

La photolyse, elle, consiste à casser directement les molécules d'eau sous l'effet des photons. Mais la lumière solaire n'est pas assez puissante pour cela. Il lui faudrait une dose beaucoup plus forte de rayons ultraviolets, la plupart de ceux-ci étant absorbés lors de la traversée de la haute atmosphère. On doit alors se servir de photo-catalyseurs qui se chargent d'énergie sous l'effet de la lumière visible. On place beaucoup d'espoirs dans les sels de cérium ainsi que dans diverses matières colorantes qui servent à la teinture... Mais les rendements semblent rester désespérément faibles.

La chimie solaire devient vite tributaire de techniques sophistiquées et de théories complexes. Combien plus simples apparaissent alors certains phénomènes produits eux aussi par le Soleil, comme le vent.

2. L'énergie du vent

D'abord, c'est le vent qui de ses coups redoublés frappe la mer, renverse les plus grands vaisseaux, disperse les nuages, qui d'autres fois, promenant un tourbillon rapide dans les plaines, les jonche de grands arbres renversés ou bien balaie de son souffle, fléau des forêts, le sommet des montagnes, tant est redoutable sa force frémissante, aux grondements pleins de menaces.

Rien n'a changé depuis Lucrèce, observateur passionné des phénomènes naturels. Là où le soleil est la puissance infinie, mais retenue et subtile, le vent est la force sauvage, imprévue mais prodigue. Il s'offre aux besoins premiers de l'homme, qui a su en profiter depuis des millénaires, dès l'invention du bateau à voile. Plus tard le bateau, immobilisé, devint moulin à vent. De la mer à la terre : cette filiation s'observe aussi bien sur les moulins portugais aux voiles triangulaires, que sur d'antiques moulins chinois, à l'allure de manèges de jonques [1].

Entre tous, le moulin hollandais est roi, dans ce pays qui lui doit la vie et ne l'a pas oublié. Les moulins de pompage, capables d'assécher les polders, marquent la victoire de l'homme sur la mer. Aujourd'hui encore les Hollandais

1. On distingue les machines à axe vertical et à axe horizontal. Leurs avantages respectifs ont été étudiés. Les premières tournent d'où que vienne le vent, mais leur rendement est faible, car les pales passent l'une après l'autre dans leur propre sillage.

Les secondes ont un meilleur rendement, mais elles doivent être orientées dans la direction du vent. Dans le passé déjà, certains meuniers tournaient eux-mêmes la tourelle de leur moulin. Aujourd'hui, la plupart des éoliennes sont munies d'une dérive, qui se trouve dans le sillage de l'hélice, et ne perturbe pas trop sa rotation.

Moulin à vent chinois à axe vertical. (Document Romani.)

ont un ambitieux programme de construction d'éoliennes le long des côtes. La crainte de voir la mer engloutir une partie du pays n'a toujours pas disparu. Une panne de courant généralisée, une digue qui se rompt... les moulins de pompage sont alors l'ultime recours. Du moulin d'hier, embelli par les peintures des maîtres hollandais tel Ruysdael, au vent d'aujourd'hui, affublé du nom d' « énergie nouvelle », voilà qui prête à sourire. Facétie qui n'a pas non plus épargné le Soleil. L'un n'est d'ailleurs rien sans l'autre...

Le Soleil dicte en effet sa loi, une fois encore. C'est lui qui suscite, dans ses grandes lignes, le mouvement de l'air. Tout se passe à grande échelle. Le Soleil fait de la Terre une énorme machine thermique dont la source chaude est l'hémisphère éclairé, et la source froide l'hémisphère sombre, entre lesquelles s'écoule un fluide qui n'est autre que l'air atmosphérique. Tout est en place pour le cycle de Carnot : les masses d'air se chargent d'énergie mécanique, celle du vent. Les résultats sont là, propres à nous faire oublier une fois de plus la crise de l'énergie. En ne récupérant qu'un centième de la force du vent sur son territoire, la France satisferait la moitié de ses besoins actuels en électricité. L'Irlande, pays plus venté et moins industrialisé, en produirait dix fois plus qu'elle n'en consomme.

Ainsi couplé au rythme immuable du Soleil, le mécanisme du vent est parfait à l'échelle planétaire. A l'échelle humaine en revanche, il devient singulièrement irrégulier. En un point donné, le vent se montre beaucoup plus intermittent et fantasque que le Soleil, seulement soumis aux nuages et à la nuit. Il peut se faire attendre des jours ou des semaines, puis éclater en tornade. Seule son intensité moyenne se maintient rigoureusement d'une année à l'autre. L'irrégularité est très forte à l'échelle du mois : à un mois de février très venté peut succéder l'année suivante un mois de février très calme. Une certaine régularité apparaît cependant au niveau des saisons : dans les pays européens, le vent est à peu près deux fois plus fort en hiver qu'en été.

Autre irrégularité, géographique cette fois. Si le mistral souffle en rafales à Nice ou à Saint-Raphaël, il est inconnu à Antibes, port le plus tranquille de France. Entre des points situés à quelques kilomètres l'un de l'autre, tout peut changer. A la présence de microclimats s'ajoute l'influence du relief, de l'altitude, de la hauteur où l'on se place par rapport au sol. Plus l'éolienne est haute, plus l'énergie recueillie est grande : elle peut varier du simple au double pour une dénivellation d'une dizaine de mètres. Dans l'atmosphère le vent ne rencontre en effet aucun obstacle, tandis qu'à ras de terre le sol lui oppose sa rugosité. Une carte des vents serait indispensable, mais on est loin de pouvoir la dessiner. Pour l'énergie éolienne, la prospection commence à peine. En France, on sait simplement que les sites privilégiés se trouvent le long des côtes de l'Atlantique et de la Manche.

Il reste à capturer ce courant d'air. D'étranges projets sont nés, tels ces cyclones artificiels qu'on réaliserait dans des tours hautes de 500 m, quelque part au milieu du Sahara. Le vent chaud, à hauteur du sol, serait aspiré vers le haut, dans des cheminées géantes dont le tirage ferait tourner une turbine. Autre idée : ensemencer le vent avec des aérosols, minuscules particules électrisées. Le mouvement de l'air se transformerait ainsi en un courant électrique qu'il suffirait de capter au vol.

Beaucoup d'idées, mais c'est toujours le moulin qui triomphe, même s'il s'appelle de nos jours éolienne ou aérogénérateur. Les moulins de pompage n'ont jamais cessé d'exister, à la différence des appareils solaires. Ils prolifèrent par exemple en Argentine. On en trouve aussi en France, mais ils font tellement partie du paysage qu'on ne les remarque plus ; le long de l'autoroute de l'Est, entre Reims et Forbach, par exemple. Avec leur hélice à pales multiples, ils servent à puiser l'eau à quelques mètres sous terre. On les appelle moulins « américains », même s'ils se font rares dans leur pays d'origine, tués par le transistor : autrefois, dans les ranches où l'on s'éclairait au gaz, l'électricité servait à la radio, et le vent permettait de charger les batteries.

Les multiples usages du vent

Fini le temps de la farine à moudre ou des soufflets de forge à actionner. Mais le moulin conserve un avenir pour le pompage de l'eau, surtout dans les pays du tiers monde, là où il ne subit pas la concurrence du réseau électrique. Grâce au vent, on peut encore faire tourner des compresseurs de réfrigérateurs ou d'appareils de dessalement. Mais, de plus en plus, on s'oriente vers la fabrication d'électricité. Alors, place à l'aérogénérateur : l'hélice est ici simplement accouplée à un générateur de courant électrique (dynamo ou alternateur) [1].

1. Le moulin « américain », à pales multiples et larges, permet de faire tourner directement une pompe. Les deux ou quatre

De l'énergie mécanique du vent à celle d'une pompe, en passant par l'électricité, quel détour apparemment ! Cette méthode a cependant l'avantage de la simplicité. En effet, pour relier l'axe de l'éolienne à celui de la machine, alors qu'ils sont à des hauteurs différentes, il existe bien des systèmes de transmission mécanique ou hydraulique. Mais rien ne vaut le fil électrique, partant d'une dynamo placée à hauteur de l'hélice. D'autre part, les points d'eau sont en général des points bas, peu ventés ; le fil électrique permet là encore de disposer l'éolienne sur un site plus favorable.

Des usages multiples s'offrent à l'aérogénérateur.

Terre Adélie : dans le cadre de l'Année géophysique, des chercheurs de plusieurs pays font route vers le pôle magnétique, pour une mission d'étude de 2 ans. Or, sans machine pour produire l'énergie, pas de survie possible. Des groupes électrogènes ? Il faut les larguer par avion, sur le plateau, en plein brouillard. La mission française opte pour une éolienne de un kilowatt. 350 km à parcourir, depuis les îles Pétrelles. Un mois de voyage. Les deux traîneaux, dont l'un est un *wissel* à chenilles, sont bloqués une semaine entière par le brouillard. Le matériel est réduit au minimum. Sur les 11 tonnes de chargement, l'éolienne, en pièces détachées, ne pèse que 500 kg, en comptant sa batterie et son pylône. Dès l'arrivée, la machine est montée. Le pylône est un vulgaire trépied au socle formé de bassines qu'il suffit de remplir de glace fondue. Au bout d'un mois, l'éolienne tombe en panne : moteur grippé. A côté, les groupes électrogènes américains, couramment utilisés par l'armée US, continuent imperturbablement de ronronner.

Consternation. A Paris, M. Romani, un des inventeurs de l'éolienne, est furieux. La graisse spéciale, de

---

pales du moulin « hollandais » tournent plus rapidement, ce qui les rend indispensables aux aérogénérateurs. Elles tendent donc à supplanter le moulin « américain » un peu partout. Il subsiste encore un problème de régime. En général, le générateur électrique doit tourner beaucoup plus vite que le rotor de l'éolienne, et il faut intercaler des engrenages.

Eolienne en Terre Adélie. (Document Romani.)

l'Aéroshell 12, n'a été trouvée qu'après le départ de l'expédition : trop tard. Les essais n'auraient-ils donc servi à rien ? Essais sur le mont Ventoux, pour faire subir à l'appareil des vents très forts. Essais à Meudon, en chambre froide, à -70° C, où un opérateur s'était même gelé un doigt... Enfin la relève, au bout d'un an. Une dynamo neuve et de la graisse sont envoyées en Terre Adélie. Cette fois, c'est le triomphe. Ce sont les groupes électrogènes américains qui tombent en panne. L'éolienne fournit à elle seule le courant pour la radio et le chauffage, jusqu'à la fin de l'opération. Au retour, la mission française ramène l'hélice et la dynamo. Il ne reste, sur l'immensité de glace, qu'un petit trépied qui dérive lentement. Expérience extravagante, mais qui prouve que l'éolienne peut fonctionner là où plus rien ne marche. Simplicité, autonomie : ces avantages se retrouvent dans des situations plus classiques.

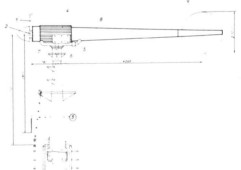

*Schéma de l'aé-
rogénérateur du
phare des Sept-
Iles*
1. Hélice
2. Moyeu
3. Echelle amovi-
   ble
4. Génératrice à
   courant continu
5. Conduits de re-
   froidissement
6. Regards de vi-
   site
7. Pivot
8. Queue porte-dé-
   rive
9. Dérive

Ainsi, en France, une cinquantaine de phares sont équi-
pés de petits aérogénérateurs, d'une puissance de quelques
kW. Parmi eux, le phare des Sept-Iles, où l'éolienne a fonctionné sans arrêt pendant 17 ans, avant sa première révi-
sion. L'hélice tourne à 60 m au-dessus de la Manche, où
le vent, mêlé d'embruns et de sable, atteint parfois
160 km/h. L'éolienne, amenée jusqu'au sommet du phare
par hélicoptère, a remplacé avantageusement les moteurs
conventionnels. Les gardiens n'ont plus à supporter, la nuit,

le bruit et l'odeur des moteurs. Ceux-ci servent seulement d'appoint pour recharger la batterie pendant la journée, après une période de calme prolongé dans les airs.

Des phares aux bouées en passant par le pompage [1], c'est déjà tout un marché pour les petites sociétés éoliennes françaises, comme Aérowatt ou les pompes Humblot. Mais faut-il se cantonner dans l'artisanat ? Une nouvelle voie s'ouvre maintenant : le chauffage par le vent. En France, des essais sont en cours. Il suffit de brancher un aérogénérateur sur une pompe à chaleur. Dégrader de l'énergie mécanique en chaleur peut apparaître comme une hérésie. Le rendement est certes très faible. Mais on arrive à chauffer de l'eau à 90° C, ce qui permet d'alimenter des radiateurs. Cela, l'énergie solaire ne peut le faire. Le soleil et le vent entrent ainsi en concurrence : pourquoi ne pas les associer ?

Par ciel couvert, ou la nuit, le vent continue de souffler quand le soleil a disparu. Au contraire, il peut se faire attendre plusieurs jours, bien plus longtemps que le soleil. En les combinant, la capacité de stockage nécessaire peut être réduite de moitié.

M. Romani, directeur technique du laboratoire Eiffel, propose astucieusement de les coupler en série afin que chacun apporte la moitié de la chaleur. Une soixantaine de degrés séparent la température extérieure de celle du chauffage intérieur. La pompe à chaleur, associée à

---

1. Si la technique d'une éolienne est simple, son adaptation à l'usage demandé est subtile. Deux cas extrêmes se présentent. Une bouée en mer, par exemple, demande une énergie minime mais assurée. On choisit alors une machine peu puissante, mais sensible à un vent faible. On perdra de l'énergie par vent fort, mais on gagnera en régularité, et le stockage de l'énergie pourra être limité. De simples batteries d'accumulateurs au plomb suffisent pour conserver une partie de l'électricité. Au contraire, pour un aérogénérateur connecté au réseau électrique et qui lui fournit du courant, mieux vaut utiliser les vents forts. La puissance sera alors plus élevée. Et dans ce cas, peu importe la régularité : aucun stockage n'est à prévoir. Il en résulte selon les cas des durées de fonctionnement variables. Dans le premier exemple, l'aérogénérateur travaille plus de 4 000 heures par an. Dans le second, il ne dépasse pas 2 500 heures.

l'éolienne, n'est plus sollicitée que pour augmenter la température de 30°. On lui demande deux fois moins : son rendement est double. De même, l'appareil solaire voit ses pertes divisées par deux, ce qui augmente son rendement de 20 % environ. Finalement, conclut M. Romani, « le couplage des deux énergies améliore le rendement de 60 %, par rapport à l'utilisation d'une seule des deux énergies ». Pour plus d'économie, on peut encore confondre le collecteur solaire et l'évaporateur de la pompe à chaleur. Une maison basée sur ces principes doit être construite dans le Sud-Est de la France [1].

Serait-ce enfin l'amorce d'un système intégré, combinant les « quatre éléments » fondamentaux — le soleil, l'eau, la terre, l'air — que décrivait Empédocle voici 2 000 ans ?

> Apprends d'abord les racines de toutes choses : elles sont quatre. Zeus lumineux, Héra vivifiante et le seigneur de l'ombre avec Nestis, qui de ses larmes gonfle la fontaine de vie pour les hommes mortels.

Des machines géantes

L'éolienne n'a pas toujours été une petite machine. Elle a aussi ses monstres sacrés, géants éphémères construits dans les années cinquante, après que les augures de la crise de l'énergie l'eurent annoncée comme imminente. Trois grandes éoliennes voient alors le jour, avec des fortunes diverses. Des hélices de diamètre supérieur à 30 m, une puissance proche du mégawatt. A Nogent-le-Roi, dans une région au vent assez faible, l'aérogénérateur Best-Romani fonctionne pendant 5 ans. Quelques problèmes techniques, une pale rompue : maladies de jeunesse inhérentes à toute innovation. Le courant électrique fabriqué est in-

---

1. L'autonomie ne sera cependant pas totale. En cas de panne d'énergie, la pompe à chaleur serait branchée sur le réseau électrique, ce qui évite d'employer un stockage par accumulateurs.

jecté dans le réseau EDF, ce qui suppose un bon synchronisme de la part de l'alternateur éolien [1]. Subitement, en 1955, la machine est arrêtée et démolie. Explication officielle, donnée par EDF : « L'énergie éolienne coûte 30 % de plus que le pétrole. » L'argument fait sourire aujourd'hui. Abandonner une source d'énergie pour 30 %, quand le pétrole a récemment vu ses prix quadrupler en 2 ans !

Des machines géantes, il ne reste que ferraille. Et un monceau d'archives à EDF. « Deux mètres cubes de papiers », précise un ingénieur, parmi lesquels dorment des projets encore plus grands, atteignant une puissance de 10 MW. Soudain, en 1974, avec la nouvelle crise de l'énergie, le dossier poussiéreux est rouvert, avec combien de précautions. La NASA américaine, s'intéressant elle aussi à l'énergie éolienne, demande à EDF de lui servir d'expert, et met à l'étude un projet de 3 MW. Un an plus tard, nouvel accroc : les crédits votés par le gouvernement fédéral américain sont bloqués, sous la pression des compagnies pétrolières... Mais les machines géantes conservent leurs atouts : placées dans des sites favorables, elles réaliseraient de substantielles économies d'échelle. « Pour remplacer une grande centrale nucléaire, il faut quelques centaines d'éoliennes », précise M. Romani. Celui-ci est d'ailleurs l'auteur d'un projet de 10 MW : sur un terrain d'un hectare environ serait dressé un grand pylône, avec au sommet quatre hélices disposées en carré, de 55 m de diamètre chacune, tournant en sens inverse comme s'il s'agissait d'engrenages [2]. Invoquera-t-on la laideur de la machine dans le paysage ? On peut répondre que les moulins à vent attirent plutôt la curiosité. Le bruit des

---

1. Nouveau problème en effet qui se pose avec plus ou moins d'acuité. Le couplage au réseau d'une grosse machine électrique suppose un grand synchronisme des régimes. Malgré les sautes de vent, l'éolienne doit tourner à une vitesse pratiquement constante, lorsqu'elle délivre du courant électrique. Au contraire, un aérogénérateur fonctionnant avec une certaine autonomie ne demande pas une régulation trop poussée de son régime.

2. Leur interaction entre elles et avec le pylône devrait améliorer le rendement de 10 %.

Aérogénérateur Best-Romani à Nogent-le-Roi (1 000 kW). (Document Romani.)

pales qui tournent ? Il n'est guère plus important que celui d'une aile de planeur en vol, d'autant plus que les hélices grand modèle tournent lentement, moins d'un tour par seconde.

Au lieu d'être branchées sur le réseau, les grandes éolien-

nes peuvent aussi répondre aux besoins de collectivités isolées, là où le réseau électrique ne s'est pas encore infiltré.
Un seul problème nouveau, dans ce cas : le stockage du
courant électrique produit. Le stockage hydraulique est
envisageable : de l'eau serait remontée dans un réservoir
élevé grâce à la machine, pour ensuite retomber en cascade en passant dans une turbine ; cette solution est chère
si la nature des lieux ne s'y prête pas. Ou bien le stockage à
l'hydrogène : le courant électrique servirait à l'électrolyse
de l'eau, et l'hydrogène produit serait un combustible po-
lyvalent et facilement emmagasiné [1].

La seconde vague des grandes machines risque cependant de se faire attendre. En 1977, les éoliennes existantes
ne dépassent pas une puissance de 5 kW [2]. Avec une petite
ouverture en direction du tiers monde : une éolienne est
montée à N'Djamena, au Tchad. En 1978, deux éoliennes
de 100 kW doivent commencer à tourner, l'une à Plum
Brook, au Texas, pour le compte de la NASA, l'autre à
Ouessant pour le compte d'EDF. Redémarrage timide, dont
l'essor éventuel est imprévisible.

Verra-t-on un jour, au milieu des antennes de télévision,
de petites éoliennes, entourées d'un grillage de protection,
sur le toit des HLM ?

---

1. Lorsque la puissance de l'éolienne dépasse une dizaine de
kilowatts, le stockage par des batteries d'accumulateurs au plomb
n'est plus possible.
2. Le prix actuel d'une petite éolienne est de 5 000 à 10 000 F
le kilowatt crête installé.

3. La géothermie, voyage au centre de la Terre

Quelque part entre l'Egypte et la Libye coulait autrefois la Fontaine du Soleil, dont l'eau était

> tiède au point du jour, plus froide à l'heure où se remplit l'agora, glaciale à midi, les habitants en profitant alors pour arroser leurs jardins.

Et, ajoute Hérodote qui rapporte cette légende :

> A mesure que le jour décline, l'eau perd de sa fraîcheur jusqu'au coucher du soleil, où elle est tiède comme le matin ; sa chaleur ensuite s'accroît graduellement ; à minuit elle bouillonne par intermittences.

Peut-être cette mystérieuse fontaine illustre-t-elle, dans des conditions exceptionnelles, un phénomène courant : la chaleur se propage lentement dans le sol. Les variations de température à la surface du sol se reproduisent, décalées et plus ou moins amorties, à quelques mètres sous terre. Ainsi l'eau de la fontaine subit-elle, avec une demi-journée de retard, les grandes variations diurnes de température du désert. Aujourd'hui, dans les pays tempérés, on tente de profiter des variations saisonnières. A une faible profondeur sous terre, la chaleur de l'été se retrouve en hiver, et inversement. Aussi une géothermie solaire est-elle en train de naître. Des essais sont faits en Allemagne. Il suffit de drainer la chaleur souterraine pour le chauffage des maisons en hiver. Une pompe à chaleur s'emploie à prendre des calories sous terre, dans une nappe d'eau, pour les restituer, à un niveau plus élevé, dans l'habitat.

Cette géothermie purement solaire, encore dans les limbes, ne saurait rivaliser avec la géothermie classique qui, au chapitre des énergies nouvelles, est la grande rivale de l'énergie solaire. Cependant, même cette géothermie classique est d'origine solaire, si paradoxal que cela paraisse.

Une explosion sur le Soleil, sous le choc d'une étoile. Un morceau de Soleil arraché devient la Terre : telle est la théorie catastrophiste de Buffon sur la formation du monde. Laplace, lui, émit en 1796 une hypothèse « nébulaire » : le Soleil était entouré d'une nébuleuse de gaz, et ce nuage de matières interstellaires, en se condensant, se sépara peu à peu du Soleil et forma les planètes. Ainsi, le centre de la Terre hérita de la chaleur solaire. Ce stock d'énergie se diffuse lentement jusqu'à la croûte terrestre, donnant naissance à l'énergie géothermique. En montant des profondeurs, les bouffées de chaleur perdent rapidement de leur intensité. A la surface de la Terre, le flux de chaleur n'atteint plus que 50 kW par kilomètre carré. On est loin de la fournaise du rayonnement solaire direct. Et comment le capter ? Pour un flux lumineux, il suffit d'une surface noire. Mais un flux de chaleur ? Pas question de le prendre au piège à la surface du sol.

Il faut s'enfoncer sous terre, où la température augmente d'un degré tous les cent mètres environ. Là, en profitant des différences de température selon la profondeur, il est possible de récupérer les calories perdues par l'énergie géothermique tout au long de sa route. A 6 km de la surface terrestre, la roche — du granit imperméable, en général — est à 200 ou 300° C. D'où l'idée de forer un puits profond, puis de fissurer le bloc de granit, et d'y injecter de l'eau. Il ne reste plus qu'à récupérer cette eau, toute chaude. Tel est le principe de la *géothermie de roche chaude et sèche*. On estime qu'une sphère d'un kilomètre de rayon, dans le granit profond, ferait fonctionner une centrale électrique de 100 MW pendant une centaine d'années. Ressource phénoménale et universelle, qui jetterait définitivement la crise de l'énergie aux oubliettes de l'histoire. Bien des millénaires s'écouleraient avant que cette source ne soit tarie et que la Terre ne soit plus qu'un astre inerte, comme la Lune. Mais, s'il est rassurant d'imaginer la géothermie comme une réserve suprême, les difficultés s'amoncellent dès qu'on envisage une réalisation pratique.

Des puits profonds ? Ils sont ruineux, et irréalisables en l'état actuel des techniques. On peut cependant profiter de certaines anomalies souterraines : dans les zones volcaniques, le magma remonte, et l'on y trouve des poches chaudes à une faible profondeur. Quant au morcellement du granit, selon un quadrillage rigoureux de fissures, il semble impossible à réaliser. Les fissures doivent être faites l'une après l'autre, sans qu'on sache leur imposer une direction précise. Dans un premier temps, il faudrait se contenter d'en faire une seule. Et quel travail, déjà ! D'abord, casser le granit, en injectant de l'eau sous très forte pression. Une fissure s'entrouvre, dont on maintient les lèvres écartées en injectant des noyaux d'abricots écrasés en guise d'entretoise. Ensuite, il faut faire respirer la fissure, en faisant varier la pression de l'eau. Ainsi la brèche s'élargit, de proche en proche. Mais une fissure suffit-elle ? La granit conduit très mal la chaleur. Le passage constant de l'eau à chauffer refroidirait rapidement la zone entourant la fissure. Et bientôt, plus d'eau chaude. Il faudrait faire d'autres fissures. Les spécialistes de l'explosion nucléaire se sont présentés [1]. Pour fracturer le granit, rien ne vaut quelques centaines de mégatonnes. Mais en admettant même des conditions idéales — une bombe « propre », aux produits radioactifs de courte durée —, il reste tou-

---

1. Dans les années soixante-dix, les projets d'utilisation de bombes atomiques ont fleuri. Outre les applications à la géothermie et au canal de Qattara, citons l'extraction du pétrole des schistes bitumineux : avec des bombes atomiques de 45 000 tonnes de TNT, il faudrait 27 explosions par jour aux Etats-Unis pour obtenir l'équivalent de leur consommation de pétrole. Bombes atomiques, encore, pour favoriser l'extraction du gaz naturel lorsqu'il est prisonnier de couches rocheuses imperméables : c'est le projet *Gas Buggy* de la compagnie El Paso National Gas, expérimenté le 10 janvier 1968. Bombes atomiques pour augmenter les possibilités d'extraction du cuivre : c'est le projet *Slopp* ; il suffit d'injecter ensuite de l'acide sulfurique dans la cavité formée de roches broyées (cf. G. T. Seaborg et W. R. Corliss, *Man and Atom*, E.P. Dutton and Co, 1971, et L. Rocks, R.P. Runyon, *La Crise de l'énergie*, Lavauzelle, 1974).

jours l'émanation possible de tritium gazeux, remontant à la surface de la terre par diverses failles. Cela s'est produit à Las Vegas, après un petit essai nucléaire souterrain, provoquant une belle panique.

Dans ces conditions, mieux vaut ne pas attendre le miracle de la géothermie de roche sèche et chaude avant 50 ou 100 ans, lorsque les techniques auront suffisamment progressé. Dans l'immédiat, il faudra se contenter des sites privilégiés, où la Nature a déjà résolu une partie des problèmes que l'homme se pose.

Les gisements de haute énergie

La présence de l'eau souterraine vient, fort à propos, faciliter le travail de l'homme. Il existe en effet, dans le sous-sol, des sortes de cocottes minute aux dimensions gigantesques. C'est le cas des zones de roches poreuses et fissurées, emplies d'eau et surmontées d'un couvercle pratiquement étanche, en argile par exemple. Au fond, l'eau est chauffée. Plus légère, elle tend à remonter. Un mouvement tournant s'établit, qui tend à uniformiser la température à tous les niveaux. En même temps, la pression augmente. A cette échelle, l'unité de temps n'est pas la minute, mais plutôt la centaine d'années, qu'il s'agisse de l'alimentation de la nappe par l'infiltration des eaux de pluie, ou de la vitesse du tourbillon dans la nappe. Toujours est-il que l'eau fait office d'ascenseur : la forte température des profondeurs est ramenée à un niveau accessible.

Il y a aussi l'équivalent du sifflet de la cocotte, qui indique à l'homme la présence du gisement d'eau chaude. Les vapeurs, après s'être faufilées par quelque longue faille, jaillissent du sol en geysers et fumerolles. C'est là qu'un puits peut être foré, à une profondeur raisonnable, jusqu'à la nappe d'eau. En remontant, l'eau perd une grande partie de sa pression — qui peut descendre de 50 bars à 7 bars. Dans le meilleur des cas, elle arrive sous forme de vapeur sèche, entièrement gazeuse. Dans le pire des cas, elle s'essouffle avant d'arriver. Souvent encore, la vapeur d'eau arrive mélangée à des gouttelettes d'eau. Celles-ci sont une calamité. Traversant une turbine, elles mitraillent implacablement les aubages et provoquent une érosion spectaculaire. Il est indispensable de les éliminer. Grâce à un appareil qui imite l'action d'un cyclone, un mouvement en spirale se produit ; la vapeur continue de monter verticalement, tandis que les gouttelettes sont plaquées sur les bords de l'appareil par la force centrifuge. La vapeur est ainsi asséchée avant d'être envoyée dans la turbine. A la fin de l'opération, l'eau liquide peut être réinjectée dans la nappe souterraine.

Un gisement de ce type, connu depuis longtemps par les Maoris, est actuellement exploité en Nouvelle-Zélande. Mais les ingénieurs ont omis de réinjecter l'eau en profondeur. Celle-ci a rapidement vu son niveau baisser dans la nappe, des tassements de terrain se sont produits, les tuyaux transportant la vapeur se sont tordus. Loin d'atteindre les 300 MW escomptés, l'exploitation fonctionne au ralenti.

Bien plus favorables sont les gisements de vapeur sèche. Mais ils sont rares, et peu de pays en bénéficient. Citons les Etats-Unis (Californie), le Japon, le Mexique, l'Italie où, en 1820, le premier gisement fut exploité : celui de Larderello, du nom de celui qui le découvrit, le Français Larderel. Celui-ci avait installé une petite usine en Toscane, pour traiter le bore des *lagoni* — étangs bouillonnants d'où jaillissent des vapeurs. Il eut alors l'idée d'utiliser cette chaleur pour distiller le bore et recouvrit un étang d'une cloche de pierre. Ce fut la première application industrielle de la géothermie. Aujourd'hui, l'Italie produit ainsi sur son territoire l'équivalent de 500 MW électriques.

La France, elle, n'est pas favorisée, sauf peut-être dans le Massif central — sous réserve de recherches approfondies. Ce handicap a sa contrepartie, car tous les gisements d'eau chaude repérés jusqu'ici sont dans des régions volcaniques et instables : si profitable soit-elle, la présence de cette géothermie, dite de haute énergie, est aussi le signe annonciateur des cataclysmes naturels.

Plus modestement, la France possède, comme beaucoup d'autres pays, un autre type de gisements, moins rentables mais très vastes : les gisements à basse énergie.

Le chauffage des maisons

Sous terre dorment d'immenses piscines d'eau tiède, aménagées dans des bassins sédimentaires à un millier de mètres de profondeur. Ainsi un lac géant, étalé dans le bassin du Dogger sous la région parisienne, attend patiemment de réchauffer Paris, grâce à son eau à 70° C, à 2 000 m sous terre.

Il n'est pas question de boire ni de consommer cette eau d'aucune façon. Très salée (10 à 25 g par litre), infestée de gaz pestilentiels à base d'anhydride sulfureux, elle contient aussi des bactéries, endormies en profondeur mais virulentes à l'air libre et susceptibles de corroder, voire de boucher les forages. Un circuit fermé s'impose : l'eau est alors prête à chauffer les logements [1]. Un simple aller-retour : l'eau chaude pompée dans le sous-sol cède sa chaleur à un réseau de chauffage domestique, par l'intermédiaire d'un échangeur ; l'eau refroidie est ensuite refoulée dans la nappe par un deuxième puits, à une distance convenable du premier. Ainsi la pression est-elle maintenue dans la nappe, à défaut de la chaleur. On estime à trente ou cinquante années le temps nécessaire pour que le refroidissement, parti du deuxième puits, gagne le premier, situé à

---

1. On pourrait encore utiliser cette eau tiède pour faire tourner des pompes ou fabriquer de l'électricité, selon un procédé identique à celui des pompes solaires. Avec un double forage, une puissance d'un mégawatt peut être atteinte, sur la base d'hypothèses très optimistes : une eau à 160°C et un débit élevé, de 130 m³ par heure. Le calcul, fait par EDF notamment, aboutit à un prix excessif face aux procédés classiques. Mais cette solution ne peut être exclue, dans les régions isolées, ou dans certains pays du tiers monde où les conditions s'y prêtent.

un kilomètre [1]. Mais il est impossible de multiplier les exploitations géothermiques sur un périmètre restreint, alimenté par la même nappe.

Dès 1969, le système est expérimenté dans la ZUP de l'Almont, à Melun. La géothermie fournit le chauffage de l'eau sanitaire à 3 000 logements, et le chauffage domestique à 300 autres. Cette première installation souffre d'un défaut inhérent à la source d'énergie : l'eau géothermique n'est pas très chaude, elle réclame donc une grande surface pour les installations de chauffage. Les radiateurs ne conviennent pas, car ils exigent une eau à 90° C. Il faut des planchers chauffants. D'autre part, au plus fort de l'hiver, l'eau qui arrive à 70° C repart encore chaude, à 50° C, après avoir fourni la chaleur aux planchers. Seule une faible partie des calories disponibles est donc prise au passage. Finalement, le rendement est faible, et l'investissement initial coûteux — pour un double forage et l'installation correspondante, il faut compter environ 10 millions de francs.

Signe des temps : EDF est absente de l'expérience de Melun, après avoir abandonné toutes les recherches sur la géothermie en 1965. Pour qu'elle s'y intéresse à nouveau, il faudra un discours de... Richard Nixon, demandant devant le Congrès un inventaire des ressources du sous-sol américain. La géothermie française revient de loin. Aujourd'hui, les spécialistes d'EDF, jugeant « déficitaire » l'expérience de Melun, proposent de l'améliorer. L'objectif est d'extraire le plus de calories possible de l'eau géothermique. Comment y parvenir ? En multipliant les pièges, par une utilisation en cascade : au plancher chauffant sont ajoutés un système d'air pulsé, fonctionnant à 50° C, puis un chauffage de serres [2] à 30° C, un chauffage de piscine, etc.

Plus raffiné est l'emploi d'une pompe à chaleur. Celle-ci possède deux atouts capitaux : sa source froide, à 7° C, kidnappe un maximum de calories à l'eau géothermi-

1. On suppose que le débit de l'eau pompée est de 100 m³ à l'heure, ce qui permet de chauffer un ensemble de 2 000 logements.
2. Le chauffage géothermique des serres est courant en Hongrie, pour la culture des paprikas notamment.

que, qui passe de 70° C à 10° C ; la pompe n'a plus qu'à transférer cette chaleur à sa source chaude, qui atteint alors 90° C, de sorte qu'on entre dans une zone de température où le plancher chauffant peut être remplacé par des radiateurs classiques, plus pratiques et plus confortables [1]. Les calculs faits par EDF montrent que les calories géothermiques peuvent alors coûter un peu moins cher que leurs concurrentes, pourvu qu'elles desservent des ensembles d'au moins 2 000 logements.

En 1976, une première mondiale — géothermie et pompe à chaleur — est réalisée à Creil. Cette opération est étendue à 4 000 logements en 1978. Cependant, malgré quatre forages géothermiques, les chaudières d'appoint au fuel interviennent pour 60 % du chauffage par grand froid. L'économie espérée est de 10 %. D'autres opérations sont lancées, dès 1975, à Melun, Mont-de-Marsan, Villeneuve-la-Garenne, puis en 1976 à Houilles et Blagnac... Soit 15 000 logements environ, ce qui correspond à une économie de 20 000 tonnes de pétrole par an. De nombreux projets sont à l'étude, et portent sur 25 000 logements environ, à Strasbourg, Clermont-Ferrand, Tarbes, Massy, Ivry, Soissons.

Même la géothermie à haute énergie revient au premier plan. Des reconnaissances sont reprises dans le Massif central. A Djibouti, le BRGM (Bureau de recherches géologiques et minières) a fait des forages dans la région du lac Assal en 1975. A Bouillante, en Guadeloupe, on espère, après divers déboires, installer vers 1985 un turbo-alternateur de 20 MW qui couvrirait un quart des besoins électriques locaux.

---

1. D'autres systèmes, plus efficaces encore, sont à l'étude. A chaque saison son appareil. En période de mi-saison, seul l'échangeur classique fournit le chauffage. Par temps froid, la pompe à chaleur intervient à son tour. Par grand froid, on ajoute encore une source d'appoint, afin d'éviter le « surdimensionnement » du chauffage géothermique. Ce système est déjà utilisé à Creil.

9

Soleil orange.
L'énergie solaire et l'homme

Orange, couleur des robes safranées des moines bouddhistes. Couleur aussi des vêtements de Dionysos. Pour certains, elle symbolise l'équilibre de l'esprit et de la chair. Soleil orange, dont le rayonnement influence mystérieusement la physiologie et le comportement de l'homme...

« S'exposer aux premières caresses de Râ... », conseillaient les anciens textes de la religion égyptienne pour stimuler l'activité assoupie après le repos de la nuit. La Vie semblait impossible sans l'existence du rayonnement solaire fécondant, élevé au rang de divinité suprême.

Des siècles passèrent, des générations d'hommes abandonnèrent leurs cultes : leurs divinités disparurent dans l'oubli. Jusqu'à ces débuts du XXᵉ siècle, où l'héliothérapie revient à la mode, stimulée par un amour du soleil associé aux vacances et au bonheur, qui frise à nouveau le culte. « Le soleil, toute l'année, au club Méditerranée » : la publicité aguiche des centaines de milliers d'individus las de l'effort productif et de la grisaille. Et pour cause. La vogue du teint hâlé n'est pas leur seule motivation. Le Soleil guérit... C'est ce que pensent sans doute ces femmes roumaines de tout âge et de tout niveau culturel qui, avec une constance qui rappelle celle des Musulmanes se rendant au hammam, s'exposent, jambes ouvertes, sur les plages, à l'abri des réserves naturistes, pour se guérir de petites infections vaginales.

Mais le Soleil peut devenir dangereux, au-delà d'un certain seuil. Si les rayons ultraviolets [1] provoquent la pig-

---

1. Il faut distinguer, dans le spectre solaire, les radiations situées de part et d'autre de la lumière visible : les rayons infrarouges pour les grandes longueurs d'onde, les ultraviolets pour les petites longueurs d'onde.

mentation de la peau qui crée le hâle, ils ont d'autres effets beaucoup moins visibles et bien plus mystérieux.

Le rôle des ultraviolets

Pour en découvrir l'importance sur la physiologie humaine, il faut remonter aux origines de la vie. Avant que celle-ci n'apparût, l'atmosphère comportait divers composants isolés. Ceux-ci se regroupèrent pour former des molécules organiques grâce à l'énorme quantité d'énergie radiante fournie par le Soleil [1]. Car, avant l'apparition des enzymes catalysant les synthèses, c'est le Soleil qui permit la formation des molécules complexes, puis l'assemblage de ces molécules entre elles. Les enzymes une fois créées, le Soleil n'est plus essentiel : le processus de génération cellulaire s'entretient de lui-même. Cependant, le Soleil continue d'agir : les photons des rayons ultraviolets sont absorbés par ces composants essentiels d'une cellule que sont les chromosomes, porteurs de gènes, qui définissent les caractères héréditaires d'un individu. Ces chromosomes sont formés d'acides nucléiques. Or la couche d'ozone de la stratosphère filtre les photons du rayonnement ultraviolet. Heureusement, car ces rayons sont nocifs : l'expérience a montré que, sans ce filtre, l'absorption provoquerait des réactions chimiques entraînant une déformation des molécules composant les chromosomes, qui se traduirait par des mutations transmises ensuite à la descendance. Le mécanisme de la vie est à la merci de ce dérèglement. Qu'un cataclysme fasse disparaître ou diminue fortement la couche d'ozone, et le rayonnement ultraviolet augmente : des risques génétiques apparaissent. Aussi commence-t-on à

1. Ainsi que l'ont montré des recherches récentes, comme les travaux de MM. Millet et Urey, publiés en 1959 dans la revue *Science* (n° 30) à Washington, et dont les principaux résultats ont été repris et développés par M. Hulett en 1969, dans le *Journal of Theoretical Biology* (n° 24). Cf. aussi les travaux de M. Buvet, à Créteil.

prendre soin de cet ozone bienfaisant. Et pour cela, on n'hésite pas à limiter, entre autres [1], le nombre des vols supersoniques, qui détruisent partiellement la couche d'ozone : décision importante qui trouve sa justification dans les risques de carcinogenèse attribués aujourd'hui à un rayonnement ultraviolet trop agressif. C'est en effet aux récentes recherches sur le cancer de la peau et sur la réparation des cellules malades que l'on doit de nouvelles découvertes en photobiologie — science des effets de l'énergie rayonnante sur les êtres vivants. Ces découvertes ont été rendues publiques au Congrès international de photobiologie, réuni à Rome en septembre 1976.

Par quel processus l'ultraviolet favorise-t-il le cancer ? Ce dernier traduit des déformations dans l'assemblage des molécules d'acide nucléique, qui sont en majeure partie résorbées par des enzymes de réparation dont dispose l'organisme humain quand il est sain. Certains biologistes, étudiant le processus de développement d'un cancer particulier de la peau — le *Xyroderma pigmentorum* —, ont découvert que les malades qui en sont affectés sont justement privés, dès la naissance, de ces enzymes de réparation. Le *Xyroderma* est donc une affection héréditaire, et l'absence de ces enzymes entraîne chez l'individu concerné une très grande sensibilité au rayonnement ultraviolet et au développement précoce de ce type de cancer. Autre découverte : des individus normaux — pourvus de ces enzymes à la naissance —, exposés au rayonnement ultraviolet à des doses intenses, continues, répétées, développent fréquemment d'autres cancers de la peau. C'est le cas des marins ou des paysans, que leur métier oblige à une longue exposition aux ultraviolets et qui développent souvent vers la soixantaine un cancer au cou et aux mains.

---

1. Citons aussi une campagne menée aux Etats-Unis pour interdire les bombes aérosols. Les gaz propulseurs — des fluocarbures — des bombes à peinture, des mousses à raser, etc., ont en effet la propriété de dissocier les molécules de la couche d'ozone. Au rythme actuel d'utilisation des aérosols, on pense que 10 % de l'ozone stratosphérique serait détruit d'ici une cinquantaine d'années, et que les cas de cancer de la peau seraient multipliés par 10 (cf. *Science et Vie*, n° 173, février 1977).

Si l'on en croit ces chercheurs, mieux vaut ne pas forcer le brunissement tant prisé, mieux vaut éviter de trop longues stations au soleil ou l'utilisation de certaines crèmes à bronzer contenant des produits toxiques. Ainsi en est-il, selon ces experts, de la bergamote, qui n'agit pas comme filtre coupant la radiation, mais contient au contraire un élément photosensibilisant qui amplifie l'effet cancérigène du rayonnement ultraviolet.

Des origines de la vie à la déformation désordonnée des cellules atteintes de cancer, le rayonnement ultraviolet présente un double visage, n'en finissant pas de dérégler ou au contraire de régénérer l'organisme humain. Ainsi, un de ses effets les mieux connus est la synthèse des vitamines D, régulatrices de l'équilibre photocalcique : effet antirachitique, primordial pour l'enfant.

Le rôle des infrarouges

A chacun son domaine : si l'ultraviolet règne sur les réactions biochimiques, l'infrarouge agit principalement sur le système neurovégétatif, qui met en jeu les mécanismes hormonaux agissant sur la croissance des individus. On accorde aux infrarouges — sans trop savoir pourquoi — une influence salutaire sur la guérison des infections, la cicatrisation des plaies superficielles. Ils ont aussi la faculté de calmer les douleurs abdominales ou rhumatismales, ainsi que les névralgies. Enfin, en favorisant l'évaporation de la sueur, ils activent l'élimination des déchets toxiques produits par les combustions intramusculaires.

La lumière visible

Autre action bienfaisante du rayonnement solaire, dans sa partie visible cette fois : celle de la lumière blanche, qui, frappant les terminaisons de la rétine, déclenche d'importants mécanismes endocriniens mettant en jeu l'hypophyse et les glandes surrénales. Ces mécanismes favorisent la croissance de l'enfant.

Influence régénératrice du Soleil, que les religions divinisaient et célébraient, non sans en craindre les foudres... Car les prêtres du Soleil espéraient aussi en conjurer les châtiments, telles ces grandes épidémies dont on lui attribuait la paternité. Leur retour, a-t-on constaté depuis, est cyclique, en rapport avec les cycles solaires. Les paroxysmes des épidémies semblent se situer entre les maxima et les minima de l'activité solaire. Ainsi une étude faite au Danemark pour les épidémies de diphtérie indique une nette concordance des variations avec le cycle d'activité solaire, décalé de 5 ans... jusqu'en 1920, où commence l'utilisation systématique du sérum antidiphtérique du Dr Roux.

Les rayons lumineux et calorifiques du soleil ne sont pas les seuls à agir. Il s'y ajoute un rayonnement corpusculaire, responsable des aurores polaires, des perturbations du champ magnétique terrestre, des évanouissements et fadings dans la propagation des ondes radio-électriques courtes... Ce rayonnement cosmique est lié à l'activité du Soleil, dont le disque présente des éruptions ou des mouvements de taches sombres, plus ou moins périodiques. On attribue même à cette activité des effets sur le climat terrestre et sur la croissance des végétaux...

L'influence du Soleil sur les civilisations

Climat réputé stimulant des pays de montagne tempérés, climat jugé dépressif de la Californie... que de vertus, ou de tares, n'attribue-t-on pas au climat, en fonction d'une notion de confort pour le moins sujette à changement. Les critères de bien-être varient sensiblement d'un pays à l'autre, ou d'une période à l'autre. En France, par exemple, la température requise dans une maison n'a cessé d'augmenter depuis une cinquantaine d'années. C'est à la définition de ce bien-être, de la température qu'il requiert, mesurée en *clo* (abréviation de *cloth* — vêtement en anglais), que visent les expériences menées par un professeur danois, M. Franger. Dans un grand amphithéâtre, devant des dizaines de congressistes, des hommes et femmes à la peau blanche, noire, ou jaune, habitant des pays chauds, froids, ou tempérés, viennent l'un après l'autre s'asseoir dans une enceinte close. Vêtus, puis dévêtus. A chacun M. Franger pose la même question. Se sent-il bien ? Les réponses, quel que soit l'homme, varient peu. Ce qui prouverait que, malgré la différence de latitude, le sentiment de confort reste le même, contrairement aux idées reçues.

D'autres mènent des expériences proches. Ainsi, EDF a démontré que le fait de se vêtir d'un pull-over peut compenser une baisse de température extérieure de 2°. Ce qui équivaut à une économie d'énergie de 20 %. Des écologistes, par ailleurs, calculent les calories consommées par l'activité humaine : marche, travail, etc. Certains climatologues en profitent enfin pour élaborer de bien curieuses théories. Celle par exemple qu'a édifiée M. Huntington [1], auteur de *Civilization and Climate,* ouvrage dans lequel il précise quels sont, selon leur degré d'ensoleillement, les climats les plus favorables à l'activité humaine. Etudiant les variations de la production — manuelle ou intellectuelle — en fonction des facteurs atmosphériques, il en conclut que la capacité de travail varie avec la température. Elle semblerait d'autant plus réduite que la température est élevée — le corps réduisant son métabolisme et donc son activité quand les températures deviennent trop élevées.

Huntington établit alors une carte détaillée, à travers le monde, des relations entre la civilisation et la stimulation climatique [2].

Le résultat est sans nuances. L'Allemagne, soumise à une stimulation climatique plus forte, est considérée comme

1. Cité par André Missenard dans *La Chaleur animale,* PUF, coll. « Que sais-je ? », n° 205.
2. Parmi les critères de civilisation ainsi définis : le degré d'initiative, le degré de perfection des systèmes d'éducation, le développement de l'hygiène, le niveau d'honnêteté et de moralité, l'aptitude à conduire et à contrôler d'autres races, le degré de

plus « civilisée » que l'Italie. Et que dire des pays chauds du Sud, voués à la quasi-absence de « civilisation », du moins telle qu'elle est définie à partir des normes occidentales. Le but ultime de la stimulation climatique est de favoriser la production : on retrouve là les valeurs et fondements de la « civilisation industrielle » la plus plate.

Montesquieu, lui aussi, mais avec combien plus de subtilité critique, consacrait un chapitre de *l'Esprit des lois* au rapport qu'entretiennent celles-ci avec le climat. Remarquant les effets de l'air froid ou de l'air chaud sur les nerfs et les vaisseaux sanguins, qu'il appelle « fibres extérieures de notre corps », Montesquieu trouve plus de vigueur dans les pays froids, donnant en conséquence

> plus de confiance en soi-même, c'est-à-dire plus de courage ; mais aussi plus de connaissance de la supériorité, c'est-à-dire moins de désir de vengeance.
>
> Les peuples du Nord [poursuit Montesquieu] auront donc de grands corps et peu de vivacité [...] peu de sensibilité pour les plaisirs [...] alors que dans les pays chauds, elle sera extrême. [Quant aux plaisirs liés à l'union des deux sexes], dans les climats du Nord, à peine le physique a-t-il la force de se rendre bien sensible ; dans les climats tempérés, l'amour, accompagné de mille accessoires, se rend agréable par des choses qui d'abord semblent être lui-même et ne sont pas encore lui. Dans les climats du Sud, il est la cause unique du bonheur, il est la vie.

Montesquieu propose alors de compenser les défauts du climat par une législation bien faite.

> Les mauvais législateurs sont ceux qui ont favorisé les vices du climat et les bons sont ceux qui s'y sont opposés. La servitude commence toujours par le sommeil [...] Je ne sais si c'est l'esprit ou le cœur qui me dicte cet article-ci. Il n'y a peut-être pas de climat sur

---

sûreté personnelle et de contrôle de soi, le sens de la beauté, l'aptitude à développer des systèmes philosophiques, etc. Etrange liste...

terre où l'on ne pût engager au travail des hommes
libres. Parce que les lois étaient mal faites, on a trouvé
des hommes paresseux ; parce que ces hommes étaient
paresseux, on les a mis en esclavage.

Dans cette recherche d'harmonie universelle transpa-
raît une certaine ingénuité. Les causes de la paresse restent
bien mystérieuses. Mais les temps ont changé. Aujour-
d'hui, ce qu'on vénère comme une loi « bien faite » n'est
souvent qu'un hymne à la morale du travail, et c'est au nom
de la lutte contre les hommes paresseux qu'on en vient au
travail forcé — comme hier à l'esclavage que dénonçait
Montesquieu.

En fin de compte, on ne connaît guère mieux maintenant cette influence des climats sur le comportement de
l'homme, due en grande partie au degré d'ensoleillement
variant avec la latitude. De petites expérimentations sont
faites, de-ci de-là. Avec des moyens artisanaux, rappelant
ceux utilisés par Montesquieu lorsqu'il faisait geler puis
dégeler une langue de mouton pour observer les effets
du froid sur les sensations — expérimentation étonnam-
ment moderne en son temps. Aujourd'hui, par exemple,
on réexamine les travaux pratiques de W. Reich concernant
l'énergie vitale. Et sa définition de l' « aura », enveloppe
impalpable qui entourerait l'individu et où se réaliseraient
les échanges bioénergétiques entre l'homme et le rayonnement cosmique, dû en partie au Soleil. Analyses surpre-
nantes à première vue, mais reprises par d'autres scientifiques, tel un sérieux Soviétique, M. Kirlian, photogra-
phiant l'aura... Un jeune écologiste français, M. Laurens,
poursuit l'expérimentation commencée par Reich. Un individu est allongé dans un caisson de simulation des désirs et
sensations. On promène des électrodes de mesure à l'intérieur de l'aura : ainsi obtient-on une mesure de la condensation électrique à la périphérie du corps, assimilée à l'intensité de l'énergie vitale...

Alors, si le cœur vous en dit, construisez votre caisson,
pour mieux connaître votre aura et celle de vos proches...
Décidément, la route du Soleil nous réserve encore quelques détours, loin des querelles technocratiques.

10

Soleil, «large comme un pied d'homme»

1. Soleil à vendre

Chez les Indiens navajos, le récit de la création du Soleil retrace la séparation de la lumière en ses diverses couleurs :

> Près du sol était le blanc indiquant l'aube ; sur le blanc était épandu le bleu pour le matin ; au-dessus était mis le jaune, symbole du couchant ; puis le noir, image de la nuit.

Arc-en-ciel que le soleil, comme un peintre, fait éclater en d'infinies nuances.

Ainsi nous représentons-nous le tableau de la science solaire d'aujourd'hui. Des filières multiples, des ouvertures de toutes parts, des contradictions partout. Aucune voie royale, tout doit être essayé. Demain verra peut-être le triomphe des photopiles, ou des algues, ou encore de quelque patchwork de technologies mêlées... On entend dire, parfois : « La seule filière rentable, de nos jours, est celle des chauffe-eau. » Point de vue terre à terre, froidement calculateur, tout à fait décourageant. Autant dire, plus simplement : le solaire n'a aucun avenir. Or l'énergie solaire est en gestation. Comme toute innovation technique, elle coûte cher. Pour le moment, la rentabilité n'est pas un critère. D'ailleurs, c'est à peine si l'on peut parler de prix, tant que l'expérimentation n'est pas faite. M. Romani, spécialiste des éoliennes, raconte cette anecdote : un ingénieur en chef des phares et balises commande dix aérogénérateurs. Un fonctionnaire le rencontre, et tout ému : « Comment, vous achetez des éoliennes, alors qu'on ignore si cette source d'énergie est rentable ? — Justement, c'est pour le savoir. »

Mais qui peut ainsi tenter sa chance ? Le particulier, on s'en doute, n'est pas rassuré. Tel le petit personnage de

Reiser expliquant : « L'énergie solaire, c'est bon pour le voisin. » Acheter un appareil solaire, passe encore, pour peu qu'on en vende. Mais le montage, les réparations, les garanties ? Le solaire n'a pas encore ses plombiers, ni ses vendeurs spécialisés. Les pionniers du solaire ne peuvent donc être que des mécènes éclairés. Tel Robert Redford se faisant construire un ranch solaire dans l'Utah. Ou plus modestement, en France, Reiser et sa maison à photopiles.

Il reste l'Etat. Lui seul est en mesure de promouvoir une énergie nouvelle. Ses organismes de recherche sont censés travailler au-dessus de la concurrence, sans le souci d'une rentabilité économique immédiate, en donnant la priorité à la volonté politique, qu'il s'agisse d'une volonté d'indépendance énergétique, d'un souhait écologique, ou d'un désir de profits futurs. C'est ainsi que le nucléaire s'est imposé à la raison d'Etat. Il possédait un atout essentiel, à l'origine : celui d'assurer une baisse du prix de l'électricité, d'autant plus forte que les centrales nucléaires seraient plus puissantes. Tout semblait simple, voici une trentaine d'années, quand les recherches désintéressées ont été prises en charge par l'Etat. Personne n'aurait imaginé la suite. Si près du but, tout est maintenant remis en cause, parce que la pollution est excessive, et que le temps n'est plus aux combinats géants, si sophistiqués soient-ils. Résultat paradoxal : pour obtenir un hypothétique kilowatt-heure à bas prix, il aura fallu dépenser une fortune en frais de recherche.

Mieux vaut se méfier des prévisions. Et s'il est peut-être un peu tard pour remettre en cause totalement le nucléaire, du moins pourrait-on donner sa chance au solaire, plutôt que de le condamner par anticipation, comme le font bien des Etats [1]. Le soleil a d'ailleurs plusieurs avan-

---

1. En 1976, les crédits de l'Etat français sont cent fois plus élevés pour le nucléaire que pour le solaire. D'autre part, l'effort public de recherche-développement pour les « énergies nouvelles » est cinq fois plus élevé aux Etats-Unis qu'en France, mais il est le même si on le rapporte au produit national brut de chacun de ces pays. Malgré l'option nucléaire, la France se situe au deuxième rang mondial pour les énergies nouvelles, derrière les Etats-Unis.

tages : son énergie est immédiatement disponible, les techniques ne demandent qu'à être testées, il n'existe aucun barrage théorique. Sans longues études préalables, les technologies solaires peuvent fonctionner, tant bien que mal, avant l'avènement du nucléaire. Elément important, à l'heure des comptes.

Certains l'ont compris. Sans attendre le feu vert de l'Etat, de petites sociétés dynamiques sont nées, comme la Sofretes ou la Sofee en France. Théoriquement, c'est l'Etat qui devrait entraîner le secteur privé : à l'un la prospective, à l'autre la dure réalité des affaires. Là où le CNRS est censé voir à long terme, l'entreprise industrielle joue sur une dizaine d'années, pas plus. En réalité, c'est l'Etat qui est en retard. De petites entreprises solaires ont pour leur part réussi une percée remarquable et, sur le marché certes marginal qu'elles ont ouvert, elles sont tout à fait rentables. Les prix ne sont pas le problème essentiel. Si minuscules soient-elles, les entreprises solaires ont en la matière une situation de monopole. De plus, si elles diminuent leurs prix, elles n'auront plus les moyens de satisfaire la demande, vu leur faible capacité de production. Ce monopole reste discret : là où une concurrence même partielle se produit, les prix sont harmonisés. Ainsi les deux types de pompes solaires d'un kilowatt (Sofretes et Guinard) sont-ils au même prix. Par contre, lorsque la production en est encore au stade artisanal, la concurrence ne peut pas s'exercer et les prix sont arbitraires : le prix des capteurs solaires varie de un à dix sans que l'acheteur soit en mesure de faire un véritable choix. De leur côté, les clients potentiels attendent que les prix baissent, mais comme ils ne sont pas assez nombreux à le vouloir, la situation reste bloquée.

L'essor tant attendu des photopiles servira peut-être de détonateur. En attendant, la course à la quantité reste modérée, dans les limites de la petite entreprise. Lorsque l'Egypte propose en 1976 d'acheter 300 pompes solaires, aucune société n'est en mesure de les lui fournir immédiatement et à un prix raisonnable. Commentaire de circonstance, fait par un ingénieur de Renault : « Si on fabriquait une R 16 comme on fabrique une pompe solaire, elle coûterait 100 millions ! » Le coût des voyages d'un ingénieur sur le chantier équivaut à lui seul à la moitié du prix de la pompe. Quant aux Etats susceptibles d'acheter du solaire, ils sont d'autant moins concernés qu'ils ne paient parfois quasiment rien, du fait des organismes internationaux ou de la coopération technique. La Compagnie française des pétroles offre des serres à Abou Dhabi, l'Etat français finance le plan Sahel. Ces affaires se jouent sans grand réalisme, avec des prix assez artificiels, ce qui rend sceptiques les chefs d'entreprise, comme celui-ci qui déclare :

> Quand un lot de 1 000 ou 5 000 pompes sera payé par les utilisateurs eux-mêmes, alors, oui, on pourra juger de l'efficacité du service. Sinon, cela reste un jeu, une affaire de prestige.

Mieux vaut donc ne pas trop s'attacher à la question des prix pour établir des comparaisons entre les diverses sources d'énergie. Comme le dit M. Romani, décidément provocateur et qui n'a pas puisé sa science dans les manuels d'économie :

> Je ferai remarquer que toutes les sources d'énergie tendent à coûter le même prix, pour la bonne raison que, si une source est chère, on s'attache à réduire son coût et que, si elle est trop bon marché, ceux qui en profitent en augmentent impunément les prix.

2. L'avenir du solaire

Hier, le bois. Puis le charbon. Aujourd'hui, le tout-pétrole. Et demain, peut-être, le tout-nucléaire avec les surrégénérateurs. Puis la fusion nucléaire. Ou l'énergie solaire... Les hommes qui sondent le futur ont tendance à le ponctuer, comme le passé, en référence à des sources d'énergie prédominantes, l'une après l'autre, par vagues successives. Aujourd'hui pourtant on entend un autre point de vue : la mono-énergie, c'est fini, place à la diversité des sources. C'est ce que les chercheurs de l'ERDA prédisent pour les Etats-Unis, en l'an 2020. Pétrole, charbon, nucléaire, solaire : chacun entrera pour 20 % dans les ressources. Le reste ira au gaz naturel, à l'hydro-électricité, à la géothermie. Pour la première fois dans l'histoire, il semble qu'on s'oriente vers un véritable pluralisme énergétique.

Quelque indices nouveaux permettent de le confirmer. Les grandes firmes ont en effet infléchi leur stratégie, ces derniers temps. Juin 1975 : la Compagnie française des pétroles prend une participation dans la Sofretes, et Elf dans la Sofee. Désormais, le solaire a pignon sur rue, et ses agents commerciaux de par le monde sont les plus grandes compagnies pétrolières. Chez Elf, on souhaite faire passer la Sofee, qui a 15 ans d'existence, du stade artisanal, confidentiel, à un niveau industriel. En même temps, Elf s'associe aux pompes Guinard pour diffuser les pompes à photopiles. Tout cela, avec la géothermie, fait partie de son secteur « activités nouvelles ». De même, à la CFP, un Bureau de direction est créé, dès 1973, qui regroupe les secteurs des mines, du nucléaire et des autres formes d'énergie non pétrolières. Une concession charbonnière est achetée en Afrique du Sud. Pour le nucléaire, on en reste à l'extraction du minerai, avec la collaboration d'Ugine-

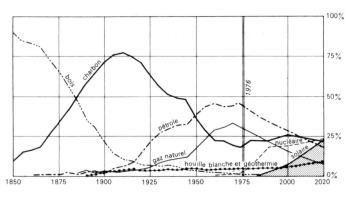

L'évolution énergétique et les prévisions aux Etats-Unis, jusqu'en 2020. (Document National Geographic, Pamela Juett, E. Saban.)

Kuhlmann ; pour le solaire, on s'oriente vers les pompes et la réfrigération. D'autres grandes sociétés font de même : la CGE, EDF — qui participe à tous les grands projets solaires —, Saint-Gobain — qui va jusqu'à patronner un concours d'architecture solaire. Et même le Crédit agricole, qui lance un « jeu de la maison solaire » à la Foire de Paris de 1976.

A l'ordre du jour donc, la diversification, pour se préparer à un avenir qu'on imagine mal. Selon un responsable de la société Elf :

> En tant que société d'Etat, nous devons donner une impulsion. Peut-être un marché s'ouvrira-t-il. Il n'est pas sûr alors que ce soit nous qui en profitions.

Aussi la prudence est-elle de règle dans le monde de l'entreprise privée, où l'on attend que les contrats arrivent. On garde simplement un dossier dans les cartons, pour être prêt. Pour les grandes sociétés, le solaire fait office de recours ultime, au cas où le critère économique laisserait place à un critère de catastrophe. Avec une multitude de « si », comme l'indique un spécialiste :

Si la pression écologique déborde, si l'énergie nucléaire est prohibée, si aucun combustible conventionnel ne peut y suppléer, si la fusion nucléaire n'est pas au point... on saura se souvenir qu'en couvrant 1 % du territoire français de capteurs toute la France peut être alimentée en énergie.

Toujours est-il que les énergies nouvelles ont fait irruption dans la grande industrie. Si timide que soit le phénomène, cela change tout. En effet, que de discours virulents n'avait-on pas entendu contre le monopole énergétique des grandes firmes ! Que d'arguments définitifs pour démontrer que « les sociétés pétrolières n'ont aucun intérêt au solaire » ! La réalité n'est pas aussi simple. La grande industrie n'est pas prête, elle non plus, à jouer la seule carte du nucléaire, ne serait-ce que par crainte de voir les pays producteurs d'uranium naturel faire un jour comme ceux du pétrole... D'ailleurs le petit pluralisme que les sociétés pétrolières acceptent maintenant ne modifie en rien leur structure. Un monopole a toujours besoin d'une périphérie de petites entreprises pour pouvoir fixer des prix élevés. Hier, c'était une frange de petites entreprises pétrolières. Rien n'a changé depuis la crise du pétrole, si ce n'est que la frange s'est modifiée. Aujourd'hui le prix du pétrole est fixé au niveau de celui des puits marginaux forés en Alaska, dans l'Orénoque, ou *off-shore*. Dans le même élan, de petites entreprises d'énergies nouvelles pénètrent dans l'antichambre du monopole. Ces velléités de diversification restent toutefois à la merci de la moindre crise économique. L'assurance de disposer pour longtemps encore de pétrole, principalement sous-marin, peut aussi freiner, voire bloquer l'essor des énergies nouvelles. Mieux vaut donc ne pas espérer un passage rapide du pétrole au solaire. De plus, tout changement brutal est impossible, pour des raisons évidentes où la stratégie des grandes firmes n'est pour rien. Le temps n'est plus où le pétrole pouvait supplanter le charbon en quelques années. Là, c'était clair : le combustible liquide était bien plus pratique que le combustible solide. Mais le solaire... Il s'agit d'une énergie fluctuante, dispersée, qui demande non seulement un autre type d'industrialisation, mais un mode de vie différent. Mutation difficile, quand on sait la difficulté qu'il y a déjà à remplacer le butane par le gaz de ville, et le 110 volts par le 220. Enfin, le tout-pétrole a déjà largement pollué toute une partie du domaine où les énergies nouvelles pourraient fructifier, y compris en mer. Dans ces conditions, comment faire ?

Reste le compromis. A l'intérieur des mailles du réseau énergétique conventionnel, les énergies nouvelles peuvent se faire une place, petite dans les pays industriels, grande dans le tiers monde. Une sorte de dualisme peut être envisagé : aux énergies conventionnelles la grande industrie, aux énergies disséminées les usages domestiques, voire commerciaux. Ce partage n'est pas incompatible avec la stratégie des grandes firmes, qui acceptent le nouveau pourvu qu'il soit marginal. Tout se joue alors dans le dosage. On peut en rester à un pluralisme de façade, tel que le conçoivent la plupart des grandes entreprises. Ou au contraire s'engager sur la voie d'un véritable pluralisme, où chaque source d'énergie aurait sa place, les plus avancées aidant les retardataires. Cela n'est encore qu'utopie, mais on a déjà trouvé le mot qui conviendrait à cet ensemble diversifié : l'énergie totale [1].

1. Aux Etats-Unis, on expérimente actuellement de petits ensembles communautaires — les MIUS — utilisant diverses énergies, avec un recyclage diminuant les pertes de moitié (cf. *Hud Challenge*, juin 1976).

3. Les hommes du soleil

Mais, n'est-ce pas, ce sont les hommes et non les mots qui font l'Histoire. Celle du solaire n'échappe pas à la règle. Le rêve ancien d'un retour à l'harmonie universelle renaît aujourd'hui. Eclaté, voire gadgétisé, entre le gratte-ciel et la hutte, entre la science sophistiquée et le bricolage primitif, le Soleil pénètre dans les sociétés modernes. Derrière sa bannière s'engouffre une troupe nombreuse et bariolée, qui possède déjà ses prêtres et ses prétoriens, ses illuminés et ses rigoristes, ses prophètes et ses opportunistes. Ensemble, ils produisent un fantastique brassage d'idées, comme on n'en avait plus vu depuis longtemps, ébranlant la tour d'ivoire de la Science... Qui songerait aujourd'hui à reprocher aux chercheurs d'un laboratoire d'aérospatiale — traditionnellement à la pointe du progrès sophistiqué — de tremper dans la recherche solaire ? Même des atomistes délaissent la théorie pour se plonger dans les problèmes de plomberie de la technologie solaire. Ils sont des milliers, venus de tous les horizons, à faire vivre cette recherche, qui appartient à tout le monde et qui est même à la mode... Est-ce pour cela que parfois on se déchire à belles dents ?

L'heure est en effet à la concurrence sauvage. Rien n'est encore définitivement tranché. Il y a les bricoleurs géniaux, emportés par leur amour de la nature, tel M. Isman demandant : « Enfin, dans certaines circonstances, pourquoi n'utiliserions-nous pas à nouveau quelques chevaux ? » Et, de l'autre côté, les spécialistes des photopiles qui foudroient, du haut du culte du progrès, ceux qui veulent revenir un siècle en arrière... Aux écologistes, dernières vestales du Dieu-Soleil, se heurtent les scientifiques de la raison pure, à l'affût de la rentabilité. Cela produit quelques dissonances... Depuis les confins du rêve, on maudit les mercenaires de la technocratie galopante. Qui lancent à leur tour l'anathème sur les expérimentateurs à quatre sous. Le duel est d'autant plus féroce que la grande industrie s'installe depuis peu dans le maquis défriché par les bricoleurs de la nature. L'issue du combat demeure incertaine, tant elle est obscurcie par les contradictions internes. Une poignée de purs et durs de la rédemption écologique, allant parfois jusqu'à réduire la nature à une macrobiotique sans couleur ni odeur, invectivent les traîtres qui s'allient au système — comme ces *New Alchemists* qui osent accepter l'aide financière d'un puissant groupe de presse [1]. Ceux-ci, bannis par les uns, et tournés en dérision par d'autres au nom de l'industrialisation centralisée, n'en poursuivent pas moins leur chemin. Non sans sagesse : car entre le bric-à-brac invendable et les inventions diffusées ensuite sous la marque d'Esso ou de Renault, pourquoi faudrait-il choisir au nom de la morale, en fustigeant la récupération ? Le résultat reste là, même s'il se présente d'abord sous le nom d'une grande marque...

Il y a aussi les questions théoriques. Le solaire a ses concepts : technologies douces, appropriées, alternatives, opposées aux technologies dites dures, telle celle du nucléaire. Ce domaine tout abstrait n'est pas non plus préservé de l'orage. Tandis que certains praticiens, tel l'Anglais Schumacher [2], vaguement inspirés par le gandhisme et le bouddhisme, cherchent à mettre au point des technologies intermédiaires, M. Harper, spécialiste anglais, s'acharne à définir théoriquement le concept de technologie douce qu'il a inventé, partant en guerre contre les confusionnistes qui identifient le doux et l'alternatif ; il va jusqu'à abandonner un moment sa terminologie, puis la re-

---

1. La Rondale Press Incorporated, éditeur de la revue *Organic gardening and farming,* diffusée à un million d'exemplaires.
2. Fondateur du Groupe pour le développement des technologies intermédiaires (ITDG), qui a réalisé de nombreuses petites installations. Schumacher a développé ses idées dans un livre : *Small is beautiful.*

lance à nouveau quand il découvre la dimension politique. « Avant d'implanter la technologie douce, il faut faire la révolution », annonce-t-il. Et le concept trouve une référence concrète : « La technologie chinoise applique un grand nombre des principes de la technologie douce. »

La technologie douce par des méthodes dures, pourquoi pas ? Mais est-ce mieux que la technologie dure par des méthodes douces ? Derrière le carrousel des mots, il y a la réalité des hommes.

Quelques iconoclastes vont jusqu'à déposer le fuel solaire sur l'autel de la Morale. L'énergie solaire sublimée en grande cause de l'humanité, en remède pour sauver le tiers monde... En attendant, si les photopiles s'étaient développées avec trente années d'avance, elles auraient sans doute aujourd'hui complètement supplanté le pétrole, et la technologie occidentale aurait une mainmise absolue sur le tiers monde, ce qu'elle n'a pas réussi à obtenir avec le pétrole.

Le soleil n'adoucit pas les mœurs scientifiques. Mais, dans cette foire d'empoigne, les idées foisonnent. Le néophyte a pour une fois son mot à dire, qui ne sera pas forcément le plus mauvais. Autodidactes de la « nouvelle culture », groupes d'agronomes à l'air des champs, loin du clinquant de la science de prestige, architectes visionnaires, méprisés par l'architecture officielle, humbles chercheurs dans des laboratoires divers donnent un style nouveau à la science. « Sachons imiter la feuille de l'arbre, qui s'adapte aux éléments, en refusant les excès, pour vivre longtemps », dit l'un d'eux. Certains proposent une vision séduisante où la société de demain, refusant le gigantisme et la régression, sera constituée d'une multitude de communes agro-électroniques. « Un œil sur le potager, et l'autre sur l'ordinateur [1]. » Mais toutes sortes d'utilisations sont possibles, qui ne vont pas nécessairement dans ce sens.

1. Selon l'expression de J.-F. Fogel et J.-L. Hue, *Science et Vie,* octobre 1975.

La prison solaire

Creusons un puits assez large jusqu'à 100 m de profondeur et construisons au fond un bunker. Ce serait là la prison idéale, sans gardiens, d'où l'on ne s'évaderait jamais. Mais sous terre, dans le noir, les prisonniers risquent de s'étioler trop vite. Il leur faut du soleil : rien de plus simple. Grâce à un système de miroirs disposés en surface, il est possible de faire tomber une pluie verticale de lumière jusqu'au fond du puits, tant que le soleil brille. Par d'autres miroirs placés au fond, on peut faire rayonner la lumière dans plusieurs galeries.

Le soleil peut servir toutes les causes. Il est par exemple frappant de lire un article de *Libération* (décembre 1976) où le système précédent se trouve expliqué... d'une façon apologétique, avec une seule petite allusion aux « commissariats de police » qui pourraient être intéressés par le procédé. Le tout est maquillé en véritable miracle énergétique, comme l'indique le titre de l'article : « Quand un rayon de soleil remplace une ampoule électrique ».

4. Une science nouvelle ?

Dans cette mêlée confuse autour du Soleil inaltérable, un enjeu précis apparaît cependant, qui porte le débat sur la science elle-même. On croyait que celle-ci permettrait à l'homme de dompter la nature. Le barrage d'Assouan ou l'industrialisation à la chinoise sont des produits de cette conception dominatrice. Les revers de ces expériences, ajoutés à l'ampleur des catastrophes écologiques, incitent aujourd'hui à la prudence. On se demande s'il ne vaudrait pas mieux s'associer à la nature, pour le meilleur et pour le pire, quitte à en imiter grossièrement les mécanismes. L'énergie solaire devient alors un lien privilégié entre l'homme et son environnement.

L'idée n'est pas nouvelle. Déjà pendant la Renaissance, Léonard de Vinci avait dessiné une aile imitant celle des oiseaux. Le grand rêve de reproduire la nature remonte même à l'Antiquité grecque. Ainsi Héraclite, selon la légende, pour soigner son hydropisie avait demandé aux médecins, sous forme d'énigme, comment transformer un déluge en sécheresse. N'ayant pas obtenu de réponse, il entra dans une étable, se couvrit de boue, puis se mit au soleil dans l'espoir qu'avec la chaleur l'eau s'évaporât. Et il mourut ainsi. Médication barbare et ridicule, pensera-t-on, que d'avoir voulu, pour éliminer l'excès d'eau, copier l'action régulatrice du soleil. Héraclite est-il vraiment mort ainsi ? Nul ne le sait, et peu importe. Mais ses disciples n'ont pas hésité à lui attribuer une théorie de l'imitation. Cinq cents ans plus tard, l'un d'eux écrit, sous le pseudonyme d'Héraclite :

> Le dieu dans l'univers guérit les grands corps et équilibre leur disproportion. Il unit ce qui est en miettes, il donne de l'éclat au terne, il poursuit ce qui fuit, il

fait resplendir les ténèbres... Il change la sécheresse en humidité, il vaporise les eaux, condense l'air, en fait de la grêle, et continuellement il poursuit en haut et construit en bas. Voilà la guérison de l'univers malade. Et moi j'imiterai l'univers en moi. Les autres, je les envoie promener.

Si excessive soit-elle, la théorie du pseudo-Héraclite, située entre l'alchimie et la science, n'a d'autre ambition que de copier le grand équilibre naturel. Dans cette vision où l'homme est inextricablement lié à la nature et soumis aux mêmes pulsations, au sein du mystère originel, les remèdes humains doivent être cherchés à partir des mécanismes naturels. Quelle différence avec la pensée moderne, qui a renversé les rôles et placé l'homme au centre du monde ! La nature n'est plus qu'un décor, ou une vague référence géométrique. Si nombre d'auteurs anciens ont intitulé leur ouvrage *De la Nature,* il n'est question aujourd'hui que de « sciences de la nature ». La nature n'existe plus, sinon pétrie par l'homme.

Cet état d'esprit rôdait déjà dans l'Antiquité. Il pointe chez Anaxagore, quand celui-ci annonce :

Les choses étaient dans le chaos, l'intelligence survenant en fit un monde organisé. Et c'est pourquoi elle reçut le nom d'intelligence.

Intelligence abstraite, qui se sépare de la nature vouée au chaos. Et voici Anaxagore qui bâtit la première tour d'ivoire de la science :

— Pourquoi es-tu né ? lui demande-t-on un jour.
— Pour observer le Soleil, la Lune et le ciel.
— Alors tu te prives des Athéniens ?
— Non, ce sont eux qui se privent de moi !

Là, déjà, apparaît une certaine idée moderne de la science. En ces temps reculés, toutefois, elle a quelque chose de subversif : pour avoir dit que le Soleil n'est qu' « une masse enflammée, pas plus grande que le Péloponnèse », et que « la Lune a des demeures, des collines et des vallées », Anaxagore fut condamné à mort, et ne dut son salut qu'à l'intervention de Périclès. Bien plus édifiante et moderne encore est l'histoire de Pythagore, mathématicien et philosophe : ses disciples n'hésitèrent pas à jouer un rôle politique dans la ville de Crotone, en monopolisant les postes élevés, au point qu'une révolte populaire éclata contre eux. La volonté de domination scientifique commence là, 600 ans avant J.-C.

La raison et le théorème ont écrasé la nature. Là où les Anciens exaltaient les notions de mesure et d'harmonie, le sens du merveilleux et de l'impondérable, s'est installée l'idée de l'homme dominant la nature, présupposé premier des sciences de la nature. Au point qu'on peut se demander si les sciences de l'homme, à leur tour, ne visent pas à assurer définitivement la domination des hommes par quelques-uns. Ceux qui furent les vrais maîtres à penser du XXᵉ siècle sont là pour témoigner de cette philosophie implicite. Joseph Staline, par exemple, lorsqu'il explique :

> Les résultats de l'action des lois de la nature, indépendantes de notre volonté, ne sont pas en général inéluctables, l'action destructrice ne se produit pas toujours, les hommes ne sont pas impuissants quant à la possibilité d'agir sur le processus de la nature.

Rien à redire, en apparence, mais une thèse est sous-jacente : la nature est mauvaise, elle produit des catastrophes que l'homme se doit de dominer. Seul est glorifié celui qui dompte la catastrophe... Cette théorie est notamment mise en œuvre en Chine : l'homme vaincra le tremblement de terre, y affirmait-on récemment. On avait presque fini par le croire, tant les commentaires élogieux des grands spécialistes scientifiques s'étaient multipliés à travers le monde. Quelle déception, lorsque survint celui de T'ientsin en 1976, faisant un nombre indéterminé de morts, une des plus grandes catastrophes jamais vues... Les dirigeants chinois par ailleurs, grâce à leur science humaine cette fois, avaient prévu que la troisième guerre mondiale est inévitable. Tout compte fait, il s'est produit ce qu'ils n'avaient pas prévu, et ce qu'ils avaient prévu n'a pas eu lieu. Suprême dérision : à quoi sert un abri antiatomique face à un tremblement de terre, si ce n'est à s'y faire enterrer vivant ?

Heureusement, des cris s'élèvent tout à coup. La catastrophe est imminente ! « L'utopie ou la mort », lance René Dumont. Contre les forcenés des idéologies dominatrices, le Soleil fait intrusion dans le monde de la science comme un trouble-fête, clignotant et fantasque, irrécupérable. Il convie les scientifiques à engager le dialogue avec la nature, au lieu de l'écraser sous leur verbiage. Peut-être s'est-il déjà produit quelque chose. Rien de très visible, au demeurant, mais comme un phénomène souterrain, une petite secousse dans les profondeurs de la science.

On connaît la photo sur laquelle un cheikh imperturbable, aux yeux perçants, est entouré d'une nuée d'experts japonais penchés, sur un tapis, autour de quelque minutieux plan d'usine : la Science chez les marchands de tapis. Là-bas, on achète des usines comme ici une voiture neuve. On choisit la couleur, on pose des questions simples et pratiques. Le spécialiste formé aux subtilités du marketing, qui manie un langage hermétique et codé, est désarmé : il doit expliquer sans détour les mécanismes d'une machinerie complexe. Toute l'aura de faux mystère qui entourait la science s'effondre. Un rapport direct s'établit, plus dépouillé. La machine est là pour faciliter la tâche de l'homme. Dans nos pays, on ne la voyait plus qu'en monument de domination ou en instrument d'aliénation. Dans certains pays du tiers monde, elle apparaît soudain tout autrement. Devant à nouveau assurer le mieux-être de l'homme, elle reprend un aspect vaguement miraculeux, mêlant le mystérieux et l'utile, même cette allure surréaliste, proche de l'absurde, que montraient les peintres comme Picabia dans les années 1930.

Mieux encore : c'est l'envolée inventive. Des espaces nouveaux s'ouvrent à la science. Icebergs en Arabie Saoudite, lacs dans le désert, complexes solaires dans la brousse... Pour la première fois depuis longtemps, l'imagination scientifique se donne libre cours, au lieu de rester enfermée dans le carcan des théories et des contraintes technologiques. Occasion unique à saisir, pour parler comme un marchand de tapis. D'ailleurs, les plus sérieuses entreprises industrielles l'ont si bien compris qu'elles jettent sur le papier les projets les plus fous, flairant la bonne affaire, certes. L'exotisme de la science solaire incite à embellir le tableau, en gommant le jeu de dupes et le bakchich. Peut-être ne s'agit-il que d'une étincelle fugitive... Du moins pourra-t-on dire : un rêve solaire a traversé le siècle, quelque part au cours des années quatre-vingts.

5. La modestie du soleil

Au-delà de la science, le jour du soleil sera-t-il, enfin, la nuit des idéologies et des systèmes ? Déjà il devrait réapprendre à l'homme la modestie... Ainsi revient cette phrase lancée par Héraclite voici 2000 ans : « Le Soleil, large comme un pied d'homme. » Que de ricanements, depuis, dans les salons de la science : « Il croyait que le Soleil n'était pas plus large qu'une assiette ! » Et de citer d'autres anciens, Epicure et Lucrèce, coupables eux aussi de la même bévue. « Le disque ardent du Soleil ne peut être ni plus grand ni moindre qu'il apparaît à nos sens », dit en effet Lucrèce. Mais si Héraclite révélait là un secret que les scientifiques ne sauraient voir ?

Peut-être voulait-il signifier que le Soleil est la « souche pivotale », comme disait Fourier, le lieu d'équilibre de l'univers, comme le pied pour l'homme. Ou que le Soleil, inaccessible par essence, est en même temps très proche, tel un organe constitutif du corps humain. Ou, pour donner avant tout une leçon de modestie et de mesure, rappeler que le Soleil, cœur de l'univers, consent pourtant à se mettre à la portée du microcosme humain. Quel avertissement cinglant, alors, aux humains qui se comparent au Soleil !

Charles Quint, encore timide : « Le Soleil ne se couche jamais sur mon empire. » Puis le Roi-Soleil, le Quatorzième, et sa devise orgueilleuse : « *Quo non ascendam.* » Enfin Mao Tsé-toung, « soleil rouge de nos cœurs » pour des centaines de millions d'hommes de notre temps. Comme si, à force de croire qu'il doit dominer la nature, l'homme ne résistait pas à l'envie d'en revêtir les atours, jusqu'à la parure solaire. Pour ceux-là, le rictus d'Héraclite résonne comme une sourde menace.

Un soleil, ça suffit : telle pourrait être la morale de l'histoire. Jadis, le fabuliste Esope, après avoir vu « aux noces d'un tyran le peuple en liesse noyer son souci dans les pots » et trouvé ces gens fort sots, en tira sa fable du Soleil et des grenouilles. Ayant appris que le Soleil songeait au mariage, celles-ci allèrent se plaindre partout : « Que ferons-nous s'il lui vient des enfants ? Un seul Soleil à peine se peut souffrir. Une demi-douzaine mettra la mer à sec, et tous ses habitants. Adieu joncs et marais : notre race est détruite. »

La parole grinçante d'Héraclite est bien loin d'être usée. Puisse-t-elle servir d'avertissement aux hommes de science tentés de réduire le Soleil à un objet de science aussi banal que n'importe quel fuel, et bientôt aussi inquiétant entre leurs mains que l'est devenu l'atome.

Il restera toujours quelque Diogène pour dire non :

— Demande-moi ce que tu veux, tu l'auras, lui dit Alexandre le Grand.
— Ote-toi de mon soleil.

(Photo Michèle Bourgeois.)

Bibliographie

OUVRAGES GÉNÉRAUX

Behrmann D., *Solar Energy : the awakening science*, Little, 1977.

CNRS, *Programme interdisciplinaire de recherche pour le développement de l'énergie solaire (PIRDES)*, rapport d'activité, juillet 1975-août 1976.

Délégation aux énergies nouvelles, *L'Energie solaire*, Service d'information et de diffusion, Premier ministre, 1976.

« Ecotechniques et habitat », *Aménagement et Nature*, 1976.

Nicolas F., Vaye M., (et alii), *La Face cachée du Soleil*, diffusion : librairie Parallèles.

Percebois J., *L'Energie solaire, perspectives économiques*, éditions du CNRS, 1975.

Peyturaux A., *L'Energie solaire*, PUF, coll. « Que sais-je ? », 1975.

Vaillant J.R., *Utilisations et Promesses de l'énergie solaire*, Eyrolles, 1976.

Revues : *La Gueule ouverte, Solar Energy, Energie solaire actualités*, etc.

Table

IMPRIMERIE AUBIN À LIGUGÉ (9-83)
D.L. 1er TR. 1978. No 4826-3 (L 15861)

Collection Points

SÉRIE SCIENCES

dirigée par Jean-Marc Lévy-Leblond